Prif Weinidog
Answyddogol
Cymru

I Fal

Prif Weinidog Answyddogol Cymru

COFIANT
HUW T. EDWARDS

GWYN JENKINS

Argraffiad cyntaf: Gorffennaf 2007

Cyhoeddir y lluniau yn yr adran luniau gyda chaniatâd
caredig Llyfrgell Genedlaethol Cymru; Mrs Eleri Huws;
Philip Jones Griffiths

Dymuna'r cyhoeddwyr gydnabod cymorth ariannol
Cyngor Llyfrau Cymru

Rhif Llyfr Rhyngwladol: 978 0 86243 964 4
ISBN-10: 086243 964 7

Cyhoeddwyd yng Nghymru
gan Y Lolfa Cyf., Talybont, Ceredigion SY24 5AP
gwefan www.ylolfa.com
e-bost ylolfa@ylolfa.com
ffôn 01970 832 304
ffacs 832 782

Cynnwys

NODYN O EGLURHAD

Yr enw ar ei dystysgrif geni oedd 'Hugh Thomas Edwards',
ond buan y disodlwyd y sillafiad Saesneg ac, er yr adwaenid
ef fel Huw Twm (gan ei gyfeillion agos) neu H T (gan
swyddogion), fel 'Huw T' y câi ei adnabod gan mwyaf a
hwnnw yw'r enw a ddefnyddir yn y gyfrol hon.

Lle mae'r cyd-destun yn amlwg, defnyddir enwau bedydd
rhai unigolion (e.e. Rhydwen, Gwilym R)

Ni chywirwyd yr orgraff mewn dyfyniadau na defnyddio'r
term 'sic' oni bai fod yr ystyr yn gwbl amwys.

Rhagair

CYNHALIWYD ANGLADD HUW T Edwards ar yr un diwrnod, 12 Tachwedd 1970, ag angladd cyn-Arlywydd Ffrainc, Charles de Gaulle. Bu'r ddau yn arweinwyr eu cenedl yn ystod blynyddoedd canol yr ugeinfed ganrif, ond arlywydd gwladwriaeth annibynnol bwerus oedd y Ffrancwr tra mai 'prif weinidog answyddogol' cenedl fach ddi-rym oedd y Cymro. Gallai de Gaulle ddweud '*non*' i lywodraeth Harold Macmillan ond dweud '*no*' fyddai Macmillan wrth Huw T pan ddeuai ar ei ofyn. Tra bod enw de Gaulle yn parhau ar wefusau'r Ffrancwyr, nid yw enw Huw T Edwards yn adnabyddus ymhlith Cymry heddiw; eto, yn anterth ei yrfa, cafodd ei ddisgrifio fel: 'the greatest Welshman of our generation', 'the complete Welshman', 'the truly representative Welshman', 'Wales's no. 1 salesman', 'Cymro mwyaf cyffrous ei ddydd' ac, yn fwyaf arwyddocaol, 'Prif weinidog answyddogol Cymru'. Ar yr un pryd, cyhuddwyd ef o fod yn anghyson ac anwadal ac mae cryn wirionedd yn sylw'r *Western Mail* yn 1951: 'You never know quite where you are with Mr Huw T Edwards', ac fe dyfodd rhyw fytholeg anghyffredin o'i gwmpas. Pwy, felly, oedd y Cymro mawr camelionaidd, anghofiedig hwn?

Cynnyrch plentyndod difreintiedig (tlodi a diffyg addysg ffurfiol) a breintiedig (cefndir Cymreig anghydffurfiol a chymdeithas glòs) o droad y 19eg ganrif ydoedd, ac ieuenctid caled, rebelaidd (chwarel, fferm, pwll glo, tafarn a rhyfel). Trodd y rebel hwnnw yn sosialydd democrataidd a chafodd gartref mewn mudiad cyffrous, blaengar a chymdeithasol drwy ei aelodaeth o undeb llafur a'r Blaid Lafur. Gweithredai er mwyn ei gyd-ddyn drwy ei reddf naturiol a'i bersonoliaeth gadarn ond cynnes, gan ymladd i wella bywydau pobl gyffredin a chyfiawnder cymdeithasol o fewn y gyfundrefn a fodolai ar y pryd, sef cyfundrefn Prydain Fawr. Nid oedd yn un am theori ac, er y gallai freuddwydio a chael ei swyno gan y rhamantus, roedd yn weithredwr pragmataidd. Cafodd enw fel fficsydd a phwyllgorddyn – a hynny mewn gwlad a oedd yn enwog am ei phwyllgorau – ond roedd hefyd yn berchen ar egwyddorion dwfn a ffyddlondeb diharebol i'w gyfeillion.

Blagurodd i ddod yn ffigur cyhoeddus deniadol wedi'r Ail Ryfel Byd, gan ailgydio yn ei Gymreictod naturiol. Er iddo werthfawrogi cyfraniad y mudiad llafur i wella bywydau pobl gyffredin, daethai i bryderu bod 'stomach complex' y dyn 'economaidd' yn andwyol ac nad 'ar fara yn unig y bydd byw cenedl'. Gan hynny, wrth iddo fynd yn hŷn, rhoddodd flaenoriaeth ddigyfaddawd i bobl Cymru, ei hiaith a'i diwylliant. Nid oedd yn fodlon â natur y gyfundrefn Brydeinig a daeth i gredu bod tynged ei genedl yn ddibynnol ar sefydlu senedd i Gymru, gan geisio gwireddu hyn oddi mewn a'r tu allan i Blaid Cymru. Roedd yn sosialydd o argyhoeddiad ac yn genedlaetholwr diwylliannol tanbaid. Tra byddai hynny'n gyffredin mewn gwledydd eraill ym mhob rhan arall o'r byd, yng Nghymru câi hyn ei ystyried yn gyfuniad rhyfedd.

Am gyfnod ar ddiwedd yr 1950au, ef oedd y Cymro mwyaf dylanwadol yn gweithredu ar dir Cymru. Tra oedd gwleidyddion fel Aneurin Bevan a Jim Griffiths wedi naddu gyrfaoedd llewyrchus iddynt eu hunain yn San Steffan, gweinidogion Ceidwadol yn tra-arglwyddiaethu drwy eu grym llywodraethol, a'r cenedlaetholwr Gwynfor Evans yn bugeilio mudiad anhrefnus, gwanllyd, Huw T oedd yn ceisio arwain Cymru, a hynny yn benodol yn ei rôl fel cadeirydd Cyngor Cymru. Roedd ei enw ar dudalennau blaen papurau newydd Cymru yn gyson a phob sylw o'i eiddo yn cael ei ddadansoddi, ei gymeradwyo neu ei feirniadu. Ond yn y pen draw, er ei fod yn berchen ar gryn ddylanwad, perthynai'r grym yn ddiamau i eraill yn Llundain. 'Decisions were handed down,' meddai un gwas sifil o'r cyfnod. Dyma oedd sefyllfa Cymru ers blynyddoedd lawer ac ni fyddai hynny'n newid tan i'r broses o ddatganoli gychwyn o ddifri yn 1964, gyda sefydlu'r swydd o Ysgrifennydd Gwladol a'r Swyddfa Gymreig. Heb gyfraniad Huw T, serch hynny, byddai'r broses honno wedi bod lawer yn arafach.

Os hanes Cymru yn yr ugeinfed ganrif oedd hanes datblygu hunaniaeth cenedlaethol a mesur o reolaeth dros dynged y genedl, yna roedd Huw T yn ffigur allweddol yn yr hanes hwnnw. Os hanes Cymru yn yr ugeinfed ganrif oedd gweld gwella safon byw a chyfleoedd i bobl gyffredin, yna roedd gan Huw T ei gyfraniad hefyd. Yn hyn o beth, felly, mae hanes ei fywyd yn werth ei adrodd.

★   ★   ★

Aeth sawl blwyddyn heibio ers i mi ddechrau ymchwilio i fywyd Huw T. Ymddiddorais ynddo yn gyntaf ar adeg nid annhebyg i'r cyfnod yn yr 1950au pan oedd Huw T ar flaen y gad yng Nghymru – gyda'r Ceidwadwyr mewn grym, y Blaid Lafur wedi'i rhwygo a Phlaid Cymru yn chwilio am fomentwm. I mi, roedd dyfodol Cymru yn y fantol a phriodol oedd chwilio am ysbrydoliaeth gan un a frwydrodd mor galed drosti. Wrth i mi ymchwilio ymhlith archifau a ffynonellau print y Llyfrgell Genedlaethol, deuthum i'r casgliad ei fod yn gymeriad mwy cymhleth ac allweddol nag y rhagdybiais. Yn sicr, nid yw ei gyfrolau hunangofiannol na chynnwys ei bapurau personol yn adrodd yr hanes i gyd.

Llwyddais i gwblhau'r ddwy bennod gyntaf o'r cofiant mewn pryd i ennill cystadleuaeth yn Eisteddfod Genedlaethol yr Wyddgrug yn 1991, ond fe gymerodd hyd flwyddyn Eisteddfod arall i'w chynnal ar faes yn yr un dref un mlynedd ar bymtheg yn ddiweddarach cyn i mi gwblhau'r gyfrol. Fy esgus am hynny yw i mi gael dyrchafiad i swydd eithaf cyfrifol yn y Llyfrgell Genedlaethol, a chan hynny rhoddwyd Huw T o'r neilltu am gyfnod cyn i mi gael ail wynt yn y ganrif newydd.

Pan ddechreuais ar yr ymchwil roeddwn yn ddigon hirben am unwaith i fynd ati i gyfweld ar dâp rai o gyfoedion a chyfeillion Huw T. Ers hynny mae pob un ohonynt wedi'n gadael, ond teg yw estyn fy niolch iddynt i gyd: Tom Jones (Shotton), y Fonesig White, Rhydwen Williams, Mathonwy Hughes, Gwilym R Jones, Cliff Prothero, Hubert Morgan, John Clement, Charles Quant, Moses Jones a Mary Bielby. Hoffwn ddiolch am y cymorth a gefais drwy lythyr a sgwrs gyda sawl un arall y cyfeirir atynt yn y troednodiadau.

Un o'r rhesymau am fy niddordeb yn Huw T oedd bod ei wyres Eleri gyda'i gŵr Gwilym a'u plant yn byw ym mhentref Tal-y-bont, Ceredigion, lle yr ymgartrefais innau gyda'm gwraig Fal ddiwedd yr 1970au. Daethom yn gyfeillion da, ac rwy'n ddiolchgar iawn iddynt am eu cefnogaeth ac am beidio â rhoi dim pwysau arnaf i orffen y gyfrol. Yn 1992, gan mlynedd wedi geni Huw T, buom yn gweithio gyda'n gilydd i osod cofeb i Huw T yn ei bentref genedigol, Ro-wen, yn nyffryn Conwy.

Mae fy nyled yn fawr i lyfrgellwyr ac archifyddion ar hyd a lled y wlad am sawl cymwynas ar hyd y daith, ond, yn bennaf oll, hoffwn ddiolch am y cymorth amyneddgar a gefais gan fy nghyd-weithwyr yn y Llyfrgell Genedlaethol. Rwy'n ddiolchgar hefyd i'm cyfeillion Eiry Jones am olygu'r penodau cyntaf, rai blynyddoedd yn ôl bellach, Dr Robin Chapman am fwrw golwg dros ddrafft o rai penodau, ac i Eleri a Dewi am eu gwaith golygyddol trylwyr a chymen ar ran y Cyngor Llyfrau. Rwy'n ddyledus hefyd i Dr John Davies am ddarllen y gyfrol a chynnig sylwadau treiddgar ar y cynnwys. Serch hynny, derbyniaf y cyfrifoldeb am unrhyw ddiffygion yn y testun.

Gan fy mod yn byw drws nesaf i berchnogion Y Lolfa, nid

oedd gen i ddewis ond gofyn i'r cwmni hwnnw gyhoeddi'r llyfr. Gobeithiaf yn fawr i'r gyfrol gael ei derbyn ar gyfer ei chyhoeddi am resymau mwy dilys na'r angen i gadw cymydog yn ddiddig! O'm safbwynt i, ni fyddwn wedi medru dewis cyhoeddwr gwell. Cefais gymorth hynaws gan Lefi a'i staff ac roeddwn hefyd yn ymwybodol bod fy hen gyfaill, Robat, yn cadw golwg ar y sefyllfa yn ôl ei arfer.

Erbyn hyn, braf yw medru ateb yn gadarnhaol y cwestiwn a ddeuai droeon gan aelodau o'm teulu: 'Wyt ti wedi gorffen y llyfr 'na eto?' Pan ddechreuais ar yr ymchwil, plant oedd Luned a Ioan, ond bellach mae'r ddau yn oedolion ifanc y gall eu rhieni ymfalchïo ynddynt. Hyderaf y byddant yn dod i gredu bod cyfiawnhad i'r amser a dreuliodd eu tad yn llunio'r llyfr. Ni allaf fesur fy nyled i'm gwraig, Fal, a chyflwynaf y gyfrol hon iddi hi, gyda diolch o waelod calon.

GWYN JENKINS
Mai 2007

I

'GWRES EI LLAW'

Mab y mynydd, 1892–1908

UN NOSON, YN ystod y Rhyfel Mawr, ymadawodd milwr ifanc â'r trên yng Nghyffordd Llandudno a dechrau cerdded i gartref y teulu ym mhlwyf Llanbedrycennin, gryn chwe milltir i ffwrdd. Yn naturiol, roedd wedi blino'n lân ar ôl teithio drwy'r dydd, ond gallai edrych ymlaen at ddianc am gyfnod byr o ffosydd dieflig Fflandrys. Erbyn iddo gyrraedd pen y daith roedd bellach yn oriau mân y bore. Roedd y tŷ yn dywyll a bu raid iddo guro'r drws cyn cael sylw. Agorwyd ffenestr llofft a chlywodd lais yn dweud: 'Beth wyt ti'n wneud yn dod adref yr amser hyn o'r nos?'

Huw T Edwards oedd y milwr ifanc hwnnw, ac ar adegau felly y teimlai i'r byw golli ei fam pan oedd yn blentyn gan mai llais ei lysfam a glywodd y noson honno.[1] Gallai Huw T fod yn ddyn sentimental a deuai dagrau'n rhwydd i'w lygaid, ond nid dagrau ffug-deimladol a gaed pan fyddai'n trafod ei fam a fu farw yn 1901 pan oedd Huw T ond yn wyth mlwydd oed. Drwy gydol ei fywyd byddai'n cofio'r ing o golli mam, a hanner canrif ar ôl ei marwolaeth, gallai ysgrifennu iddo barhau i deimlo 'gwres ei llaw'.[2]

★　★　★

Ymhlith y darnau mwyaf difyr yng nghyfrol hunangofiannol Huw T, *Tros y Tresi*, mae'r hanesion am ei deulu a bro ei febyd. Nid oes fawr o bwrpas ailadrodd yr hanesion hyn yma dim ond lle mae hynny'n taflu goleuni ar gymeriad Huw T ei hun. *Hewn from the Rock* oedd teitl trawiadol fersiwn Saesneg ei hunangofiant, ac o fynyddoedd creigiog Gwynedd y bu teulu Huw T yn crafu bywoliaeth. Honnai Huw T y gallai olrhain achau'r teulu yn ôl bedair canrif. Ar y ddwy ochr deuent o'r plwyfi o gylch mynydd Tal-y-fan – Gyffin, Dwygyfylchi, Llanbedrycennin a Chaerhun.

Saif Tal-y-fan, 'mynydd yr oerwynt miniog' chwedl Huw T, ddwy fil o droedfeddi ar ochr orllewinol afon Conwy a thua phedair milltir o Gonwy, lle mae'r afon yn llifo i'r môr. Nid yw'n fynydd arbennig o nodedig o'i gymharu â mynyddoedd eraill Eryri, ond y mae'r olygfa o'r copa'n hynod drawiadol. I'r gogledd-orllewin ceir cip ar dref Llanfairfechan islaw, ac ar ddiwrnod clir gellir gweld Ynys Seiriol ac Ynys Môn. I'r cyfeiriad arall gwelir afon Conwy'n ymlwybro trwy'r dyffryn, a'r tirwedd yn ymagor wrth i'r afon gyrraedd pen ei thaith. Gyferbyn saif Moel Gyffylliog, Cefn-du a mynydd-dir sir Ddinbych. Y mae olion Oes y Cerrig, y Celtiaid a'r Rhufeiniaid yn britho'r ardal ac awgryma'r enwau Ffon y Cawr, Llech yr Ast a Ffedoged y Gawres draddodiad hir o chwedl ac ofergoel. Honnai Huw T ei fod wedi gweld y tylwyth teg pan oedd yn fachgen, ac i ysbryd ar ffurf dyn yn gwisgo cwfl ei dywys ef a'i ful i ddiogelwch pan ddaliwyd hwynt gan niwl y mynydd.[3]

Pobl y mynydd, felly, oedd hen deulu Huw T. Trigent yn y bythynnod a'r tyddynnod ar lethrau mynydd Tal-y-fan; Cymry uniaith heb gyfoeth oeddent ac ni fu erioed i'r un ohonynt ei amlygu ei hun mewn unrhyw faes arbennig. Dyma'r bobl a adawodd dlodi'r mynydd-dir yn yr ugeinfed ganrif i fyw ac i weithio mewn trefi fel Penmaen-mawr, neu am fywyd mwy cysurus yn y tai cyngor a adeiladwyd ar gyrion pentrefi fel Ro-wen. Yn sgil hynny gadawyd y bythynnod i adfeilio neu i'w trawsnewid yn dai haf. Proses nodweddiadol o gefn gwlad oedd honno, ac yr oedd Huw T ei hun yn un a ymfudodd o'i gynefin i chwilio am borfeydd brasach. Flynyddoedd yn ddiweddarach byddai'n sôn yn hiraethus am ei hen gartref ac am bobl y mynydd ond, ar y llaw arall, bu'n ymladdwr dygn dros sicrhau cartrefi gwell i'r werin. Dyma ddeuoliaeth y cafodd Huw T gryn drafferth i'w hiawnddeall maes o law.

Gweision fferm, fel ei hen-daid Owen Edwards, oedd llawer o gyndeidiau Huw T, ond erbyn ail hanner y bedwaredd ganrif ar bymtheg roedd cyfle i ennill cyflogau gwell yn chwareli ithfaen Penmaen-mawr.[4] Er fod Penmaen-mawr yn ganolfan bwysig ar gyfer naddu offer cerrig, megis bwyelli a morthwylion, yn Oes y Cerrig, dim ond yn y bedwaredd ganrif ar bymtheg y manteisiwyd ar raddfa fasnachol ar ithfaen caled ('diorite' i fod yn fanwl gywir) yr ardal ar gyfer adeiladu ffyrdd. Tra byddai tai ledled Prydain yn cael eu toi â llechi o Wynedd, sets o chwareli ithfaen y sir a ddefnyddid i balmantu ffyrdd mewn trefi mawr fel Manceinion a Lerpwl. Datblygwyd dwy chwarel ym Mhenmaen-mawr, sef Penmaen a Graiglwyd, a phan oedd y ddwy yn eu hanterth cyflogid ynddynt oddeutu mil o weithwyr. O ganlyniad i'r chwareli, yn ogystal â datblygiadau mewn twristiaeth, cynyddodd poblogaeth tref Penmaen-mawr i dros dair mil erbyn troad y ganrif.

Yn y chwarel torrid y creigiau'n flociau o wahanol faint a elwid yn sets (*setts*). Setsmon (*sett-maker*) oedd yr enw a roddid ar y crefftwr a holltai'r garreg i'w ffurf gywir ac enillai gyflog gwell na gweithwyr eraill y chwarel megis y drilwyr, y torwyr cerrig a'r seiri. Yn wahanol i setsmyn yr Alban a Lloegr, byddai setsmyn Cymru'n sefyll wrth iddynt hollti'r garreg, ac o ganlyniad tueddent i gerdded yn wargam. Cyhuddid hwy hefyd o fod yn ffroenuchel, yn 'high and mighty' chwedl un chwarelwr, ond nid oes amheuaeth eu bod yn grefftwyr dihafal.[5]

Ni wyddom a oedd taid Huw T, John Edwards, yn ffroenuchel neu'n cerdded yn wargam, ond gwyddom o Gyfrifiad 1861 ei fod yn setsmon. Erbyn 1871 ceir y disgrifiad 'settsmaker and farmer' yn y Cyfrifiad. Nid peth anarferol oedd i chwarelwr gadw tyddyn hefyd, ac erbyn 1881 roedd John Edwards wedi rhoi'r gorau i weithio yn y chwarel er mwyn canolbwyntio ar ffermio naw erw Tyn-y-ffridd, tyddyn a saif oddeutu milltir o Gapelulo i gyfeiriad copa Tal-y-fan. Dyma'r taid y cyfeirir ato yn englyn cofiadwy Huw T i Fynydd Tal-y-fan :

> *Mynydd yr oerwynt miniog, – a diddos*
> *Hen dyddyn y Fawnog,*
> *Lle'r oedd sglein ar bob ceiniog*
> *A Thaid o'r llaid yn dwyn llog.*[6]

Tir digon diffaith oedd gan John Edwards i'w ffermio, ond pan fu farw yn 1896 gadawodd dros bedwar ugain punt i'w blant a'i wyrion a'i wyresau.[7]

Er ei gysylltiadau â'r tir, gweithio yn y chwareli ithfaen a wnâi tad Huw T – ond nid setsmon fel ei dad, na chwaith fel rhai o'i deulu-yng-nghyfraith, oedd Hugh Edwards. Torrwr cerrig ydoedd ac felly nid enillai gymaint â'r setsmyn, 'uchelwyr' y chwareli. Mewn gwirionedd, gwerinwr ydoedd a fyddai'n hapusach yn byw yng nghefn gwlad nag mewn tref. Bron y gellid dweud bod portread Huw T o'i dad yn *Tros y Tresi* yn ddelw o werinwr o Gymro o'r bedwaredd ganrif ar bymtheg. Hyd yn oed yn y llun ohono yn *Tros y Tresi*, edrycha fel gwerinwr nodweddiadol o'r cyfnod. Dyma un a fu'n gefn i achosion crefyddol drwy gydol ei oes, er na chafodd addysg ffurfiol. Ei wraig a ddysgodd iddo sut i ddarllen ac i ysgrifennu.

Y mae un stori yn *Tros y Tresi* yn darlunio cymeriad Hugh Edwards i'r dim. Pan oedd yn byw ym Mhenmaen-mawr roedd yn aelod o gapel y Tabernacl, ond o ganlyniad i anghydfod aeth rhai aelodau ati i sefydlu achos newydd o'r enw Moriah. Etholwyd Hugh Edwards yn flaenor ac ysgutor y capel newydd – ond ar ôl llwyddiant dechreuol, aeth yr achos i drybini ariannol. Cymerodd Hugh Edwards ei gyfrifoldebau fel ysgutor o ddifrif, ac yn ôl Huw T gwerthwyd yr ychydig anifeiliaid o'i eiddo i dalu rhan o'r ddyled. Nid ad-dalwyd y cyfan tan y Rhyfel Mawr, ond ni fu'r baich ariannol hwn yn llestair i ffydd Hugh Edwards. Fel yr ysgrifennodd Huw T: '...ni chollodd ddim o'i gariad tuag at gapel, ac ni phallodd ei danbeidrwydd wrth Orsedd Gras. Gwelais ef ganwaith ar ei liniau yn gweddïo ynghanol y mynydd heb obaith i neb ei glywed ond Duw ei hun.'[8]

Rydym yn gwbl ddibynnol ar ddisgrifiadau Huw T o bersonoliaeth Hugh Edwards, ac os oedd ganddo feiau, ni chlywn amdanynt gan ei fab. Efallai mai'r gair sy'n gweddu orau i ddisgrifio teimladau Huw T tuag at ei dad yw 'parch'. 'Anrhydedda dy dad a'th fam', a ddywed y Beibl ac felly y gwnâi Huw T – neu o leiaf dyma oedd ei agwedd yn ei hunangofiant.

Bu Hugh Edwards fyw yn hen ŵr 84 oed, ond cof plentyn oedd gan Huw T am ei fam, a chariad plentyn hefyd. Magwyd Elizabeth Williams ym Mhencae, Dwygyfylchi, ac mae'n debyg mai ei thad oedd aderyn drycin y teulu. Ceisiwyd celu'r gwirionedd am ei daid oddi wrth Huw T, ac felly ni allwn fod yn gwbl sicr fod y portread difyr ohono yn *Tros y Tresi* yn un cywir. Fodd bynnag, mae'r hanes yn taflu goleuni ar agweddau arbennig o gymeriad Huw T.

Crydd oedd John Griffith Williams, ond ei ddiléit oedd dilyn y ffeiriau gan ennill ambell geiniog drwy ymladd. Nid bocsio ffurfiol a welid mewn ffeiriau y dyddiau hynny ond cwffio amrwd a di-drefn. Mae'n debyg i John Griffith Williams farw'n ddyn ifanc o ganlyniad i'w hoffter o ymladd. Ar ôl curo cwffiwr arall un diwrnod yn Ffair Conwy, cerddai tua'i gartref yn Nwygyfylchi pan ymosodwyd arno gan dri o feibion y gŵr a drechwyd. Ceisiwyd ei daflu i'r môr, ond llwyddodd i ddianc. Er hynny, cafodd ei anafu a bu farw o'r clwyfau yn ei wely ar 3 Rhagfyr 1860 yn 36 oed. Er y gellir amau'r stori hon, dylanwad ei daid ar Huw T sy'n bwysig yma. Yn ystod ei lencyndod, pan oedd yntau'n cicio dros y tresi, gallai Huw T edmygu gwrhydri ei daid, ac yr oedd y ffaith fod ei deulu'n ceisio cuddio'r gwirionedd yn ei wneud yn fwy o arwr fyth yn ei olwg. Gallai gredu hefyd mai dilyn traddodiad teuluol yr oedd wrth gamu i'r cylch bocsio maes o law.

Mewn gwirionedd yr arwres oedd ei nain, Mary Williams, a frwydrodd i gadw dau ben llinyn ynghyd gyda theulu o naw o blant ar ôl marwolaeth ddisymwth ei gŵr. Mae'n ffasiynol bellach i ladd ar ethos anghydffurfiol y bedwaredd ganrif ar bymtheg, ond yn y gymdeithas a ffurfiwyd o gwmpas capel yr Annibynwyr, Horeb, Dwygyfylchi, llwyddodd 'Nain Pencae' i gadw'r blaidd o'r drws. Daeth ei phlant hefyd i werthfawrogi ei haberth ac yr oeddynt hwythau yn eu tro yn driw i'r achos yn Horeb. Yn ei bortread o'i fam, pwysleisia Huw T ei thynerwch a'i haelioni. Efallai mai oddi wrth ei daid y cafodd Huw T ei danbeidrwydd, ond oddi wrth ei fam y daeth y caredigrwydd a'r haelioni a oedd mor nodweddiadol ohono.

★ ★ ★

Cafodd rhieni Huw T – Hugh Edwards ac Elizabeth Williams – eu magu'n aelodau ffyddlon o gapel Horeb ac yn y capel hwnnw y priodwyd hwy ar 30 Mai 1874, ef yn ddwy ar hugain oed a hithau'n ddeunaw.[9] Er bod ail hanner y bedwaredd ganrif ar bymtheg yn gyfnod eithaf llewyrchus i chwareli ithfaen Penmaen-mawr, tua 1879 symudodd Hugh Edwards – gyda'i wraig a'u merched, Mary Elizabeth a Margaret Ann – i weithio yn chwareli ithfaen Pen Llŷn. Ymgartrefodd y teulu yn rhif 7 Old Terrace (neu Sea View), Nant Gwrtheyrn, yng nghymdeithas glòs chwareli'r Ceiri. Yna, tua'r flwyddyn 1880, anafwyd Hugh Edwards mewn damwain ddifrifol yn y gwaith ac un o hoff straeon Huw T oedd disgrifio sut yr aeth criw o Wyddelod, a oedd yn cydweithio gyda'i dad, ati i sicrhau nad oedd y teulu yn dioddef tra oedd Hugh Edwards yn wael. Casglwyd arian ganddynt bob wythnos a'i roi i Elizabeth Edwards ac yr oedd ergyd y stori – sef aberth y dynion hyn mewn dyddiau cyn dyfodiad yswiriant cenedlaethol – yn un nad anghofiai Huw T fyth.[10]

Dychwelodd teulu Hugh Edwards i fro eu mebyd, ac mewn tyddyn diarffordd ar lethrau mynydd Tal-y-fan y ganed Huw T ar 19 Tachwedd 1892. Bellach, lloches i ambell ddafad yw Pen-y-ffridd ond er bod y llwybr i bentref Ro-wen yn un garw, mwy na thebyg mai rhamantu oedd Huw T wrth ddweud nad oedd modd i neb fynd allan o'r tŷ am dair wythnos pan gafodd ei eni oherwydd storm o eira.[11] Roedd yn nodweddiadol o Huw T i weld drama hyd yn oed yn amgylchiadau ei ymddangosiad cyntaf yn y byd.

'Hugh Thomas Edwards' yw'r enw ar y dystysgrif enedigaeth, ac yn ddiweddarach yn ei fywyd y gwelir y sillafiad 'Huw' yn disodli'r 'Hugh'. Ef oedd y ieuengaf o saith o blant, er i un ohonynt, Ellen, farw'n ddwy oed yn 1879. Roedd pum mlynedd rhyngddo ef a'i chwaer Hannah Maria, ac wyth mlynedd rhyngddo a'i frawd Bob, a naturiol felly oedd i Huw T gael sylw arferol y cyw melyn olaf. Yn bump oed cafodd gwmni Hugh arall, Hugh Owen Edwards, plentyn siawns ei chwaer hynaf, Mary Elizabeth.

Symudodd y teulu o gartref i gartref yn ystod yr 1890au. Buont yn byw yn un o'r tai teras newydd sbon ym Mhenmaen-mawr a adeiladwyd gan berchennog y chwarel, C H Darbishire. Ond roedd afiechyd difrifol ar Elizabeth Edwards a symudodd y teulu i Ffridd-y-foel, tyddyn nid nepell o Dyn-y-ffridd, hen gartref teulu ei dad. Yn ôl y meddyg, byddai gwynt y mynydd yn fwy llesol iddi na gwynt y môr. Gwyddai pawb ond Huw T am gyflwr truenus ei fam, ac yn naturiol felly roedd ei marwolaeth ym Mehefin 1901 yn fwy o sioc i Huw T nag i weddill y teulu. Flynyddoedd yn ddiweddarach byddai'n dal i gofio diwrnod yr angladd. Yn 1950 lluniodd stori fer yn seiliedig ar angladd ei fam ac yn 1961, drigain mlynedd ar ôl ei marwolaeth, cyfansoddodd 'Yn Angladd fy Mam', cerdd a ganmolwyd gan Saunders Lewis mewn llythyr personol at Huw T ym Medi 1962:[12]

YN ANGLADD FY MAM

Pobl yr hen dyddynnod llwm,
Siân Gruffudd, Pen-cwm, a Huwcyn,
Yn croesi'r gweunydd tua'r fan
I hebrwng i'r Llan anwylyn.

Dilyn a wnaent â di-lol barch
Ei harch tan haul Mehefin;
Pobol y Foel uwch pentref clyd,
Eu diflas, hudolus gynefin.

Defaid rhyw genedlaethau gynt
Ar ddiofal hynt fu'n torri
Llwybr i'r gaseg a rhych i'r drol
Wrth 'morol am flewyn i'w bori.

Mi gofiwn ei llygaid o liwiau'r llus
A'r wefus gusanai fy neigryn:
Mor unig y mynydd a'r lôn rhwng y gwŷdd
Hebddi hi, Siân Gruffudd a Huwcyn![13]

Gall y sioc o golli mam achosi cryn broblemau seicolegol i blentyn, gan beri iddo droi'n anystywallt ac anodd ei drin. Yn aml y mae cael 'mam' arall yn fuan wedyn yn fuddiol, ond nid oedd hynny'n wir yn achos Huw T.[14] Ym mis Rhagfyr 1901, prin chwe mis ar ôl marwolaeth ei wraig, fe ailbriododd Hugh Edwards. Mae Huw T yn ei hunangofiant yn adrodd ei ymateb anffafriol i ymddangosiad cyntaf Mary Francis Thomas, ei 'fam' newydd. Disgrifia sut yr eisteddai wrth y tân yn cadw golwg ar y tecell gan ddisgwyl i wraig newydd ei dad gyrraedd. Pan ddaeth i'r tŷ, ei geiriau cyntaf i Huw T oedd, 'Tynnwch eich llaw o'r stêm yna, hogyn'. Dechrau gwael i unrhyw berthynas yw cerydd. Yna fe gyflwynodd Hugh Edwards ei *wraig* newydd i'w blant, pawb hynny yw ond Huw T: 'Huw Tomos, dyma dy *fam* newydd' a daeth yr ymateb miniog gan hogyn bach hiraethus: 'Mae fy mam i wedi marw'.[15]

Merch i blismon oedd ei 'fam' newydd, yn ôl Huw T, ond nid yw'n cofnodi mai gwraig weddw 30 oed oedd hi (ugain mlynedd yn iau na'i gŵr newydd) ac efallai iddi hithau hefyd ddioddef bywyd digon caled.[16] Beth bynnag, ni fu Huw T a'i lysfam erioed yn agos. Er ei barch at ei dad, ni fyddai cartref Huw T yr un fath byth eto.

Trodd yn rebel digyfaddawd, yn cicio dros y tresi bob cyfle, a gwelir hyn yn glir yn ei ymddygiad yn yr ysgol.

★　　★　　★

Mynychodd Huw T ysgol Pen-y-cae yn gyntaf, ond yn naw oed symudodd i Ysgol yr Eglwys, Capelulo. Yn y cyfnod hwn daeth yn enwog am ei ddrygioni ac roedd y prifathro, Christmas Evans, yn ddigon balch o weld teulu Huw T yn symud yn ôl i Ro-wen i fyw. Erbyn iddo ddechrau yn ysgol Ro-wen yn 1904, roedd Huw T ar fin cael ei ben-blwydd yn ddeuddeg oed. Ysgol wael a henffasiwn oedd Ysgol Ro-wen ar droad y ganrif. Defnyddid y 'Welsh Not' yno yn ystod yr 1870au, ond efallai mai 'education not' oedd gwir arwyddair yr ysgol y pryd hwnnw.[17] Cafodd ei phrifathro, Hugh Williams, ei feirniadu droeon gan arolygwyr ysgolion. Ond daeth tro ar fyd gyda phenodiad athro newydd, John James Morgan. Deuai J J Morgan, a oedd wedi ei hyfforddi gan brifathro arloesol Tal-y-bont, Ceredigion, T H Kemp, o draddodiad newydd o ysgolfeistri a thrawsnewidiwyd yr ysgol ymhen ychydig amser.[18] Saesneg oedd cyfrwng yr addysg, wrth gwrs, ond o leiaf cafwyd gwelliant o ran cynnwys y gwersi. Cyflwynodd J J Morgan nifer o bynciau newydd gan gynnwys gwyddoniaeth, daearyddiaeth a cherddoriaeth, ac erbyn 1905 gallai Arolygwyr ei Mawrhydi adrodd: 'This School is exceedingly well conducted. The children are orderly and attentive, and the methods of teaching are intelligent and suitable. The upper and lower divisions have made exceptionally good progress.'[19]

Gallasai bachgen galluog fel Huw T fod wedi manteisio ar yr addysg flaengar a oedd bellach ar gael yn Ysgol Ro-wen, ond yr oedd yn rhy hwyr. Roedd colli ei fam wedi effeithio ar Huw T yn emosiynol, gan fwydo'r elfen wrthryfelgar yn ei gymeriad. Yn yr ysgol dysgodd sut i ddarllen ac ysgrifennu Saesneg, a dim mwy. Yn sicr, nid canlyniad addysg ffurfiol oedd yr ehangder meddwl y sylwai llawer arno pan oedd yn hŷn.

Anaml y ceir cyfeiriad at blentyn unigol mewn llyfrau lòg ysgolion, oni bai iddo gyflawni gorchest neu am ei fod yn arbennig o afreolus. Efallai bod y frawddeg ganlynol yn llyfr lòg Ysgol Rowen yn crynhoi gyrfa ysgol Huw T i'r dim:

> 1906, Sept 14
>
> Hugh Thos Edwards, a very badly conducted boy, was finally & publicly cautioned, complaint reaching master of his disgraceful conduct on the road to & from school.[20]

Yn ôl perthynas iddo, mwy na thebyg mai taflu cerrig at res o botiau piso a adawyd allan i sychu ger tŷ un o wragedd y pentref oedd ei 'ymddygiad cywilyddus' yn yr achos hwn.[21]

O fewn ychydig wythnosau roedd Huw T yn ddigon hen i adael yr ysgol. 'We are losing a very good footballer, but a very bad boy' oedd sylw olaf yr ysgolfeistr. Ymateb Huw T, yn ôl un stori, oedd eistedd ar stepen drws yr ysgol yn smocio sigarét.[22]

★   ★   ★

Os nad oedd dylanwad addysg ffurfiol yn fawr ar Huw T, nid oedd mor rhwydd iddo osgoi dylanwad y capel. Fel yr awgrymwyd eisoes, magwyd Huw T ar aelwyd grefyddol – yn llythrennol felly. Pan oedd yn blentyn byddai'n eistedd ar y pentan ym Mhen-y-ffridd yn gwrando ar y cyrddau gweddi a gynhelid yn gyson yng nghartrefi'r ardal bob nos Sadwrn. Gwrandawai, yn ei eiriau ef, 'ar hen Saint; pob un yn ei ddull ei hun yn tynnu'r Nefoedd i lawr'.[23] Ar y Sul rhaid oedd iddo eistedd ar gadair wrth ben y bwrdd yn darllen y Beibl. Dyma oedd un o'i gas bethau pan oedd yn fachgen, yn ôl darllediad radio a wnaeth yn 1944:

> Os symudwn, clywn 'Hym' fy nhad – arwydd sicr ei fod wedi sylwi nad oedd fy meddwl ar yr Apostol Paul. Eistedd fel delw hyd amser Capel. Yn wir, mi fyddai yn gas gennyf feddwl, y pryd hynny, am fynd i'r Nefoedd oherwydd y golygai Nefoedd saith diwrnod bob wythnos fel ein Sul ni gartref![24]

Bu'n dyst hefyd i Ddiwygiad 1904/05 a gwelodd rai yn cael eu 'hachub' yng nghapel Ebeneser, Ro-wen.[25] Ond tyst oedd Huw T i grefydd y cyfnod nid cyfranogwr. Pan oedd yn hŷn daeth yn aelod o gapeli Bethania, Aber-fan; Horeb, Dwygyfylchi; Rehoboth, Cei Conna a Bryn Seion, Sychdyn, ond er ei barch at y capel ac at gapelwyr brwd, ni ddaeth Huw T erioed yn ddyn crefyddol. Daeth i fwynhau gwrando ar bregeth dda, ac ar adegau i gymryd rhan yng ngweithgareddau'r achos, ond − fel nifer o'i gyd-aelodau − nid oedd mewn gwirionedd wedi etifeddu ymlyniad diysgog ei dad at grefydd. Heb amheuaeth, agweddau dyngarol a didactig y capel oedd y dylanwadau pennaf ar Huw T. Nid oedd cefndir o'r fath yn anghyffredin ymhlith y sosialwyr cynnar.[26] Nid etifeddodd Huw T ei syniadau gwleidyddol gan ei deulu na chwaith gan gymdeithas y capel, ond profodd elfennau o'r ddysgeidiaeth Gristionogol yn sylfaen i'w ddaliadau gwleidyddol maes o law. Gallai ddod i gredu, er enghraifft, mai 'Cristionogaeth ar waith' oedd Gwasanaeth Iechyd Aneurin Bevan; 'teyrnas Dduw ar y ddaear' ydoedd, meddai wrth ei gyfaill Gwilym R Jones.[27]

★   ★   ★

Yn ôl Cofrestr Gweithwyr y 'Penmaen-mawr and Welsh Granite Company', dechreuodd Huw T weithio yn chwarel Graiglwyd, Penmaen-mawr, ar 10 Rhagfyr 1906.[28] Roedd yn bedair ar ddeg oed. Bu'n gweithio yno cyn hynny, gan gynorthwyo'i dad yn ystod gwyliau ysgol. Er hynny, rhaid oedd iddo fynd trwy'r ddefod arferol i newydd-ddyfodiaid i'r chwarel, sef gostwng ei drowsus a chael ei daro'n ysgafn ar ei ben-ôl â rhaw gynnes.[29]

Yn ôl y gofrestr, *sledger* oedd Huw T yn y chwarel, sef, mae'n debyg, un a dorrai gerrig â gordd − *sledge hammer*. Dywed y gofrestr hefyd iddo adael y chwarel ar 16 Mai 1908. Nid yw hyn yn cydymffurfio â'r dystiolaeth yn *Tros y Tresi* lle y dywed Huw T iddo adael y chwarel ar ôl tri mis, nid deunaw mis. Fodd bynnag, nid yw'r anghysondeb hwn o bwys. Nid yn ystod ei gyfnod cyntaf yn y chwarel y daeth Huw T yn undebwr brwd. Yn wir, yn y cyfnod hwn, roedd yr unig undeb yn y chwareli ithfaen yn gyfyngedig i setsmyn. Undeb crefft â'i bencadlys mor bell i ffwrdd ag Aberdeen oedd y 'Settsmakers Union of Great Britain and Ireland'. Ei swyddogaeth oedd amddiffyn hawliau crefftwyr y chwarel – y setsmyn – ac nid y chwarelwyr cyffredin. Roedd yn wahanol, felly, i undeb y chwarelwyr llechi, Undeb Chwarelwyr Gogledd Cymru, a oedd yn undeb lleol gyda'i aelodaeth yn agored i holl weithwyr y chwarel. Dim ond ar ôl i Huw T adael y chwarel yr ymunodd llawer o'r chwarelwyr eraill – y torwyr cerrig, y drilwyr ac ati – ag Undeb y Chwarelwyr ('National Union of Quarrymen'), undeb â'i bencadlys yng Nghaerlŷr.[30] Felly ni chafodd Huw T brofiad o undebaeth yn y cyfnod hwn ond rhaid cofio bod cydweithrediad yn rhan hanfodol o lwyddiant y chwarelwyr. Rhaid oedd cyd-dynnu er mwyn ennill pob ceiniog o'r graig.

Yn erbyn ei ewyllys y gadawodd Huw T y chwarel. Ni welai ymhellach na'r bonc nesaf, a disgwyliai weithio yn y chwarel am weddill ei fywyd. Fodd bynnag, ystyriai Hugh Edwards fod cerdded wyth milltir yn ôl ac ymlaen i'r gwaith bob dydd yn ormod i fachgen ifanc fel Huw T ac fe obeithiai'r bachgen gael aros gyda'i frawd Bob a'i deulu ym Mhenmaen-mawr, ond cafodd Bob ddamwain gas yn y chwarel ac nid oedd yn deg bellach i Huw T ychwanegu at feichiau teulu'i frawd. Rhaid oedd troi felly at gynhaliaeth bwysicaf arall yr ardal – amaethyddiaeth.[31]

★ ★ ★

Os oedd bywyd chwarelwr yn galed, o leiaf roedd iddo elfen o ryddid. I bob pwrpas, caethwas oedd gwas fferm yn y dyddiau hynny.[32] Aeth Hugh Edwards â'i fab i ffair Eglwys-bach, ffair gyflogi Dyffryn Conwy, i chwilio am feistr a dalai orau am ei wasanaeth.

Mae'r disgrifiad yn *Tros y Tresi* yn werth ei ailadrodd. Ymdebyga i un o hanesion deifiol Caradog Evans:

> Cyrraedd y ffair a theimlo bod y gwartheg bach duon a minnau yn bur agos at ein gilydd. Y rhai a oedd am eu prynu yn rhedeg llaw gyfarwydd dros eu cefnau ac yn cynnig pris. Y rhai a oedd am 'brynu' gwas bach yn mynd drwy'r un perfformiad bron. Un gwahaniaeth a welwn, wedi taro'i fargen, ffon ar gefn y gwartheg ond swllt o ernes yn llaw y gwas bach.[33]

Roedd telerau eraill hefyd i'w trafod. Chwiliai Hugh Edwards am ffarmwr crefyddol a fyddai'n sicrhau bod Huw T yn dilyn cwys ei dad. Cafodd hyd i flaenor capel a addawodd y byddai Huw T yn cael mynychu'r seiat a'r cwrdd gweddi. Bodlonwyd Hugh Edwards, ac fe gerddodd y darpar was bach y tair milltir i'w gartref newydd ger pentref Tal-y-bont, Dyffryn Conwy, gyda swllt yn ei boced. Ar y daith galwodd yn nhafarn y Bedol am ei beint cyntaf o gwrw, ac ar ôl iddo gyrraedd y fferm daeth yn amlwg i'r ffarmwr nad dirwestwr fel ei dad mo Huw T. Canlyniad anochel hyn oedd mis o notis.

Bywyd digon caled oedd bywyd gwas fferm. Cysgai'r gwas bach yn y 'llofft ben stabal' a byddai'n cael ei frecwast wrth fwrdd yn y gegin ar wahân i'w feistr. Cyn hynny, ac ar ôl rhai oriau o waith yn y bore bach, cynhelid gwasanaeth teuluol pryd y byddai Huw T a'i feistr yn darllen o'r Beibl. Ar ôl mis o lafur caled gadawodd Huw T Ddyffryn Conwy a chael gwaith yn fferm Tal-y-bont Uchaf ger Bangor lle roedd ei frawd hynaf, John, yn gweini. Bu yno am gyfnod, ond pan ddaeth gwas newydd, Wil Sir Fôn, i'r fferm clywodd Huw T am yr 'Eldorado' yn ne Cymru gan un a honnai iddo fyw yno. Roedd disgrifiadau Wil o'r Rhondda yn ddigon i ennyn diddordeb y sinig mwyaf, ond i lanc aflonydd fel Huw T roedd yn ddigon i'w anfon yn ddiymdroi i orsaf Aber i ddal y trên cyntaf i Donypandy. Wedi'r cwbl, nid oedd dim oll i'w gadw yn y gogledd. Roedd ysbryd yr anturiaethwr wedi cydio ynddo, a'r ysbryd hwnnw oedd i reoli ei fywyd am weddill blynyddoedd ei arddegau.

Plentyndod digon anodd gafodd Huw T. Yn ddiamau, y trallod o golli ei fam oedd y dylanwad pennaf ar ei ddatblygiad. Achosodd hynny ryw aflonyddwch ac ansicrwydd yn ei gymeriad, ond hebddi nid oedd bellach wedi'i glymu i'w gartref. Gallai fentro i'r byd y tu allan i gymdeithas pobl y mynydd ac, oni bai am hynny, go brin y byddai wedi datblygu'r ehangder meddwl a oedd mor nodweddiadol ohono. Er hynny, byddai'n parhau i gofio'i fam a theimlo 'gwres ei llaw'.

II

'YN Y FFWRN'

Y crwydryn, 1909–19

FFORDD YR HEN Lafurwr nodedig hwnnw, Jim Griffiths, o
bwyso a mesur dyn oedd ceisio darganfod a fu ef 'yn y ffwrn' ai
peidio. A gafodd brofiadau caled mewn bywyd, fel gweithio mewn
pwll glo neu ddiwydiant trwm, neu ynteu a fu'n filwr yn y Rhyfel
Mawr? Byddai bod 'yn y ffwrn' fel hyn yn creu cymeriad cadarn,
cymeriad a oedd i roi i'r mudiad llafur ei asgwrn cefn. Ochr arall
y geiniog, mae'n debyg, fyddai un a aned â llwy arian yn ei geg.
Heb amheuaeth, fe fu Huw T 'yn y ffwrn' yn ystod ail ddegawd yr
ugeinfed ganrif, ac o ganlyniad gwelwyd y rebel aflonydd yn troi'n
gyw-wleidydd bywiog. Ond ni ddigwyddodd hynny dros nos.

★   ★   ★

Yn ôl *Tros y Tresi,* cafodd Huw T ddau agoriad llygad ar y diwrnod
hwnnw yn 1909 pan deithiodd ar y trên o'r gogledd i'r de.[1] Yn
gyntaf, yng ngorsaf Caer, fe ddaeth i ddeall mai Cymro tlawd ac
ansoffistigedig ydoedd. Profiad newydd iddo oedd gweld a chlywed
'byddigions' Saesneg Caer. Clywsai siarad yr iaith fain ym Mhenmaen-
mawr a Chonwy, ond dyma'r tro cyntaf iddo brofi cymdeithas gwbl
Seisnig ei hawyrgylch. Ni fyddai fyth eto'n gyfforddus yn crwydro
yr ochr draw i Glawdd Offa. Pan fyddai'n hŷn, ceisiai osgoi gyrru i
Gaerdydd ar hyd lonydd Lloegr; yn hytrach, dewisai deithio ar hyd
y ffordd hir drwy ganolbarth Cymru.[2]

Os oedd ei brofiad yng Nghaer yn un rhyfedd, rhyfeddach fyth iddo oedd ei brofiadau wedi gadael gorsaf Trealaw. Cerddodd ar hyd Dunraven Street, Tonypandy, am oriau a phrofi bwrlwm cyffrous y Rhondda. Clywai acenion amrywiol – y Sais o Wlad yr Haf, neu'r Gwyddel o Gorc, y Cardi o Dregaron ac efallai dafodiaith arbennig brodorion go iawn y Rhondda, tafodiaith y Gloran. Clywai'r Gymraeg a'r Saesneg fel ei gilydd. Er bod y Rhondda'n cael ei Seisnigeiddio'n gyflym o ran iaith, roedd dros hanner y boblogaeth yn medru'r Gymraeg a llawer yn parhau i'w defnyddio.[3]

Yn y cyfnod hwn roedd y Rhondda'n fagned i ddynion ifanc fel Huw T, a'r boblogaeth yn parhau i gynyddu. Erbyn iddo gyrraedd yno roedd bron y cyfan o waelod y cwm yn orlawn o resi ar ôl rhesi o dai teras. Gweithiai'r mwyafrif llethol o ddynion y cwm yn y pyllau glo gan ennill cyflog da o'i gymharu â gweithwyr eraill. Cymdeithas ymwthiol a hyderus oedd cymdeithas cymoedd y de ym mlynyddoedd cynnar yr ugeinfed ganrif. Roedd trafferthion ar y gorwel, ond dim ond ar ôl y Rhyfel Byd Cyntaf a Streic Gyffredinol 1926 y gwelwyd dirwasgiad yn sigo nerth y gymdeithas unigryw hon.

Mae darlun Huw T o'r gymdeithas yn y Rhondda yn ymdebygu i ddisgrifiadau nifer o'i gyfoeswyr ohoni:

> Pobl Cwm Rhondda yn y dyddiau hynny, ac ym mlynyddoedd y dirwasgiad, oedd y bobl garedicaf a welais erioed. Pobl wedi dysgu dibynnu arnynt eu hunain, ac ar y naill a'r llall. Y gymdeithas orau y cefais y fraint o fod yn aelod ohoni. Ymladdwyr gorau'r byd dros eu hawliau, nid oedd lle yn y gymdeithas hon i'r llechgi, na'r cachgi.[4]

Cyffredinoli yw hyn, wrth gwrs. Yn byw yn y Rhondda hefyd roedd cynffonwyr, dynion a gurai eu gwragedd, a charidýms o bob math. Gwyddai Huw T hyn yn burion, gan iddo ddod ar draws perthynas iddo o'r enw Huw Thomas a garcharwyd sawl gwaith am ymosod ar blismyn yn ei feddwdod.[5] Cododd tensiynau cymdeithasol i'r wyneb yn ystod y cyfnod hwn, yn arbennig ymhlith y glowyr, arweinyddion eu hundeb, perchnogion y glofeydd, siopwyr a gweinidogion. Nid oedd croeso twymgalon bob amser i newydd-ddyfodiaid i'r cwm. 'Blydi northman' fyddai Huw T i rai o fechgyn y Rhondda.[6] Fodd bynnag, daeth Huw T ar draws elfen gymwynasgar y Rhondda ar ei ddiwrnod cyntaf yno.

Disgrifiodd yn ei hunangofiant iddo, ar ôl crwydro Dunraven Street am oriau, fentro i siop fach a chael swper, gwely a brecwast am ddim gan wraig hael. Trwy gysylltiadau'r wraig hon fe gafodd waith mewn pwll glo am y tro cyntaf, ac ym mhwll Clydach Vale y bu'n gweithio yn 1909/10 ac eithrio cyfnod byr ym Mhwll Jiwbilî y Porth.[7] Byddai Huw T, fel bachgen di-grefft, yn ennill oddeutu 12 swllt yr wythnos yn y cyfnod hwn (a llawer mwy ar ôl dysgu crefft y glöwr).[8] Byddai'n talu tua thri swllt am lety, pedwar i bum swllt am fwyd, a'r gweddill i'w wario fel y mynnai. Byddai'r arian sbâr yn llosgi ym mhoced llanc ifanc fel Huw T. Rhoddai'r arian hwn ryddid dewis iddo. Allwedd i brofiadau newydd ydoedd, ac yr oedd llawer mwy o brofiadau i'w blasu yn y Rhondda nag yn y gogledd.

Mae'n wir y gallai Huw T fod wedi dilyn cwys ei dad a threulio'r Sul a'i amser hamdden yng nghymdeithas y capel. Er bod dyddiau blin yn wynebu capeli'r Rhondda, roedd nifer yr aelodau'n parhau'n uchel yn y cyfnod cyn y Rhyfel Byd Cyntaf, gydag achosion yr Annibynwyr a'r Bedyddwyr yn arbennig o gryf. Ar wahân i wasanaethau'r Sul, roedd y capeli'n ganolfannau cymdeithasol yn ystod yr wythnos a gweithgareddau cymdeithasol fel corau ac eisteddfodau lleol yn gysylltiedig â hwy. Ond nid dyma oedd dewis Huw T. Pylodd dylanwad ei dad, a denwyd y llanc afreolus gan ddulliau eraill o gymdeithasu.

Dewis arall oedd ar gael i Huw T oedd mynychu'r holl ystod o adloniant a gynigid yn yr ardal. Dyma oedd dewis ei gefnder Owain Hughes, 'Now Nant', a ymunodd â Huw T yn y de. Byddai yntau, mae'n siŵr, yn mynychu *Will Stone's Electric Bioscope* yn yr Hippodrome, Tonypandy, neu'n gwylio *Le Roux's Cycling Monkeys* yn yr Empire Theatre.[9] Gallai hefyd ddal y trên i Gaerdydd i fwynhau pob math o adloniant yn y ddinas fawr. Mae'n siŵr i Huw T hefyd fynychu'r sinema a'r *music halls*, ond cymdeithas arall a'i denodd yn y pen draw, sef cymdeithas y dafarn.

Roedd croeso mewn tafarn i löwr sychedig. Ar wahân i'r cwrw, byddai tanllwyth o dân yn y grât a chyfle i ymgomio a dadlau mewn cwmni cymysg o ddynion. Yn y gymdeithas hon y dysgodd Huw T sut i chwarae dartiau, biliards, snwcer, cardiau a 'pitching board', gan ddod yn feistr arnynt. Flynyddoedd yn ddiweddarach mwynhâi ddangos ei ddoniau yn y gêmau hyn. Un tro, bu yng nghwmni maer Wrecsam yn y 'Miners' Institute' gyda hanner awr i'w lladd cyn rhyw gyfarfod. Awgrymodd y maer y gallent gael gêm o snwcer; honnai Huw T nad oedd erioed wedi chwarae'r gêm ond ei fod yn barod i fentro. Rhoddodd y maer nifer o bwyntiau i Huw T ar ddechrau'r gêm a chytunwyd ar fêt o hanner coron. Yn gellweirus, rhwbiai Huw T y sialc ar ben anghywir y ciw i awgrymu nad oedd yn deall y gêm o gwbl, ond pan ddaeth ei gyfle ar y bwrdd suddodd bêl ar ôl pêl a rhoi gwers i'r maer yn sgiliau'r gêm. *'Beginner's luck'* oedd ei ymateb i brotest y maer, ond mewn gwirionedd nid oedd wedi anghofio'r sgiliau a ddysgodd yn y de flynyddoedd cyn hynny.[10]

Yn nhafarndai'r Rhondda y cafodd Huw T gyfle i feithrin ei ddiddordeb mewn bocsio. Paradocs yw'r cysylltiad cryf rhwng bocsio a'r dafarn. Wedi'r cyfan, golygai bocsio ffitrwydd a hunanddisgyblaeth, ac nid y dafarn oedd y lle gorau i fagu hynny. Ond, yn amlach na pheidio, tafarnwr oedd hyrwyddwyr gornestau bocsio yn ne Cymru a byddai rhai pencampwyr yn ymarfer mewn tafarndai cyn eu gornestau mawr. Yn y llofft yn y Llwyncelyn Hotel yr ymarferai Percy Jones, pencampwr answyddogol pwysau pry y byd, ac yn ddiweddarach byddai Tommy Farr yn ymarfer yn y Swan Hotel, Penygraig.[11]

Oes aur i focswyr de Cymru oedd blynyddoedd cynnar y ganrif. Daeth Freddie Welsh, 'Peerless' Jim Driscoll a Jimmy Wilde yn bencampwyr byd, ac roedd rhai eraill fel Tom Thomas, Percy Jones a Jim Williams ymhlith y goreuon yn eu dydd. Tyrrai miloedd i'w gwylio, ac yn eu plith Huw T. Tystia iddo unwaith golli ei holl eiddo mewn bèt ar yr ornest gyffrous rhwng Jim Williams a Jimmy Wilde.[12]

Ymosodid ar focsio gan gapelwyr yn y cyfnod hwn. Yn ôl y 'Mid Rhondda Free Church Council' roedd bocsio yn 'cruel and degrading and most injurous to morality and religion', a rhaid derbyn ei bod yn gamp greulon a pheryglus.[13] Ond ar yr un pryd, ac yn arbennig yn y dyddiau hynny, byddai'r dorf wrth ei bodd o weld bocsiwr medrus fel Jimmy Wilde yn osgoi cael ei daro cymaint ag y byddent wrth weld bocsiwr a fedrai ddyrnu'n galed. Tyst o boblogrwydd y gamp oedd ymosodiad y capeli arni. Nid Huw T oedd yr unig löwr ifanc i'w gyfareddu gan bencampwyr y cylch bocsio, a'r cam nesaf i un a fwynhâi wylio bocsio oedd mentro i'r cylch ei hun. Nid oedd diffyg cyfle i Huw T efelychu ei daid. Cynhelid bythau bocsio mewn ffeiriau a 'boxing saloons' yn Pandy Field, Tonypandy, a cheid cyfle i ymarfer yn 'gymnasiums' y tafarndai.[14]

Pan oedd yn hŷn, a phan fyddai yn y cwmni iawn, ymfalchïai Huw T iddo fod yn focsiwr yn y Rhondda. Honnai mai 'Kid' Edwards oedd ei enw ac, yn wir, dyma'r math o enw – yn ogystal â 'Young', 'Tich' a 'Nipper' – a roddid ar focswyr bach ifanc yn y dyddiau hynny.[15] Honnai Huw T iddo focsio ym mwth bocsio enwog Jack Scarrott. Mangre amheus i bobl barchus oedd y bwth hwn. Ysgrifennodd un o feibion enwocaf y Rhondda, Syr Ben Bowen Thomas, at Huw T yn 1953 gan ddweud: 'Y nesaf y des i at bechod marwol erioed oedd talu swllt am fynd i Boxing Booth yn y ffair! A phabell Scarrott oedd honno!'[16] Defnyddiai Scarrott bob ystryw a dyfais er mwyn denu torf i'r bwth. Byddai'n cyhoeddi bod dau lanc ifanc wedi syrthio mewn cariad â'r un ferch a'u bod am setlo'r mater yn y cylch bocsio. Honnai Huw T mai ef oedd un o'r llanciau hyn.[17]

Mae'n anodd mesur faint sy'n wirionedd a faint sy'n rhamant yn straeon Huw T am y cyfnod hwn. Eto, mae modd cadarnhau fod un elfen o'r hanes yn wir. Yn *Tros y Tresi* dywed Huw T iddo gael ei hyfforddi gan ddyn croenddu o'r enw 'Blake'.[18] Yn 1947 lluniodd stori fer am focsiwr croenddu o'r Rhondda o'r enw 'Plato Columbus'.[19] Stori sentimental ond digon difyr yw hon am gawr o ddyn o India'r Gorllewin yn ennill ceiniog neu ddwy wrth focsio er mwyn eu rhoi i deulu ei gyfaill gorau a laddwyd mewn damwain yn y pwll glo. Mae'n amlwg fod Plato Columbus wedi'i seilio ar Blake, ac nid ffrwyth dychymyg Huw T oedd y cymeriad hwn gan fod dyn croenddu o'r enw William Blake yn byw ym Mhont-y-gwaith yn y cyfnod hwn. Gwyddom hyn gan fod adroddiad wedi ymddangos yn y *Rhondda Leader* yn 1908 yn cyfeirio at ddyn croenddu o'r enw William Blake yn cael punt o ddirwy yn Llys yr Heddlu, Porth, am ddyrnu dyn arall.[20] Felly, er mae'n siŵr i Huw T ychwanegu cryn dipyn o liw i'r straeon am ei brofiadau yn y cylch bocsio, nid dychymyg oedd y cyfan. Fel y sylwodd hen gyfaill iddo, Rhydwen Williams, roedd siâp ei drwyn yn arwydd o hyn: 'roedd rhywun wedi rhoi clatsien iddo fe'.[21]

Yn wir, hawdd y gellir dychmygu Huw T yn fachgen ifanc cyhyrog yn cwffio'n reit effeithiol. Nid oedd yn dal – pum troedfedd a chwe modfedd ar y mwyaf – ond byddai wedi defnyddio cryfder ei ysgwyddau llydain a'i freichiau cryfion i ergydio'n galed. Yr *hook* yn hytrach na'r *orthodox left* fyddai'i arf – nodweddion, efallai, o'r tactegau y byddai'n eu defnyddio yn ei fywyd cyhoeddus maes o law.

★   ★   ★

Gallai Huw T fod wedi dilyn llwybr arall yn y cyfnod hwn o'i fywyd. Dewis arall iddo fyddai ymdaflu, fel y gwnaeth nifer o lowyr ifanc, i fwrlwm gwleidyddol y Rhondda. Yn *Tros y Tresi*, ac mewn erthyglau am ei fywyd cynnar, ceisia Huw T roi'r argraff mai dyma'r cyfnod, 1910/11, pryd y daeth yn sosialydd. Mae haneswyr wedi derbyn hynny, ond mae'r dystiolaeth yn awgrymu'n wahanol.

Mewn erthygl a gyhoeddwyd yn Y Cymro yn 1952 gan Goronwy Roberts, yr Aelod Seneddol dros Gaernarfon ar y pryd, ceir disgrifiad byrlymus o gyfnod Huw T yn y Rhondda. Mae'n amlwg iddo sôn am ei brofiadau wrth Goronwy Roberts a'r canlyniad yw'r paragraffau hyn:

> Nid oedd le tebyg i'r 'Sowth' pan aeth Huw Edwards yno tua 1910 yn un o filoedd yn chwilio am waith... Berwai'r Dehau gan ynni'r diwydiant [glo], gwanc y diwydianwyr, a dicter y gweithwyr. Trwy lafur dwylo a pheiriannau swnllyd, llifeiriodd afonydd o lo i'r porthladdoedd, a chododd tomennydd o slag ar bob llaw gan gladdu pob glaswelltyn a llygru pob afonig...
>
> Ysywaeth, yr oedd meistradaeth y glo yn ffyrnicach na'r un, a dechreuodd y glöwr orfod rhannu ei fryd rhwng capel ac Undeb, rhwng côr ac ymdaith o brotest yn erbyn cyflog gwael, tai salw, a bywyd llwm.
>
> Daeth y damchwa yn Nhonypandy. Yno torrodd brwydr waedlyd rhwng y gweithwyr a'r heddlu, ac ymhlith y rhai a erlidiwyd am eu rhan yr oedd Huw Edwards. Roedd hwn yn drobwynt yn ei fywyd, ac efallai yn hanes Llafur Cymru, oblegid pe na digwyddasai rhywbeth mwy na brwydr Tonypandy dichon mai ar batrwm arweinydd glofaol y datblygasai bywyd H.T. o hyn ymlaen.

Y rhywbeth mwy a ddigwyddodd oedd i'r rhyfel dorri allan yn 1914.[22]

Ond ai dyma drobwynt mawr gyrfa wleidyddol Huw T? Gallwn fod yn weddol sicr i Huw T fod yn aelod o Undeb y Glowyr, y 'Fed', ac iddo fod ar streic yn ystod anghydfod stormus y Cambrian yn 1910/11. Dywed iddo fod yn Llwynypia pan ddechreuodd terfysgoedd Tonypandy yn Nhachwedd 1910 ac iddo gael ei glwyfo mewn sgarmes rhwng y picedwyr a'r plismyn. Bu'n un o'r miloedd a orymdeithiodd i Bontypridd yn Rhagfyr 1910. Gwrandawodd ar areithiau Mabon a'r arweinwyr Llafur eraill.[23] Ond nid oedd aelodaeth o'r 'Fed' yn gyfystyr â bod yn sosialydd rhonc. Nid oes unrhyw dystiolaeth iddo gysylltu ei hun â'r glowyr hynny a oedd yn arddel syniadau syndicalaidd ac a ffurfiodd y 'Plebs League'. Byddai'r grŵp bach o sosialwyr eithafol hyn maes o lawr yn herio grym hen arweinwyr y 'Fed', fel Mabon, ond y mae'n amheus a fu Huw T mewn cysylltiad â hwy. Daeth i adnabod rhai o'r sosialwyr hyn yn ddiweddarach, ond ni ddenwyd Huw T erioed gan syniadau syndicaliaeth.

Yn *Tros y Tresi* dywed Huw T iddo ailymuno â'r ILP yng ngogledd Cymru yn 1919, ond nid yw'n dweud pryd yr ymunodd â'r ILP yn y lle cyntaf.[24] Roedd y Blaid Lafur Annibynnol, yr ILP, yn weithgar yn y Rhondda yn y cyfnod hwn. Cymdeithas yn taenu propaganda sosialaidd oedd yr ILP yn hytrach na phlaid wleidyddol, ond llwyddodd ei harweinydd, Keir Hardie, i ddod yn Aelod Seneddol dros Ferthyr. Gellir dychmygu Huw T yn cael ei ddenu gan 'Efengyl Gymdeithasol' yr ILP yn y cyfnod hwn ac mae'n bosibl iddo dalu'r tanysgrifiad, fel y gwnaeth miloedd o'i gyd-weithwyr yn 1910/11, neu efallai ar ôl clywed Keir Hardie yn areithio ym Merthyr yn 1913. Fodd bynnag, mae'n amheus a ddaeth yn sosialydd o argyhoeddiad a digon bregus fyddai'i ymlyniad at ddaliadau'r ILP, fel yr eglurir yn y man.

Yn ddiweddarach yn ei fywyd, mae'n debyg y defnyddiai Huw T y ffaith iddo fod ar streic yn y Rhondda yn 1910/11 fel pasbort hwylus yn y mudiad llafur. Roedd yn arbennig o ddefnyddiol i un a oedd wedi'i sefydlu ei hun yn y gogledd ac yn awyddus i ledaenu'i ddylanwad yn y de. O fedru dangos iddo yntau hefyd aberthu yn streic fawr 1910/11, nid 'blydi northman' fyddai mwyach i sosialwyr y de. Ond myth defnyddiol i Huw T oedd ei 'dröedigaeth' wleidyddol mewn gwirionedd.

Mae un ffactor yn awgrymu'n gryf na chafodd Huw T ei droi at sosialaeth yn y cyfnod hwn. Yn ystod y streic, bu plismyn o Lundain yn ceisio cadw trefn yn y Rhondda. Cawsant gymorth y 'Lancashire Fusiliers' a ddefnyddiai'u bidogau yn erbyn y picedwyr. Gelyn i'r sosialwr oedd y milwyr, ac eto, yn haf 1911, a'r streic yn dod i ben yn araf deg, ymunodd Huw T â'r fyddin. Mae'n gwbl anghredadwy y byddai sosialydd o argyhoeddiad o'r Rhondda yn ymuno â'r fyddin ar yr union adeg hon. Rhaid cofio hefyd fod heddychiaeth yn egwyddor gref ymhlith aelodau'r ILP. Yn ddiamheuol, derbyniodd Huw T 'swllt y brenin' mewn anwybodaeth lwyr o ysbryd a dyheadau sosialwyr y Rhondda. Byddai ei brofiadau yn ystod streic y Cambrian yn dod â dealltwriaeth i Huw T o broblemau gwleidyddol a chymdeithasol yn y pen draw, ond nid oedd y rheiny'n amlwg iddo ar y pryd. Deuai'r deffroad gwleidyddol yn ddiweddarach.

★   ★   ★

Rhaid mai tua diwedd Awst neu ddechrau Medi 1911, pan oedd y streic yn dirwyn i ben, yr ymunodd Huw T â'r 'Army Special Reserve' (ASR). Eglura yn *Tros y Tresi*:

> Edrychid fel arfer ar ddyn a oedd yn ymuno â'r fyddin fel pe bai heb fod yn or-hoff o waith, ond edrychid ar y rhai a ymunai â'r milisia fel rhai a oedd yn fwy na hanner y ffordd i golledigaeth. Rhaid rhoi yma y gwahaniaeth rhwng y ddau filwr hyn. Roedd y cyntaf wedi listio am chwech, deuddeg neu un mlynedd ar hugain, a chyfrifid ef yn filwr go iawn. Roedd yr ail, sef yr un a ymunai â'r milisia, yn listio am chwe blynedd yn unig, ond, a dyna'r gwahaniaeth mawr, er bod y dyn wedi ymuno neu listio am chwe blynedd nid oedd ei arhosiad yn y fyddin fel milwr llawn amser, ond am chwe mis. Am y gweddill o'r chwe blynedd byddai'n cael ei alw i fyny am bythefnos bob blwyddyn, a hefyd rhaid cofio bod ei draed yn sownd os oedd angen ei wasanaeth.[25]

Ond nid y milisia oedd yr ASR. Daethai'r hen filisia i ben yn 1908 wrth i'r fyddin gael ei had-drefnu i wynebu her rhyfeloedd yr ugeinfed ganrif. Hanner milwr oedd Huw T, felly, ond roedd wedi'i glymu i'r fyddin a phe bai rhyfel yn dod, ef fyddai'n un o'r rhai cyntaf i gael ei alw i'r gad.

Beth, felly, oedd cymhellion Huw T dros ymuno â'r fyddin yn 1911? Awgrymwyd eisoes nad oedd wedi'i swyno gan syniadau sosialaidd y dydd. Nid oedd hynny'n rhwystr iddo. Rhaid derbyn fod dau reswm dros ei benderfyniad: yn gyntaf, ac yntau'n ddi-waith am gyfnod hir, byddai 'swllt y brenin' yn demtasiwn. Honnai'r fyddin fod y Rhondda'n ardal ffrwythlon ar gyfer recriwtio milwyr, ac nid Huw T oedd yr unig un i gael ei demtio.[26] Gyda'r ASR byddai'n derbyn cyflog llawn milwr, sef swllt y dydd, wrth dderbyn hyfforddiant am chwe mis, ac yna chwe cheiniog y dydd fel tâl am fod yn aelod o'r Cefnlu. Byddai'r incwm ychwanegol hwn yn ddefnyddiol iawn. Yr ail reswm yw parhad yr ysbryd anturus a feddiannai Huw T a llawer un arall yn ei arddegau. Roedd cyfle yn yr ASR i brofi bywyd cwbl wahanol, a digon o gyfle i ymgymryd â gweithgareddau anturus a fyddai'n apelio at lanc pedair ar bymtheg oed, heb sôn am y bocsio. Awgryma Robert Graves yn ei glasur o gyfrol hunangofiannol, *Goodbye to All That*, iddo reoli '... a rough lot of Welshmen... They had joined the army just before the war had started, as a cheap way of getting a training camp holiday'.[27] Ai dyma gymhelliad Huw T hefyd? Go brin iddo roi ystyriaeth fanwl i oblygiadau eraill ymuno â'r fyddin – y ddisgyblaeth a'r posibilrwydd o ryfel, er enghraifft.

Cafodd ei hyfforddi yn Preston. Rhaid ei fod wedi llwyddo i ennill cymwysterau arbennig yno ar gyfer gyrru chwe cheffyl yn tynnu magnel, gan mai '*Driver*' Edwards gyda'r *Royal Field Artillery* ydoedd yn y Rhyfel Mawr.[28] Mae'n debyg fod ei brofiadau amaethyddol a'i daldra'n ffactorau a'i cyfeiriai at y cyfrifoldeb hwn, gan y cyfyngid gyrwyr ceffylau yn y fyddin i rai o daldra rhwng pum troedfedd a phedair modfedd a phum troedfedd a chwe modfedd yn unig. O ystyried ei brofiadau blaenorol, nid yw'n syndod darllen yn *Tros y Tresi* i Huw T ddioddef o dan reolau caeth y fyddin, ond nid yw'n ymhelaethu ac nid oes tystiolaeth bellach ar gael.[29]

\

★   ★   ★

Ar ddechrau 1912 dychwelodd Huw T i'r gogledd ar ôl y cyfnod o hyfforddiant yn y fyddin, gan ailgydio yn ei waith yn chwarel Graiglwyd. Yn ôl *Tros y Tresi* roedd yno am dair wythnos yn unig, ond unwaith eto mae Cofrestr Gweithwyr y Chwarel yn dangos ei fod yn cael ei gyflogi yno o 5 Mawrth 1912 hyd at 1 Chwefror 1913.[30] Ni wyddom beth oedd y cymhelliad y tro hwn, ond penderfynodd Huw T fynd yn ôl i'r de. Nid y Rhondda oedd yr 'Eldorado' bellach, ond pentrefi Merthyr Vale ac Aber-fan gerllaw Merthyr Tudful.[31]

Cafodd waith yn y pwll lleol gan letya gyda John ac Anne Hughes yn 29, Cardiff Road, Merthyr Vale, un o'r tai teras sy'n dal i sefyll ar yr hen ffordd o Ferthyr i Gaerdydd. Dychwelodd i fywyd y dafarn a'r bocsio. Mae un stori ar lafar yn y cylch iddo gael ei daflu allan drwy ffenestr y Railway Hotel, Aber-fan, yn ystod ffrwgwd. Cafodd hefyd ei daflu allan o'i lety am ei feddwdod. Yna, ymddangosodd Samariad trugarog i'w achub.

Cynnil a chryptig yw'r disgrifiad o'r digwyddiad hwn yn *Tros y Tresi*: 'Yna, trwy ddylanwad un "nad aeth o'r tu arall heibio" daeth ystyr i fodolaeth. Yn lle meddwi a rafio cefais ysbrydiaeth a nerth i edrych ym myw llygad Bywyd a chofiaf hyd heddiw y llawenydd o sylweddoli bod o leiaf un yn pryderu amdanaf.'[32]

Nid yw'n anodd dirnad mai merch oedd y Samariad, a cheir tystiolaeth arall yn cadarnhau hynny. Mewn darllediad radio yn 1948 cyfeiriodd Huw T at y digwyddiad mewn ffordd wahanol:

Pan oeddwn yn fachgen gartref mi gynghorodd fy Nhad fi filwaith a mwy beidio byth ymyrraeth â diod gadarn. Unig effaith y cynghori ar fachgen penrhydd fel y fi, oedd fy ngyrru i'r dafarn. – "Ffŵl!" medd rhywun sydd yn gwrando – hwyrach felly, ond dyma'r canlyniad. Un noswaith roeddwn mor chwil nes y methwn sefyll ar fy nhraed – ond fe ddaeth Samaritan heibio. Erbyn heddiw ni fynnwn fod wedi osgoi'r drain a'r mieri yna – yn eu drysni y gwelais angel, ac y daeth dameg y Samaritan trugarog yn brofiad personol.[33]

Cofiai dau hen gyfaill i Huw T sôn am yr 'angel' hon o Aber-fan. Wrth fynd heibio Aber-fan ar daith mewn car i Gaerdydd dywedodd Huw T wrth ei gyd-undebwr, Tom Jones, iddo syrthio 'dros ben a 'nghlustie' mewn cariad â merch o'r pentref. Defnyddiwyd yr un ymadrodd mewn sgwrs â Gwilym R Jones: 'dros fy mhen a'm clustie'. Ond ni chlywodd yr un o'r ddau Huw T yn enwi'r ferch.[34]

Os oedd gan Shakespeare ei '*dark lady*', pwy felly oedd 'angel' Huw T? Gwyddom i'r ferch hon ddenu Huw T i ddod yn aelod o gapel yr Annibynwyr, Bethania, Aber-fan. Capel newydd yw Bethania bellach; chwalwyd yr hen gapel ar ôl trychineb 1966 pryd y'i defnyddiwyd i roi i orwedd y plant bach a laddwyd. Ond y mae tystiolaeth yno hyd heddiw i Huw T fod yn aelod o'r capel hwn. Ar ôl y Rhyfel Mawr gwnaed 'Rhestr Anrhydedd' o'r holl aelodau a fu'n gwasanaethu yn y lluoedd arfog, ac ymhlith yr enwau y mae 'Dr[iver] Hugh Edwards, R.F.A.'[35] Gwyddom hefyd i Huw T dderbyn croeso arbennig gan aelodau'r capel pan ddaeth adref i Aber-fan ar *leave* o'r fyddin yn 1917, fel y tystia adroddiad yn y *Merthyr Express*: 'Bethania Y[oung] P[eople's] S[ociety]: Presentation to Pte. Hugh Edwards, Coronation, who had been a faithful member of the Society before joining the colours. The members presented him with a parcel of comforts and expressed their desire to see him return safely again.'[36] Bellach, nid oes neb ym Methania yn cofio Huw T, ond erys ambell stori amdano. Gan aelodau'r capel y cafwyd enw'r 'angel', a gallwn fod yn weddol sicr ei fod yn gywir. Aelod blaenllaw ym Methania o'r enw Ceinwen Ashton oedd 'angel' Huw T.[37]

Merch un ar bymtheg oed oedd Ceinwen Ashton pan dynnodd Huw T o'r gwter. Roedd hi'n ferch hardd yr olwg ac yn siriol a llawen o ran cymeriad. Yn enedigol o Dreorci yn y Rhondda, daeth i Aber-fan gyda'i rhieni yn 1907 wedi i'w thad gael ei benodi'n arweinydd y gân yng nghapel Bethania. Daeth Septimus Ashton yn arweinydd corau yn yr ardal ac yn feirniad eisteddfodol o fri, ac yr oedd Ceinwen yn gerddorol fel ei thad. Meddai ar lais contralto cyfoethog a daeth yn aelod o nifer o gorau lleol. Bu'n athrawes yn

Ysgol Treharris a Phantglas, Aber-fan, cyn ei phriodas yn 1919.[38]

Ni wyddom beth oedd natur perthynas Huw T a Ceinwen. Nid ef oedd yr unig ddyn i gel ei gyfareddu gan y ferch landeg hon, ac mae'n bosibl mai cyfaill oedd Huw T a dim mwy. Un o straeon mwyaf rhamantus Huw T yw'r stori a adroddodd wrth Gwilym R Jones ynglŷn â phrofiad a gafodd yn y Rhyfel Mawr. Adroddodd ei fod wedi derbyn neges fod y ferch o Aber-fan wedi marw. Mewn anobaith, dringodd allan o'r ffos a cherdded yn 'nhir neb' gan ddisgwyl y byddai'r Almaenwyr yn ei saethu. Ond daeth yn ôl yn ddianaf, a phenderfynodd yn y fan a'r lle i Dduw ei roi ar y ddaear i gyflawni gwaith arbennig.[39] Gallwn fod yn weddol sicr mai rhamantu oedd Huw T yma, yn arbennig gan na fu Ceinwen Ashton farw yn ystod y rhyfel. Serch hynny, mae'n bosibl fod yna elfen o wirionedd yn y stori gan ei fod wedi colli Ceinwen mewn ystyr arall. Tua 1916 fe ddyweddïodd Ceinwen â chantor talentog o Droed-y-rhiw o'r enw David Rhys. Aeth David Rhys i'r Unol Daleithiau am gyfnod, ac erbyn iddo ddychwelyd roedd Ceinwen wedi priodi glöwr o'r enw Ben Vale.[40] Am rai blynyddoedd bu Ceinwen yn dioddef o glefyd *Bright's Disease*, sy'n effeithio ar yr arennau, ac yn 1932 bu farw'n ddim ond 35 mlwydd oed.

Unwaith yn rhagor rhaid gofyn y cwestiwn ai rhamant oedd carwriaeth Huw T â'r 'angel' o Aber-fan? Yn ddiamau, bu'r ferch hon yn ddylanwad arno gan beri iddo droi dalen newydd yn ei fywyd, ond dichon na fu carwriaeth rhyngddynt mewn gwirionedd. Mae'n bosibl i'r newid yn ymddygiad Huw T ddod o ganlyniad iddo ddarganfod un a allai ddisodli ei fam fel cannwyll ei lygad, ond damcaniaethau heb dystiolaeth bendant fyddai hynny.

Yn sicr, roedd y flwyddyn 1913 yn flwyddyn bwysig iawn ym mywyd Huw T. Ar wahân i'w berthynas â Ceinwen Ashton, daeth yn rhan o gymdeithas newydd o bobl ac yn arbennig felly aelodau o gapel Bethania. Festri'r capeli oedd canolfannau'r gymdeithas yn Aber-fan yn y cyfnod cyn y Rhyfel Mawr, ac o dan adain y Parch.

E Aman Jones sefydlwyd Cymdeithas y Bobl Ifanc ym Methania. Trefnid cyngherddau ar nos Sadwrn yn Neuadd Aber-fan, ac er i Aman Jones adael y capel yn 1911, ac na fu gweinidog arall yn gwasanaethu yno tan 1915, mae'n amlwg i drefniadaeth grefyddol a chymdeithasol y capel barhau.[41]

Ni chafodd Huw T dröedigaeth grefyddol, yn yr ystyr efengylaidd, ym Methania ond aeddfedodd a daeth i delerau i raddau helaeth â'r anesmwythder a nodweddai'i lencyndod. Byddai hefyd, efallai, wedi dysgu tipyn am sosialaeth yn ogystal ag am Gristionogaeth. Camsyniad yw credu fod rhwyg anorfod rhwng y capeli a'r mudiad llafur. Er y ceid ymosodiadau ar sosialaeth o bulpud neu sêt fawr y capeli, ar y llaw arall gweinidogion oedd llawer o arweinwyr cynnar yr ILP yng Nghymru.[42] Yn nosbarthiadau'r ysgolion Sul y ceid dadleuon ynglŷn â sosialaeth a chrefydd, ac er i rai sosialwyr fel A J Cook ddod i'r casgliad fod capel yn anghydnaws â sosialaeth, nid oedd hynny'n wir bob amser.[43] Gwnaed ymgais ym Methania i gymathu unrhyw wahaniaethau rhwng y capel a'r undebau. Yn 1917, er enghraifft, cynhaliwyd cyngerdd arbennig ar y cyd rhwng y capel ac Undeb Cenedlaethol Gweithwyr y Rheilffordd (NUR, cangen Quaker's Yard) ar gyfer aelod ffyddlon o'r capel a'r undeb, Morgan Evans. Yn y cyfarfod hwn, dadleuodd y gweinidog, y Parch. J T Rogers, fod yr amser wedi dod i'r eglwysi a'r cymdeithasau seciwlar ymuno a gweithio gyda'i gilydd er lles y bobl gyffredin.[44]

Mae'n bosibl mai yn Aber-fan yr ymunodd Huw T â'r ILP, er nad oes prawf o hynny. Dywed mewn un man iddo glywed Keir Hardie, Aelod Seneddol Merthyr, yn areithio yn 1913. Cofiai Hardie yn torri cacen yn ugain darn er mwyn dangos fod y cyfoethog yn berchen ar 19 darn o gyfoeth y wlad.[45] Ymuno â'r ILP ai peidio, roedd y stori honno i'w chadw'n ddiogel ar gof Huw T i'w defnyddio pan fyddai ei hangen.

Dylanwad pwysig arall ar Huw T yn 1913 oedd tanchwa

Senghennydd. Lladdwyd 439 o lowyr yn y ddamwain waethaf yn hanes pyllau glo Prydain. Ar y pryd roedd Huw T wedi symud i fyw am gyfnod byr i Gwm Cynon. Cafodd ei alw i Senghennydd, ac roedd ymhlith y cyntaf i ddisgyn i grombil y pwll i chwilio am unrhyw ddynion oedd wedi goroesi'r ddamwain. Disgrifia'r golygfeydd erchyll yn y pwll a seriwyd ar ei gof, yn enwedig felly ymateb y gwragedd a arhosai am newyddion ger mynedfa'r pwll:

> Nid anghofiaf byth gyrraedd pen y pwll. Mamau a gwragedd yn rhuthro arnom, yn gofyn a oedd yno obaith i'w hanwyliaid gael eu hachub. Heddiw, pan glywaf am gwyno am bris y glo, pan ddarllenaf mewn papur newydd erthygl yn condemnio'r glowyr, a phan welaf bosteri yn annog bechgyn i gymryd gwaith glöwr yn alwedigaeth, y darlun a ddaw o flaen fy llygad ar unwaith yw mamau a gwragedd Senghenydd yn rhuthro ymlaen bron wedi gwallgofi, ac yn gofyn a oedd obaith achub eu hanwyliaid.[46]

Hyd yn oed pan oedd rhesymeg yn eu herbyn, byddai damweiniau fel Senghennydd, streiciau dewr a gorymdeithiau newyn yn sicrhau i'r glowyr gydymdeimlad a chefnogaeth llawer i Gymro, a Huw T yn eu plith.

Efallai mai 1913 oedd y flwyddyn hapusaf a mwyaf sefydlog ym mywyd Huw T hyd hynny. Fodd bynnag, torrwyd ar draws yr hapusrwydd hwn gan y Rhyfel Byd Cyntaf – ac er i Huw T ymweld ag Aber-fan yn ystod y rhyfel, ac am gyfnod byr wedyn, erbyn hynny roedd y rheswm pennaf dros aros yn Aber-fan wedi diflannu. Mewn cyd-ddigwyddiad rhyfedd, hanner canrif yn ddiweddarach, roedd Huw T yn gyrru ar y ffordd i Gaerdydd un bore pan gafodd ei atal rhag mynd ymhellach. Nid oedd ond ychydig filltiroedd o bentref Aber-fan, lle roedd y gymdeithas roedd Huw T yn gymaint edmygydd ohoni wedi'i chwalu gan y trychineb mwyaf erchyll yn holl hanes cymoedd y de.

★   ★   ★

Gan ei fod yn aelod o'r Cefnlu, galwyd Huw T i'r rhengoedd ar ddiwrnod cyntaf y Rhyfel Mawr – 4 Awst 1914. Fel llawer o'i gyfoedion, aeth i ryfel yn orhyderus. Wedi'r cyfan, antur gyffrous fyddai rhyfela – ac oni fyddai byddin yr Ymerodraeth Brydeinig fawr o dro yn gorchfygu'r Almaenwyr? Oni fyddai'r cyfan ar ben erbyn y Nadolig? Roedd y gwladgarwch a arddelai Huw T yn nodweddiadol o fyddin Prydain ar y pryd. Dyma gyfnod pan oedd agweddau imperialaidd a jingoistaidd yn rhemp ac roedd y Cymry, gydag ychydig eithriadau, hefyd yn edrych ar y byd o'r safbwyntiau hynny.

Teithiodd Huw T i Brighton i ymuno â'r 'British Expeditionary Force' (BEF) ac ar Awst 11 croesodd o Southampton i Rouen ar y *Munificent*. Roedd ymhlith y rhai cyntaf i lanio yn Port de Rouen, ac roedd croeso'r Ffrancwyr (ac yn arbennig y Ffrancesau) ar y cei yn fythgofiadwy. Ond buan y trodd sŵn y bonllefau yn sŵn mwy bygythiol. Wrth i'r fyddin deithio tuag at Mons yng ngwlad Belg, lle y gwelwyd brwydr fawr gyntaf y rhyfel, clywodd Huw T am y tro cyntaf dwrw'r gynnau mawr.[47]

Bellach roedd Huw T, fel aelod o'r *Royal Field Artillery* (RFA), wedi'i gysylltu ag Ail Fataliwn yr *Highland Light Infantry* (HLI) a oedd yn rhan o Ail Adran y BEF. Gan mai 'gyrrwr' ydoedd, byddai ei ddyletswyddau'n cynnwys marchogaeth y ceffylau a oedd yn tynnu'r wagenni a gludai'r ffrwydron ar gyfer y magnelau. Mae'n debyg mai dyma oedd ei ddyletswydd gydol y rhyfel – dyletswydd digon peryglus, ond o leiaf ni fyddai, fel y milwyr traed cyffredin, yn gorfod ymosod ar draws 'tir neb' a wynebu saethu didrugaredd gynnau-peiriant yr Almaenwyr. Dibynnai tynged y milwr traed yn aml ar aneliad cywir y gelyn; er y byddai magnelau'r RFA yn darged, ac y gallai Huw T gael ei glwyfo gan ffrwydradau a saethid gan fagnelau mawr y gelyn, roedd elfen o hap a damwain yn hynny. Yn sicr, roedd yn fwy diogel y tu ôl i'r llinellau ac roedd mwy o gyfle i Huw T oroesi'r rhyfel na llawer i filwr arall.

Ni fu'r HLI yn ymladd ym mrwydr Mons ac, yn ôl *Tros y Tresi*, ni welodd Huw T 'angylion Mons', sy'n fawr o syndod gan mai ffrwyth dychymyg yr awdur o Gymro, Arthur Machen, oeddent.[48] Flynyddoedd yn ddiweddarach cyfansoddodd Huw T drioled syml yn dwyn y teitl 'Angel Mons', cerdd sy'n crynhoi tristwch y Rhyfel Mawr.

> ### ANGEL MONS
>
> *Ni welais 'Engyl Mons', fy mrawd,*
> *Ond gwelais angel yn ei amdo,*
> *Yr un y bûm yn casglu'i gnawd;*
> *Ni welais 'Engyl Mons', fy mrawd,*
> *Na'r Llaw a benderfynodd ffawd*
> *Yr un a lynodd wrth ei gredo:*
> *Ni welais 'Engyl Mons', fy mrawd,*
> *Ond gwelais angel yn ei amdo.*[49]

Collwyd brwydr Mons a bu raid i'r BEF encilio gyda'r Almaenwyr ar ei warthaf. Roedd tywydd crasboeth Awst 1914 yn gwneud martsio dwy filltir yr awr yn anodd, ac yn arbennig felly i filwyr y Cefnlu a oedd heb ymgynefino â martsio hyd at ddeng milltir ar hugain mewn diwrnod.[50] Yn ôl Huw T: 'Ni chofiaf deimlo'r haul erioed mor danbaid ag a wneuthum ar y gwrthgiliad o Mons. Dynion yn cysgu ar gefn y meirch a'r gwŷr traed yn dal i fartsio yn eu cwsg.'[51]

Honnai hefyd i'r milwyr orfod byw ar bedair bisgeden galed y dydd. Yn ystod yr enciliad cafwyd gorchymyn pendant yn gwahardd ysbeilio, a phan ddaliwyd Huw T yn dwyn afal o berllan fe'i cosbwyd yn llym. Rhaid oedd iddo fartsio y tu ôl i'r wagenni am ddau ddiwrnod.[52] Mae awgrym cryf yma, felly, mai marchogaeth oedd Huw T yn ystod yr enciliad ac eithrio pan gafodd ei gosbi. Beth bynnag, llwyddodd y BEF i encilio 200 milltir mewn 13 diwrnod. Rhoddwyd ar ddeall i'r milwyr mai gwrthgiliad tactegol oedd hwn, a llwyddodd y celwydd golau yma i gadw ysbryd optimistaidd ymhlith milwyr y rhengoedd. Ond ym Meaux, gerllaw Paris, rhaid oedd troi i wynebu'r gelyn, ac yn y frwydr ar lan afon Marne llwyddwyd i wrthsefyll yr Almaenwyr. Wedi hynny symudodd maes y gad i Fflandrys, ac ar ôl brwydr fawr gyntaf Ypres yn Hydref 1914, daeth y *stalemate* a dechrau rhyfel y ffosydd.

Erbyn diwedd y flwyddyn roedd y BEF wedi colli 90 y cant o'i nerth. Lladdwyd tua hanner can mil o filwyr, a chlwyfwyd oddeutu 37,000, rhwng Awst a Thachwedd 1914. Dim ond oddeutu pum mil o filwyr y fyddin wreiddiol oedd ar ôl, a Huw T yn hynod ffodus o fod yn un ohonynt.[53] Derbyniodd y milwyr hynny fedal arbennig, y *'1914 Star'*, a'r llysenw *'The Old Contemptibles'* a byddai Huw T a'i gyd-oroeswyr yn ymfalchïo yn yr enw hwnnw wedi'r rhyfel.[54]

Ychydig o fanylion a gawn yn *Tros y Tresi* am brofiadau milwrol Huw T wedi'r enciliad o Mons. Dywed iddo gael, ar adegau, amser difyr y tu ôl i'r llinellau yng nghwmni cyfeillion agos. Enillai gyflog o swllt a dwy geiniog a dimai y dydd, ac yn naturiol byddai'n chwilio am gyfle i wario'i arian. Bu am gyfnod yn aros yn nhref Bethune lle trefnid cystadlaethau bocsio yn erbyn y Ffrancwyr. Yn ôl Robert Graves ac awduron eraill, roedd Bethune yn dref eithaf sylweddol a chanddi bopeth ar gyfer y milwyr gan gynnwys pwll nofio, siopau, theatr, tafarn o'r enw The Globe, yn ogystal â'r 'Red Lamp'.[55] Bu Huw T hefyd ar *leave* o bryd i'w gilydd, gan rannu ei amser rhwng Aber-fan a chartref ei dad a oedd bellach wedi symud i fyw i Lanbedrycennin.

Ond bu'r Rhyfel Mawr yn ddylanwad ysgytwol ar y rhan fwyaf o filwyr, ac yn hyn o beth nid oedd Huw T yn eithriad. Daeth i'r casgliad mai 'ynfydrwydd ar ei ffurf weithaf *(sic)*' oedd rhyfel, ond ni wyddom yn union pryd y daeth i'r casgliad hwn. Fel y crybwyllwyd eisoes, roedd yr elfen jingoistaidd yn gryf yn y fyddin yn 1914. Credai'r milwyr eu bod yn drech na'r Almaenwyr a chredent hefyd yng nghyfiawnder eu hachos.

Mewn llythyr a gyhoeddwyd mewn papur lleol yn 1930, disgrifia Huw T rai o'i brofiadau yn ystod wythnosau cyntaf y rhyfel. Dywed mai mor gynnar â brwydr Landrecies, brwydr a ymladdwyd ar 25 Awst 1914 yn ystod yr enciliad o Mons, y gwelodd 'ynfydrwydd' rhyfela.

> To many of us war meant excitement – glory, romance, but, in three or four days between Mons and Laudrecies [Landrecies] the 'picture' soon lost its 'colour'. We suddenly realised that war was a beastly thing – a weapon of the devil and a barbaric way to settle quarrels – if war ever did settle anything? Laudrecies [Landrecies] will always be remembered by the 2nd Division, because the whole division was practically surrounded there, and it was only the heroic action of the Guards that won the day. I well remember that during the night I was converted from being a soldier and became a Pacifist. The sight of old people – who worked hard all their lives tilling the soil – having to leave home and everything held dear, except a few family treasures – the sight of cornfields full of ripe corn being mangled under the feet of thousands of soldiers, and the sight of hundreds of young boys – killed and maimed and the vision of many homes that had lost fathers, sons and dear ones cured me. I swore that night, given the opportunity, that I would always do what lay in my power in furthering peace between nations and individuals.[56]

Gellid dychmygu milwr deallus yn cymryd agwedd felly, ond rhaid amau ai dyma oedd agwedd Huw T yn nyddiau cynnar y rhyfel fel yr honna yn y llythyr hwn. Yn ystod Rhagfyr 1914 ac Ionawr 1915 cyhoeddwyd pedwar llythyr gan Huw T yn y *North Wales Weekly News* ac mae'r dyfyniadau canlynol yn nodweddiadol ohonynt :

10 Rhagfyr 1914:

> I consider it the finest thing out to defend your King and Country, even if it costs you your life... I do not think that it will last for long for we are killing them by the thousands now.

17 Rhagfyr 1914:

> …war is terrible but thank God we are fighting for right and not might. We are fighting to protect a weak nation from a stronger one. It is awful that such suffering has been brought upon the Belgians by the ignorance and cruelty of one human being – if he is worthy of such a name – and his cowardly soldiers. For what other name can you give the slayers of innocent women and little children? God says in the Bible: 'Revenge is mine; I will repay.' Surely He will repay such an inhuman monster! I don't think the war will be long now for the enemies [*sic*] dead can be counted by the thousands.

14 Ionawr 1915:

> [Gan ddiolch am barseli a ddanfonwyd ato] I cannot pay you in gold and silver, but I can pay you in another way by doing my best with my friends here to keep the enemy away from the land of song… If only the neutral countries of the world saw what I see here every day, they would not be long in joining the Allies.

Nid sylwadau heddychwr oedd y rhain. Mae'n wir na fyddai papurau newydd yn cyhoeddi llythyrau'n beirniadu'r rhyfel, ond nid oedd rheidrwydd ar Huw T i ddefnyddio'r ymadroddion rhyfelgar hyn yn ei lythyrau. Rhaid dod i'r casgliad mai eiddo un a gredai yng nghyfiawnder achos Prydain sydd yma. Ategir hyn gan gerdd syml yn dwyn y teitl 'Profiad Milwr' a luniodd yng Ngwlad Belg yn 1915, sy'n dechrau gyda'r pennill:

> Er llymed awch y bidog,
> Ymladdaf dros fy ngwlad
> A'm goreu yn yr ymdrech
> Dros nodded mam a thad;
> Os beddrod sy'n fy aros
> Mewn pell estronol dir,
> Balch gennyf fod yn filwr,
> Er marw 'dros y gwir'.

Â ymlaen i gyfeirio at y gelyn:

Difrodir holl ormeswyr
Yr Almaen cyn bo hir.

ac at y posibilrwydd o farwolaeth:

Os digwydd i mi syrthio,
O, peidiwch wylo'n hir –
Anrhydedd ydyw marw
Yn filwr 'dros y gwir'.[57]

Nid oedd agwedd Huw T wedi newid fawr ddim erbyn Medi 1915. Dywed yn *Tros y Tresi* iddo fod mewn cysylltiad â'r Parch. O Gaianydd Williams, gweinidog gyda'r Methodistiaid yn y Ro-wen.[58] Roedd ef yn cyfrannu colofn i'r *North Wales Weekly News* o dan y teitl 'Nodion Llywarch Hen'. Yn rhifyn 30 Medi 1915 ceir cyfeiriad yn y golofn at lythyr a gafodd gan 'ŵr march sydd yn cario saethau yn Ffrainc'. Yn ôl y llythyrwr, a gallwn fod yn sicr mai Huw T oedd hwnnw, '... mi rydym ers tua dau fis o amser yn paratoi ar gyfer ymosodiad mawr, tua diwedd y mis hwn (Medi). Y mae pob peth wedi ei baratoi o'r mwyaf i'r lleiaf. Nis gallaf weled ond un diwedd iddi, sef diwedd buddugoliaethus – yn wir yr ydym yn edrych ymlaen at victory.' Nid heddychwr mo awdur y llythyr hwn.

Fel y crybwyllwyd eisoes, rai blynyddoedd wedi terfysg Tonypandy y daeth Huw T yn sosialydd go iawn. Mae'n bosibl hefyd mai wedi'r rhyfel y sylweddolodd mai 'ynfydrwydd' oedd rhyfela. Wedi'r cyfan, goroesi oedd y peth pwysig i filwr cyffredin yn ystod y rhyfel. Gallai'r rhesymu a'r dehongli aros. Rhaid cofio hefyd fod agwedd Huw T yn 1930, pan ysgrifennodd y llythyr pasiffistaidd, yn wahanol i'w agwedd yn 1940. Yn y llythyr a luniodd yn 1930 y cyfeiriwyd ato eisoes, ysgrifennodd: 'As a Pacifist, I am convinced that... we must redouble our efforts to educate public opinion against war – insanity in its worst form.'

Ar y pryd, roedd heddychiaeth yn gredo gref ymhlith aelodau'r Blaid Lafur yn gyffredinol ond erbyn diwedd yr 1930au, a ffasgiaeth yn distrywio'r mudiad llafur yn yr Almaen, yr Eidal a Sbaen, gwelid sosialwyr ym Mhrydain yn troi eu cefnau ar heddychiaeth ac yn derbyn yr angen am fynd i ryfel yn erbyn Hitler a Mussolini. Fel y tystia Huw T yn *Tros y Tresi*: 'Gwelais yn gynnar yn y tridegau nad anadl einioes oedd yn bwysig, ond hawl dyn i fyw y bywyd llawn a bod yn rhaid amddiffyn yr hawl honno deued a ddelai.'[59]

Nid heddychwr yng ngwir ystyr y term oedd Huw T, felly. Credai mewn gwneud popeth posibl i osgoi rhyfel, a gwrthwynebai dueddiadau militaraidd yn y gymdeithas, ond pan oedd ymladd yn anorfod byddai'n barod i gefnogi hynny. Nid oedd ei agwedd yn un anarferol. Lleiafrif bychan fu'r pasiffistiaid go iawn erioed.

Daeth diwedd y rhyfel i Huw T ym Mawrth 1918 pan glwyfwyd ef yn ddifrifol yn ystod ail frwydr y Somme, brwydr a elwid gan yr Almaenwyr yn *Kaiserschlacht*. Dyma oedd ymdrech olaf yr Almaenwyr i dorri'r *impasse* ar y Ffrynt Gorllewinol. Ar 21 Mawrth roedd chwe mil o fagnelau'r Almaenwyr yn hyrddio ffrwydron at amddiffynfeydd byddin Prydain. Yn wahanol i'r arfer, targedwyd nid y ffosydd ond y fyddin y tu cefn i'r llinellau: y canolfannau cyfathrebu, y safleoedd gynnau–peiriant ac, yn arwyddocaol o safbwynt Huw T, y magnelau a'r gynnau mawr. Trawyd Huw T, un o dros 177,000 o Brydeinwyr a syrthiodd neu a anafwyd yn y frwydr waedlyd hon, ac fe'i cludwyd yn anymwybodol yn ôl i Brydain. Er iddo wella o'i glwyfau, byddent yn ei boeni o bryd i'w gilydd am weddill ei fywyd.[60]

Er iddo aros yn y fyddin ar ôl adfer ei iechyd, ni fu'n gwasanaethu eto yn Ffrainc. Wedi'r cadoediad dychwelodd i Aber-fan am gyfnod byr ond, yn ôl ei eiriau ei hun, 'ni allwn wynebu aros yno am resymau nad oes a wnelont â darllenydd *Tros y Tresi*'.[61] Mae'n amlwg iddo dderbyn i'w berthynas â Ceinwen Ashton ddod i ben yn derfynol. Aeth yn ôl i'r gogledd a chael gwaith fel coedwigwr yng Nghaeathro. Yn ôl *Tros y Tresi*, dyma pryd yr ailymunodd â'r

ILP. Fel yr awgrymwyd eisoes, os ymunodd â'r ILP yn y cyfnod cyn y rhyfel, byrhoedlog oedd ei aelodaeth ac arwynebol ei ddaliadau. Yn y gogledd y dechreuodd wleidydda o ddifrif. Fodd bynnag, ni ddylid diystyru pwysigrwydd y cyfnod yn natblygiad Huw T. Fe fu 'yn y ffwrn' sawl gwaith yn ystod ail ddegawd y ganrif, a seriwyd nifer o brofiadau ar ei gof a'i gydwybod. Bellach, gallai ddefnyddio'i brofiadau wrth resymegu a datblygu ei syniadau gwleidyddol. Nid o lyfr y daeth sosialaeth Huw T, ond o brofiadau bywyd.

III

'FEL RHWD I HAEARN'

Yr ymgyrchydd, 1920–31

Y N 1919 HONNODD y Prif Weinidog, David Lloyd George, fod 'Ewrop gyfan wedi'i llanw ag ysbryd chwyldro.[1] Yn ôl ei arferiad, cyffredinoli'n feiddgar oedd Lloyd George. Gallai 'ysbryd chwyldro' danseilio gwladwriaethau gormesol dwyrain Ewrop, ond gwyddai Lloyd George nad oedd chwyldro ar y gorwel yn ei etholaeth ef, Bwrdeistrefi Caernarfon, nac yng ngweddill gogledd Cymru o ran hynny. Fodd bynnag, roedd sgil effeithiau'r Rhyfel Mawr wedi'u taenu, er yn denau efallai, dros hyd yn oed ardaloedd mwyaf ymylol Ewrop, ac nid oes modd gorbwysleisio effaith y rhyfel ar y milwyr a fu'n ddigon ffodus i ddychwelyd adref o'r ffosydd. Honnai un gohebydd eu bod 'wedi cael argyhoeddiadau glân a chroyw o'r hyn ydyw gwerth dyn, a dyletswydd meistr at ei weithiwr...' ac awgrymai gohebydd arall iddynt 'yfed gormod o ysbryd Bolshevik'.[2] Roedd agweddau ymostyngol ar drai, ac nid oedd yr ifanc mor barod i ddilyn y *mores* diwylliannol a sefydlwyd yn y genhedlaeth flaenorol. Yn sicr, nid oedd yr hen hegemoni Rhyddfrydol mor gadarn ag y bu. Synnwyd C H Darbishire, meistr chwareli ithfaen Penmaen-mawr a'r gŵr mwyaf dylanwadol yn y cylch, pan fethodd dyn ifanc â chodi'i gap ato yn y stryd. I rai, roedd dyddiau codi cap yn dechrau diflannu ac i lawer – a Huw T yn eu plith – roedd y mudiad llafur yn cynnig gobaith newydd. Yn ôl Huw T, 'ffyliaid breuddwydiol' oedd sosialwyr y cyfnod hwn i lawer, ond roedd y genhadaeth i wella safon byw pobl gyffredin wedi cydio a byddai hynny, maes o law, yn arwain at newidiadau cymdeithasol pellgyrhaeddol.[3]

Bellach, ar ôl blynyddoedd o grwydro, roedd Huw T yn barod i fwrw gwreiddiau. Yn gwbl nodweddiadol ohono, fe briododd un o deulu a fu yng nghanol berw streic fawr y Penrhyn. Roedd Margaret (neu Maggie) Owen yn hanu o deulu o chwarelwyr o Lanllechid a weithiai yn chwarel y Penrhyn, Bethesda. Chwalwyd y gymdeithas glòs hon gan streic hir a chwerw ar ddechrau'r ganrif. Fel ym mhob teulu arall yn yr ardal, cafodd y streic effaith ar deulu Maggie Owen, gyda rhai perthnasau'n gadael yr ardal i weithio ym mhyllau glo y de.[4]

Mae'n debyg fod aelodau teulu Huw T yn adnabod teulu Maggie Owen ers tro, a dyna sut y daeth Huw T i gwrdd â'i ddarpar wraig. Yn ôl y dystysgrif briodas, priodwyd Hugh Thomas Edwards, 26 mlwydd oed, a Margaret Owen, 30 mlwydd oed, ar 9 Mawrth 1920 yn Swyddfa Gofrestru Bangor.[5] Buont yn byw am gyfnod yn Pen y Cae, Hengae, Llanfairfechan, cyn symud i ystafelloedd mewn tŷ mawr yn yr un dref. Yna llwyddwyd i rentu bwthyn bach, rhif 4 Brookside, ar lan afon Gyrrach, yng Nghapelulo. Yn ddiweddarach yn y 1920au cawsant gartref mwy cysurus yn Nwygyfylchi, o'r enw Bodlawen.[6]

Meistres y cartref oedd Maggie Edwards. Tawel braf a charedig oedd disgrifiad un cyfaill ohoni.[7] Arhosai yn y cysgodion tra oedd ei gŵr yn datblygu'i yrfa ac ni cheisiodd gymryd rhan mewn bywyd cyhoeddus o gwbl. 'Dyw Mam erioed wedi ymyrryd rhyw lawer â'r byd politicaidd' oedd sylw ei merch ddeugain mlynedd yn ddiweddarach.[8] Efallai na feddai ar bersonoliaeth allblyg fel un ei gŵr a'i allu i ymwneud â phobl; roedd hi hefyd yn swil ac yn anghyfforddus yng nghwmni pobl amlwg, yn arbennig gan ei bod yn drwm ei chlyw, ac yn llai cartrefol wrth siarad Saesneg. Yn ôl tystiolaeth rhai o'i gyfoedion, nid oedd bywyd cartref Huw T yn ddigon eang i fodloni ei ddiddordebau amrywiol a'i ysbryd egnïol; serch hynny, gwyddai y gallai ddychwelyd adref a chael ei drin fel 'brenin yr aelwyd'.[9]

Hoffai Huw T gwmni merched deniadol a byddai wrth ei fodd yn fflyrtian. Credai'r arlunydd Kyffin Williams ei fod yn '...obsessed with beautiful women' tra awgrymai Gwilym R Jones a Mathonwy Hughes iddo dueddu i roi rhai merched ar 'bedestal'.[10] Roedd rhesymau da yn aml dros fflyrtian. Dywedodd wrth ei gyfaill Rhydwen Williams ei fod yn llwyddo i ennill mantais drwy 'wneud ffŷs' o wragedd dynion pwysig.[11]

Ar 23 Awst 1920 ganed plentyn cyntaf Huw T a Margaret, a fedyddiwyd yn Elizabeth Catherine ar ôl ei dwy nain, ond fel Beti yr adwaenid hi ar hyd ei hoes; daeth hithau yn ei thro yn gefn i'w thad pan oedd ef yn anterth ei yrfa. Yn 1923 ganed iddynt fab, Gwynfor, ond bu ef farw yn Chwefror 1926 yn ddwy flwydd oed. Effeithiodd marwolaeth Gwynfor yn fawr ar Huw T, yn arbennig gan y priodolid y farwolaeth i leithder a chyflwr gwael y tŷ yng Nghapelulo. Fe'i hargyhoeddwyd am yr angen i sicrhau gwell tai i deuluoedd, ac roedd hynny ym mlaen ei feddwl pan ddaeth yn gynghorydd lleol maes o law.

Ardal eithaf anarferol oedd ardal Penmaen-mawr yn y cyfnod hwn. Gallai ymwelydd eistedd ar y promenâd a gwylio golygfa hyfryd o donnau'r môr a phlant yn chwarae'n hapus ar y traeth. Ond y tu cefn i'r dref, yn hytrach na mynyddoedd a chlogwyni digyffwrdd, gwelai chwarel anferth a oedd wedi hagru'r olygfa, ac yn ei ganol gloc mawr fel arwydd bod amser i weithio yn ogystal â hamddena. Roedd economi Penmaen-mawr, felly, yn ddibynnol bron yn gyfartal ar y diwydiant ymwelwyr a'r chwarel, ac adlewyrchid hyn yn y gymdeithas. Fel mewn sawl tre arfordirol yng ngogledd Cymru, roedd darparu cyfleusterau ar gyfer ymwelwyr yn prysur newid natur y gymdeithas – ond ym Mhenmaen-mawr roedd yr elfen honno'n eistedd ochr yn ochr â chymdeithas Gymreig draddodiadol bur lewyrchus a oedd yn seiliedig ar y chwarel a'r capel. Perthynai Huw T yn naturiol i'r ail elfen, ond o ran ei safbwyntiau gwleidyddol gellid yn rhwydd ei osod ar wahân i'r ddwy elfen. Cysylltir yr elfen gyntaf â phobl geidwadol Saesneg eu hiaith a Seisnig eu hagweddau, yn ogystal â rhai Cymry *bourgeois* fel siopwyr y dre. Perthynai'r ail i draddodiad Rhyddfrydol Cymreig y capel. Gellid croesi ffiniau; roedd Cynan, a oedd yn weinidog yn y dre yn ystod y 1920au, yn aelod o gangen Penmaen-mawr o'r Seiri Rhyddion, tra oedd Huw T yn chwarae golff ar y cwrs a safai nid nepell o'i gartref yn Nwygyfylchi.[12] Gallai Huw T, fel y gwelir yn y man, droedio sawl llwybr yn ei yrfa gyhoeddus a phersonol.

★　★　★

Awgryma Huw T iddo ddod at y Blaid Lafur drwy ei aelodaeth o'r ILP yn ne Cymru, ond nid oes tystiolaeth bendant ar glawr i gadarnhau hynny. Dywed iddo ailymuno â'r blaid honno tua 1920, ond ni cheir y cyfeiriad cyntaf at Huw T yn gwasanaethu o fewn y Blaid Lafur tan 1923.[13] Nid yw hyn yn golygu nad oedd yn gweithredu cyn hynny, ond mae'n fwy tebygol fod ei lwybr at y Blaid Lafur yn ganlyniad cymaint i'w berthynas ag undebaeth llafur ag â'i gysylltiad â sosialwyr a syniadau sosialaidd y deuai ar eu traws yn y blynyddoedd hynny ar ôl y rhyfel.

Bu streic chwarelwyr ithfaen Penmaen-mawr yn 1920 yn ddylanwad pendant ar Huw T yn y cyfnod hwn.[14] Roedd wedi mynd i weithio yn y chwarel fel 'tyllwr *single hand*', a hynny ar ôl cyfnod byr yn gweithio mewn busnes torri coed yng Nghaeathro. Ei waith oedd gwneud tyllau mewn cerrig a oedd yn rhy fawr i'w torri â gordd; yna llenwid y tyllau â phowdwr a'u tanio. Nid oedd y streic ym Mhenmaen-mawr yn un arbennig o enwog na phwysig; serch hynny, roedd gwersi i'w dysgu ohoni gan gyw-wleidydd fel Huw T a chafodd effaith hollbwysig ar ddatblygiad undebaeth ym Mhenmaen-mawr. Ar ben hyn, dioddefodd Huw T a'i deulu o ganlyniadau anfoddhaol y streic a effeithiodd ar rai o weithwyr yr ardal.

Roedd yr anghydfod yn chwareli ithfaen Penmaen-mawr yn symptom o densiynau a amlygwyd rhwng yr hen do o'weithwyr a'r gweithwyr ifanc – llawer ohonynt, fel Huw T, yn gyn-filwyr. Yn cydredeg â hynny roedd gwahaniaethau rhwng crefftwyr y chwareli – y setsmyn a'r gweithwyr eraill, y torwyr cerrig (*blockers*), y tyllwyr, y ffitwyr, y seiri ac yn y blaen. Roedd agwedd dadol perchennog y Penmaen-mawr and Welsh Granite Company, y Cyrnol C H Darbishire, yn berthnasol hefyd, ynghyd ag undebaeth ymosodol un o swyddogion Undeb y Docwyr – Gwyddel mawr tafodog o'r enw Pat McKibbin.

Cyn y Rhyfel Byd Cyntaf roedd y ddau undeb a gynrychiolai'r gweithwyr sets wedi uno i ffurfio'r 'Amalgamated National Union of Quarryworkers and Settsmakers' gyda'i bencadlys yng Nghaer-lŷr. Sgotyn o'r enw James Slevin oedd yr ysgrifennydd, ac ar lafar adwaenid yr undeb fel 'Undeb Slevin'. Ond yn 1919 dechreuodd Undeb y Docwyr (National Union of Dock Labourers) recriwtio chwarelwyr Graiglwyd a Phenmaen, gan addo y gallai'r undeb wella'u cyflogau. Mewn achos o anghydfod roedd gan yr undeb hwn arf pwysig. Dibynnai'r chwareli ithfaen ar allforio sets ar y llongau a oedd yn llwytho ac yn dadlwytho ar hyd arfordir y gogledd. Dadlwythid llawer o'r sets ym mhorthladd Lerpwl, ac yno roedd pencadlys yr undeb. Byddai'n rhwydd, felly, ar adeg streic i drefnu nad oedd y docwyr yn dadlwytho sets, a byddai hynny'n niweidiol iawn i fasnach cwmni fel y Penmaen-mawr and Welsh Granite Company.

Erbyn 1920, amcangyfrifid i 300 o ddynion – tua hanner y gweithlu – ymuno â'r docwyr, tra mai dim ond 60–65 o weithwyr y chwarel oedd yn ymwneud o gwbl â gwaith y gellid ei ddehongli fel gwaith trafnidiol. Roedd Huw T yn un ohonynt. Gallasai Undeb y Docwyr lwyddo i recriwtio'r setsmyn i gyd, ond cythruddwyd rhai gan ymosodiadau tanllyd McKibbin ar y Cyrnol Darbishire, a'r rhegfeydd a nodweddai'i areithiau. Nid oedd Slevin yn fodlon o gwbl ag agwedd Undeb y Docwyr. Honnai ef: 'There are organisers who have no sense of honour and only seem anxious to obtain members anyhow and anywhere.' Rhoddwyd y gŵyn gerbron y Pwyllgor Seneddol, corff a geisiai ddatrys problemau rhwng undebau (dyletswydd a wneid yn ddiweddarach gan Gyngres yr Undebau Llafur). Penderfynwyd ym mis Gorffennaf y dylai'r gweithwyr perthnasol gael eu trosglwyddo'n ôl i Undeb Slevin. Ond ar ddydd Sadwrn 24 Gorffennaf, fe aeth 320 o aelodau Undeb y Docwyr yn chwareli Penmaen-mawr – tua hanner y gweithlu – ar streic, wedi i'r Cyrnol Darbishire wrthod cydnabod hawl Undeb y Docwyr i siarad dros y gweithwyr. Yn ôl Darbishire, dim ond Undeb Slevin y byddai'n ei gydnabod o hynny ymlaen, yn unol â phenderfyniad y Pwyllgor Seneddol. Wrth iddo wneud hyn, cythruddwyd aelodau Undeb y Docwyr a newidiwyd natur yr anghydfod. Bellach, roedd yn fater o egwyddor: nid oedd y streicwyr yn fodlon i'w cyflogwr ymyrryd mewn materion yn ymwneud ag undebaeth. Roedd yn amlwg hefyd fod Darbishire a Slevin yn deall ei gilydd.

Parhaodd y streic am yn agos i fis, ac yn ôl un papur newydd roedd hon yn 'orderly, businesslike strike, in which the men are endeavouring to gain their ends by peaceful persuasion. Men are seen strolling about the streets or chatting together in groups, and discussing their claims without heat or passion'.[15] Fodd bynnag drafftiwyd oddeutu wyth deg o blismyn i'r dre i amddiffyn y rhai oedd yn parhau i weithio, sy'n awgrymu fod tensiynau'n bodoli rhwng y ddwy garfan. Math o ryfel cartref oedd hwn, wedi'r cyfan, ac mae atgofion un a fu'n brentis yn y chwarel ar y pryd yn cadarnhau i'r streic achosi cryn chwerwder. Dyma dystiolaeth William J Hughes:

> ...the head of the union that was out was a big Irishman called Magibin [McKibbin] and he used to walk the streets in Pen and there was a terrible time fighting and all kinds of things going on you know and some of the women going down to the Co-operative Stores, wives of those that were working you see and

the wives of who were out used to throw buckets of water over them and everything you know.[16]

Honnai W J Hughes y byddai rhai aelodau o Undeb Slevin yn mynd i'r gwaith yn eu dillad dydd Sul gan eu bod yn ofni mynd heibio'r picedwyr yn eu dillad gwaith. Mae gan Huw T atgofion tebyg o'r streic:

> Fellow deacons, sitting in the same 'big pew', continued to pray
> for peace on earth and goodwill among men, yet passed each other
> in the street as if they were perfect strangers. In my own family my
> two brothers and brother-in-law remained loyal to the old Union:
> I had thrown in my lot with the Dockers' Union. Every other
> family was divided in much the same way.[17]

Daeth y chwerwder i'w benllanw pan gyrhaeddodd stemar y cei ym Mhenmaen-mawr ar 12 Awst gyda'r bwriad o gasglu llwyth o sets. Ymgasglodd torf fawr o streicwyr ar y cei, ac aeth eu harweinydd at y llong i egluro'r sefyllfa i'r meistr a'r criw a oedd yn aelodau o Undeb y Docwyr. Hwyliodd y llong i ffwrdd yn wag, ac o ganlyniad cythruddwyd aelodau Undeb Slevin. Yn ôl W J Hughes: '…they started with big staffs and everything ready to go down and there'd be a hell of a war too you know if they went'.[18] Ataliwyd y gweithwyr hyn rhag ymosod ar y streicwyr gan rai o'r setsmyn hŷn, gan gynnwys ewythr Huw T, Sam Williams.

Er i'r streicwyr lwyddo i atal allforio cerrig o'r cei, methwyd ag atal symud cerrig ar y rheilffyrdd. Erbyn canol Awst chwiliai rhai o'r streicwyr am waith oddi cartref a dychwelodd ychydig ohonynt i'r gwaith yn Llanfairfechan. Parhaodd yr anghydfod tan ddiwedd Medi, ac ar yr 24ain o'r mis − pan aeth swyddogion lleol Undeb Slevin i ofyn i'w cyn-aelodau ailymuno â'r undeb − gwrthododd bron y cyfan ohonynt wneud hynny. Mae'n debyg y cynhaliwyd cyfarfod y diwrnod cynt ac fe benderfynodd y dynion nad oeddent yn barod i ddychwelyd i'r hen undeb wedi'r cwbl. O ganlyniad i hyn fe'u diswyddwyd, ac ymateb McKibbin oedd honni bod y cytundeb wedi'i dorri. Ysgrifennodd at Slevin gan ddweud mai mater rhwng dau undeb oedd hyn ac nad oedd gan y cwmni hawl i ymyrryd. Roedd ymateb Slevin yn chwyrn: roedd ei aelodau ef yn gwrthod cydweithio â gweithwyr oedd yn dewis peidio â throsglwyddo'n ôl i Undeb Slevin. Mynnai ef nad oedd dewis gan y rheolwyr ond diswyddo gweithwyr, neu fel arall fe fyddai'r chwarel yn cau.

Er i Undeb y Docwyr gwyno i'r Pwyllgor Seneddol sawl tro rhwng Hydref a Rhagfyr 1920, ni chawsant gefnogaeth ac ni chafodd y gweithwyr eu gwaith yn ôl. Ymhlith y rhain roedd Huw T. Yn ôl ei hunangofiant, addawodd Huw T i'w deulu y byddai'n cydymffurfio – ond yn hytrach na derbyn cais gan swyddog Undeb Slevin i ailymuno â'r undeb, daeth y cais gan un o benaethiaid y chwarel. Cythruddwyd Huw T gan hyn, a thaerodd nad oedd am i swyddog y chwarel benderfynu i ba undeb y dylai berthyn. Cafodd wythnos o notis, ac ni weithiodd fyth eto yn chwareli Penmaen-mawr.[19] Roedd safbwynt perchennog y chwarel yn ddigyfaddawd, oherwydd pan geisiodd Hugh Edwards, tad Huw T, apelio ar iddo newid ei feddwl, derbyniodd lythyr chwyrn yn ôl gan y Cyrnol Darbishire yn honni bod ymddygiad Huw T a'i gyd-streicwyr ar y cei yn ystod y streic yn 'cowardly and mean'. Mynegodd ei amheuaeth fod Huw T yn ddibynadwy a diffuant ac – yn ddamniol o safbwynt Huw T – roedd Darbishire wedi cynnig ei enw i'w gyd-weithwyr ond roeddent yn erbyn iddo ddychwelyd i'r gwaith wedi'r diffyg teyrngarwch a ddangosodd tuag at eu buddiannau hwy.[20]

Ar ôl bod allan o waith am ychydig, bu Huw T yn gweithio am rai wythnosau yn Llanddulais, ac am gyfnod byr yn haf 1921 ym mhyllau glo y de. Yn ffodus iddo, cafodd waith yn chwarel Penmaen-bach, nad oedd yn eiddo i deulu Darbishire, gan roi cyfnod o sicrwydd iddo ef a'i deulu am y tro cyntaf yn ei fywyd. Erbyn hynny, roedd y ffaith bod nifer o undebau llafur wedi uno wedi arwain at sefydlu'r Undeb Trafnidiaeth a Gweithwyr Cyffredinol (y *T&G*) dan arweiniad Ernest Bevin; yn 1923 etholwyd Huw T yn ysgrifennydd Cangen Penmaen-mawr o'r undeb. O hynny ymlaen datblygodd Huw T ei wybodaeth am natur a chyfrifoldeb undeb llafur. Dysgodd sut i ddelio â pherchnogion cwmnïau mawr a bach a'r gweithwyr fel ei gilydd. Trodd y siom o fethiant Streic Fawr 1926 yn wers iddo, a llwyddodd i fagu cysylltiadau a fyddai o fudd mawr iddo yn y blynyddoedd i ddod.[21]

★   ★   ★

Magodd Huw T hefyd gysylltiadau da o fewn y Blaid Lafur yn ystod y cyfnod hwn. Wedi'r rhyfel roedd y blaid honno wedi dechrau rhoi trefn ar ei gweithgareddau gan greu sefyllfa lle y gallai ymgiprys am rym yn San Steffan. Daeth yn blaid fwy pragmataidd, gan gynnig polisïau sosialaidd ymarferol gyda'r pwyslais ar gynllunio a thaclo problemau diweithdra a chyflwr tai. Ond ni ddeuai llwyddiant etholiadol yn rhwydd, ac roedd hynny'n arbennig o wir yng ngogledd Cymru. Llwyddodd R T Jones i ennill sedd sir Gaernarfon i'r Blaid Lafur yn 1922, ond collodd y sedd yn 1923; yn y cyfnod rhwng 1923 a'r Ail Ryfel Byd dim ond un sedd a enillwyd gan y Blaid Lafur yng ngogledd Cymru, sef Wrecsam, a chollwyd y sedd honno yn etholiadau 1924 ac 1931. Roedd y sefyllfa yn y gogledd, felly, yn gwbl wahanol i'r hyn a geid yn y de; yno, roedd y Blaid Lafur yn tra-arglwyddiaethu dros y sefyllfa wleidyddol a chwalwyd yr hen Ryddfrydiaeth gan ddosbarth gweithiol unedig a gynhwysai canran uchel iawn o lowyr.

Roedd natur economi a chymdeithas yng ngogledd Cymru yn dra gwahanol i'r hyn ydoedd yn y de. Ac eithrio'r ardaloedd yn y gogledd-ddwyrain lle roedd y diwydiannau glo a dur yn gyflogwyr sylweddol, lled amaethyddol oedd ardaloedd y gogledd; er bod yno chwareli llechi a sets, nid oedd y niferoedd a weithiai yn y diwydiannau hynny mor uchel.[22] Cymdeithas o drefi bach a phentrefi gwasgaredig oedd gogledd Cymru i raddau helaeth, felly, ac nid oedd gwleidyddiaeth ddosbarth, – fel y'i gweithredid yn y de – yn bosibl ond mewn ambell boced lle roedd undebaeth llafur yn gryf. Hyd yn oed wedyn, nid oedd sicrwydd y byddai'r dosbarth gweithiol yn cefnogi Llafur. Byddai llawer i undebwr llafur brwd yn parhau i bleidleisio i'r Rhyddfrydwyr, ac roedd rhai ohonynt yn Doriaid rhonc, hyd yn oed. Er fod y Blaid Ryddfrydol yn colli tir yn raddol, parodd yr hen ymlyniad at y blaid yn gryf yn y gogledd, yn rhannol oherwydd ymrwymiadau traddodiadol y gymdeithas; yn ogystal, parhâi Lloyd George i gyfareddu'r werin gyda'i record o wasanaeth fel Canghellor y Trysorlys a Phrif Weinidog, a chyda'i huodledd ffraeth. Cyfaddefa Huw T ei hun iddo gael ei swyno droeon gan areithiau Lloyd George a'i fod yn edmygu'r dewin o Lanystumdwy.[23]

Er diffygion y Blaid Lafur, yn ystod y blynyddoedd hyn y rhoddwyd trefn ar ei pheirianwaith canolog, a thrwy fanteisio ar wendidau'r Blaid Ryddfrydol llwyddwyd i ennill tir mewn etholiadau seneddol ym Mhrydain. Yn 1923 ffurfiwyd llywodraeth leiafrifol fyrhoedlog gan Lafur, dan arweinyddiaeth Ramsay MacDonald, ac yn y cyfnod hwn y cafwyd ymgais arbennig i greu trefniadaeth leol wironeddol effeithiol yng ngogledd Cymru. Mae'n wir bod Plaid Lafur Sir Gaernarfon wedi'i ffurfio yn 1919, a bod gweithgaredd tebyg i'w weld yng ngogledd-ddwyrain Cymru, eto dim ond yn 1923 y ceisiwyd rhoi trefn foddhaol ar Lafur yn gyffredinol yn y gogledd a hynny drwy ffurfio 'Ffederasiwn Llafur Gogledd Cymru'.[24]

Er nad dyma oedd y tro cyntaf i Lafur geisio ffurfio corff i wasanaethu dros ogledd Cymru, roedd hwb llwyddiant etholiad 1923 yn bwysig y tro hwn. Mae awgrym o arloesi yn yr adroddiad i gynhadledd flynyddol y Blaid Lafur yn Llundain yn 1924. Adroddwyd i T C Morris ac Elizabeth Andrews, trefnwyr y Blaid Lafur yng Nghymru, geisio treiddio i orllewin, canolbarth a gogledd Cymru yn y flwyddyn flaenorol – 'penetrate' oedd y term a ddefnyddiwyd, gyda'r awgrym nad oedd mudiad llafur yn bodoli o gwbl y tu allan i dde-ddwyrain Cymru.[25] Ond mewn gwirionedd roedd yn hanfodol i unrhyw ddatblygiad ddeillio o'r arweinwyr Llafur yn y gogledd ei hun. O ganlyniad i weithgaredd diarhebol David Thomas, un a fu'n allweddol yn natblygiad y mudiad llafur yn y gogledd dros gyfnod maith, trefnwyd cynhadledd yn y Rhyl i drafod y sefyllfa. Roedd yn eglur erbyn hynny nad oedd y mudiad Llafur yn y gogledd am fynd ati i bregethu rhyfel dosbarth na sosialaeth eithafol i drigolion yr ardal. Cymedrol iawn oedd datganiadau arweinyddion y mudiad yn y gogledd, ac yn nhaflenni Etholiad Cyffredinol 1923 ni cheir y geiriau 'sosialaeth' na 'gwladoli'. Neges gymdeithasol oedd gan ymgeiswyr Llafur, a'i bwriad oedd 'creu Cymdeithas Wareiddiedig a dyngarol'.[26]

Yng nghynhadledd y Rhyl yn 1923, dangoswyd hefyd agweddau cymedrol, pragmataidd. Yn ôl y cyfansoddiad drafft, byddai'r Ffederasiwn yn ceisio mynegi barn dosbarth gweithiol gogledd Cymru ('to focus and express working class opinion' oedd y geiriau allweddol), ond yn y gynhadledd newidiwyd y cymal i 'to focus and express public opinion in North Wales'. Adlewyrcha'r newid bach hwn yr agwedd meddwl a welid ymhlith y cynrychiolwyr a fynychodd y gynhadledd. Roedd yn amlwg hefyd mai o'r dosbarth canol y deuai llawer o arweinyddion y Ffederasiwn – gwŷr megis Silyn Roberts, y Parch. D Gwynfryn Jones, Cyril O Jones a'r cyn-Aelod Seneddol Rhyddfrydol, E T John. Yn wir, aelodau o ddosbarth canol Gwynedd oedd y mwyafrif o aelodau pwyllgor y Ffederasiwn, a chan nad oedd cynrychiolaeth uniongyrchol gan yr undebau llafur, ni chafodd undebwyr amlwg o ardaloedd diwydiannol y gogledd-ddwyrain mo'u hethol.[27]

Mae'n debyg fod Huw T yn bresennol yn y gynhadledd yn 1923 (er bod peth amheuaeth). Roedd hefyd yn un o'r cant neu fwy o gynrychiolwyr a fynychodd gyfarfod ym Mangor yn Chwefror 1924 i sefydlu pwyllgor etholaeth Bwrdeistrefi Caernarfon y Blaid Lafur. Yn y cyfarfod hwnnw cafodd ei ddewis i fod yn aelod o'r pwyllgor gwaith – ffaith sy'n awgrymu ei fod eisoes wedi gwneud ei farc yn y mudiad.[28]

Yn ei chyfarfod ar ddechrau 1924, penderfynodd y Blaid Lafur yn etholaeth Bwrdeistrefi Caernarfon i herio Lloyd George. Nid bod neb yn disgwyl ennill y sedd, ond gwelwyd cyfle i glymu Lloyd George i'w etholaeth am gyfnodau gan ei amddifadu o'r cyfle i deithio'r wlad i ennill pleidleisiau i'w blaid. Cafodd y Blaid Lafur gryn drafferth i ddod o hyd i ymgeisydd teilwng, a dim ond ar y funud olaf yr enwebwyd yr Athro Zimmern o Goleg Prifysgol Cymru, Aberystwyth, i sefyll. Mae hanes yr etholiad yn ddiddorol, ac ar adegau'n ddigri, a dengys gryfder a gwendid y Blaid Lafur yn y cyfnod hwn. Rhaid oedd benthyca £150 i dalu'r ernes, ac roedd angen oddeutu £500–£600 i ymladd yn effeithiol, ond nid oedd arian felly ar gael. Dyna un rheswm pam y dewiswyd Zimmern yn y lle cyntaf; gallai dalu llawer o'r costau ei hun. Dyma un esboniad pam mai ymgeiswyr o gefndir dosbarth canol a welid yn aml yn sefyll dros y Blaid Lafur yn y cyfnod hwn. Serch hynny, roedd Zimmern yn ddewis anffodus. Ysgolhaig di-Gymraeg o dras Almaenig ydoedd, un o gefndir cwbl ddieithr i drwch yr etholwyr. Fodd bynnag, bu'n weithgar yn canfasio ac yn mynychu cyfarfodydd cyhoeddus ledled yr etholaeth wasgaredig. Ond roedd y drefniadaeth yn wael; *'Very backward'* oedd disgrifiad Zimmern ohoni.[29]

Credai Zimmern fod canlyniad yr etholiad – Lloyd George 16,058, Zimmern 3,401 – yn un boddhaol. 'They [Llafur] had to start at zero,' meddai. '3,000 votes is infinitely better than zero.' Ond nid oedd trafferthion y Blaid Lafur ar ben hyd yn oed wedyn. Cafwyd argyfwng ariannol gan fod y blaid mewn dyled o £600, a bu'n rhaid i Huw T ymweld â W J Williams, Llandudno, i ymddiheuro am fethu ag ad-dalu'r swm o £150 a fenthyciwyd ganddo i dalu am yr ernes.[30] Mae mwy i wleidyddiaeth na syniadau a brwdfrydedd. Mae angen trefniadaeth effeithiol hefyd – gwers a ddysgodd Huw T yn fuan iawn yn ei yrfa wleidyddol.

★   ★   ★

Huw T oedd yn bennaf cyfrifol am sefydlu cangen o'r Blaid Lafur ym Mhenmaen-mawr ym mis Mawrth 1924. Ffurfiwyd y gangen mewn cyfarfod yn y Co-operative Hall, ac etholwyd ef yn ysgrifennydd. Yn ôl adroddiad yn y wasg (a luniwyd yn ôl pob tebyg gan Huw

T ei hun) roedd gan gangen Penmaen-mawr 500 o aelodau, ond rhoddai hyn ddelwedd gamarweiniol gan y cynhwysid pob aelod o undeb a oedd wedi tadogi fel corff i'r Blaid Lafur.[31] Ni olygai hynny y byddai'r aelodau unigol o'r undeb o angenrheidrwydd yn pleidleisio i'r Blaid Lafur mewn etholiad. Serch hynny, roedd ffurfio cangen gref yn hwb i'r blaid yn yr ardal a bu Huw T yn ysgrifennydd gweithgar i'r Blaid Lafur ym Mhenmaen-mawr yn ystod yr 1920au. Taenwyd gwybodaeth, casglwyd arian, cynhaliwyd cyfarfodydd cyhoeddus, trefnwyd tripiau a chasglwyd aelodau. Erbyn 1928 honnai'r blaid fod ganddi 250 o aelodau ym Mhenmaen-mawr, y trwch ohonynt (180) yn ward Penmaen lle roedd y rhan fwyaf o'r setsmyn yn byw.[32] Serch hynny, rhwng 1928 ac 1956 roedd yn bolisi gan y Blaid Lafur i ystyried bod gan bob cangen isafswm o 240 o aelodau, ac felly mae'n anodd dirnad faint o aelodau oedd yng nghangen Penmaen-mawr mewn gwirionedd. Un peth oedd yn gwbl sicr: roedd yn rhwyddach ennill aelodau na'u cadw ac yr oedd sicrhau pleidlais yn anos fyth.

Yn ystod y cyfnod hwn y dysgodd Huw T y grefft o siarad yn gyhoeddus. Yn ystod yr haf, cynhelid cyfarfodydd awyr-agored ar y cei yng Nghonwy, ac yn y maes parcio ym Mhenmaen-mawr, gan roi cyfle i Huw T a'i debyg gyhoeddi'r efengyl sosialaidd i'r sawl a oedd yn barod i wrando.[33] Roedd Huw T hefyd yn aelod o'r *Mutual Improvement Society*, cymdeithas a ffurfiwyd ym Mhenmaen-mawr yn 1900 i roi cyfle i ddynion ifanc ddatblygu'r gallu i ddadlau achos ac i siarad yn gyhoeddus. Fe'i disgrifiwyd yng nghinio jiwbilî'r gymdeithas yn 1960 fel yr *University of Penmaen-mawr*. Yn y cinio hwnnw siaradodd Huw T yn huawdl am gyfraniad y *Mutual* i ddatblygiad ei yrfa ef a gyrfa sawl un arall. Mynnodd iddo fagu hyder a'r gallu i'w fynegi ei hun drwy'r dadleuon a gynhaliwyd gan y gymdeithas, a dysgodd ddefnyddio rhesymeg wrth ddadlau. Yn ei eiriau ef, yno y dysgodd beidio â cholli'i dymer mewn dadl gan y gwelai fod hynny'n ffordd sicr o golli'r dydd. Rhaid nodi, serch hynny, mai un o ddibenion y *Mutual* oedd dysgu dynion ifanc i siarad yn gyhoeddus yn Saesneg – a hynny er bod trwch yr aelodaeth yn Gymry Cymraeg.[34]

Yn 1928 dechreuodd Huw T gyfansoddi dramâu i'w perfformio gan Gwmni Drama Horeb, capel yr Annibynwyr, Dwygyfylchi. Nid oedd rhinweddau deallusol i'w ddramâu, a oedd yn dwyn teitlau fel *Ai Ceidwad fy Mrawd ydwyf fi?* Melodramâu Fictoraidd gyda neges wleidyddol fyddai'r disgrifiad gorau ohonynt, ond serch hynny roeddent yn boblogaidd. Mewn perfformiadau yng Nghonwy a Phenmaen-mawr codwyd arian i'r Blaid Lafur yn lleol ac ar gyfer y glowyr di-waith yn y de.[35]

Roedd yna arwyddocâd arbennig i hyn oll. Bellach, roedd y Blaid Lafur yn rhan o wead y gymdeithas leol. Nid cefnogwyr Llafur oedd yr unig rai i fynychu'r dramâu neu'r *whist drives* a gynhelid gan y blaid honno, ond nid oedd modd mwyach gwarafun lle'r blaid yn y gymdeithas. Roedd hi'n debycach erbyn hyn o dderbyn cefnogaeth. Ar yr un pryd deuai aelodau gweithredol y blaid, fel Huw T, hefyd yn arweinwyr cymunedol ac ennill parch yn y gymdeithas. Serch hynny, roedd brwydr hir o flaen y Blaid Lafur i argyhoeddi gogleddwyr nad oedd hi'n blaid wrth-grefydd, wrth-Gymreig, wrth-genedlaethol, wrth-wledig ac yn gwrthwynebu rhoi cyfle i'r dyn cyffredin wella ei sefyllfa.[36] Ar yr un pryd ni ddylid tanbrisio parhad apêl y Blaid Ryddfrydol a'r twf yn y gefnogaeth i'r Ceidwadwyr. Gwelid hyn yn glir mewn etholiadau a gynhaliwyd ar ddiwedd yr 1920au ym Mhenmaen-mawr.

Yn Etholiad Cyffredinol 1929, os yw'r adroddiadau yn y wasg yn ddibynadwy, prin oedd y pleidleisiau a enillwyd gan yr ymgeisydd Llafur ym Mhenmaen-mawr. Cadarnheir y ddamcaniaeth hon wrth ystyried canlyniadau etholiadau lleol. Er bod dau gynghorydd wedi eu hethol yn enw'r Blaid Lafur ar gyngor tref Penmaen-mawr yn 1927, fel y disgrifir maes o law, cafodd un ei ethol yn ddiwrthwynebiad – a dim ond o drwch blewyn yr enillodd Huw T sedd Capelulo yn erbyn Sais o Dori. Mwy arwyddocaol oedd canlyniad etholiad cyngor sir 1928. Daeth Huw T ar waelod y pôl yn ward Dwygyfylchi a Phantyrafon, ymhell y tu ôl i'r fuddugwraig Mrs Emily O'Regan – Tori blaenllaw – a Rhyddfrydwraig, Mrs Cemlyn Jones. Y canlyniad oedd:

Mrs O'Regan	475	(54%)
Mrs Cemlyn Jones	274	(31%)
Huw T Edwards	134	(15%)

Mae'n wir fod ffactorau lleol yn hollbwysig, ac ni fu Huw T yn canfasio – ond hyd yn oed o ystyried hynny, dengys y canlyniad nad oedd Llafur wedi ennill rhyw lawer o dir ym Mhenmaen-mawr yn yr 1920au, er yr egni a'r brwdfrydedd a ddeuai o gyfeiriad Huw T a'i debyg.[37]

★   ★   ★

Un cam ymlaen ac un cam yn ôl oedd hanes Llafur yn y gogledd, felly. Nid oedd trefn foddhaol wedi'i gosod ac anodd oedd cynnal momentwm. Gellid bod wedi disgwyl brwdfrydedd ar ôl cyfarfod mawr yn y Pafiliwn, Caernarfon, yn 1926 pryd y cafwyd anerchiad gan Ramsay MacDonald, ond yn fuan wedi hyn daeth Ffederasiwn Llafur Gogledd Cymru i ben. Wedi etholiad 1929 fe'i hatgyfodwyd – y gair a defnyddiwyd (ac a gamsillafwyd) oedd 'resusitate' – gyda Huw T yn cael ei ethol yn Ysgrifennydd. Saesneg oedd iaith y cofnodion bellach, a theitl y Ffederasiwn oedd 'North Wales Labour Parties Federation'.[38] Fodd bynnag, dosbarth canol Gwynedd oedd ar flaen y gad unwaith eto. Etholwyd y Parch. Gwynfryn Jones yn gadeirydd a Silyn Roberts yn drysorydd. Serch hynny, un o'r dosbarth gweithiol, sef Huw T, oedd yn bennaf cyfrifol am y trefniadau. Gwelir hyn yn glir, a'r anawsterau a wynebai aelod tlawd o'r blaid, yn ei ohebiaeth â Silyn Roberts. Yn 1929 ysgrifennodd lythyr yn cyfeirio at y costau a wynebai o weithredu fel ysgrifennydd:

> I think that the best way will be for me to render you a monthly account of my expenses... I wish that my circumstances were such

that I could afford my out-of-pocket expenses, but as you know
I am only an ordinary quarryman, not always fully employed, &
often on short time, through lack of trade & bad weather. All of
us in the movement have to sacrifice to carry on our Branch &
Divisional Work. I may say that since the formation of Boroughs
Labour Party I have attended every executive meeting & paid
all Delegation fees out of my own pocket. But I really do agree
with you that the Federation should pay our expenses entailed in
correspondence.[39]

O leiaf câi Huw T ei ddigolledu o hynny allan. Yn 1930
mynychodd gynhadledd yn Shotton a derbyniodd bum swllt am
'loss of wages Saturday morning'. Nid materion ariannol yn unig
a bryderai Huw T; credai'n gryf fod ei waith yn cael ei lesteirio
gan aneffeithlonrwydd rhai eraill yn y blaid. Cwynai nad oedd
ysgrifenyddion rhanbarthol yn ateb ei lythyron ac nad oeddent yn
gweithredu penderfyniadau'r Ffederasiwn.[40]

Er yr holl drafferthion ariannol yn 1924, penderfynwyd
mor gynnar â Mawrth 1926 y byddai'r Blaid Lafur yn etholaeth
Bwrdeistrefi Caernarfon yn herio Lloyd George yn yr etholiad
cyffredinol canlynol, pan ddeuai. Ceisiwyd perswadio'r Parch.
Gwynfryn Jones i sefyll, ond heb lwyddiant; aeth dwy flynedd heibio
cyn y dewiswyd llywydd y Blaid Lafur yn yr etholaeth, Tomos ap
Rhys, yn ymgeisydd. Y flwyddyn ganlynol etholwyd Huw T yn
llywydd y blaid yn yr etholaeth ac fe'i dewiswyd yn asiant i ap Rhys.[41]
Roedd ap Rhys yn ŵr galluog; enillodd radd dosbarth cyntaf mewn
athroniaeth a bu'n filwr yn y Rhyfel Mawr. Er ei fod yn fab i'r Athro
Rhys, Coleg Bala-Bangor, ac yn ŵyr i'r cenedlaetholwr Michael D
Jones, nid oedd yn hyderus yn areithio yn y Gymraeg 'due to lack
of usage', chwedl un adroddiad. Serch hynny, roedd yn ymgeisydd
deniadol – ond roedd un broblem a fyddai'n effeithio'n ddirfawr ar
ei ymgeisyddiaeth ac ar waith Huw T fel asiant. O ganlyniad i anaf
a ddioddefodd yn y Rhyfel Mawr, roedd ap Rhys yn ddall. Huw T
oedd yn gyfrifol am drefnu iddo gael ei dywys o gyfarfod i gyfarfod.[42]

Roedd hynny'n waith caled, yn arbennig gan iddo areithio mewn 30 o gyfarfodydd yn ystod yr ymgyrch. Ar ddau bwnc, diweithdra a heddwch, roedd pwyslais neges ap Rhys yn yr ymgyrch, ond siomedig braidd oedd y canlyniad. Gwelwyd cynnydd o dros fil o bleidleisiau, ond gyda menywod rhwng 21 a 30 oed hefyd yn cael pleidleisio am y tro cyntaf, mewn gwirionedd gwelwyd gostyngiad yng nghanran y bleidlais o 17.5 y cant i 15.8 y cant. Y canlyniad yn llawn oedd:

Lloyd George (Rhyddfrydwyr)	16,647
J Bowen Davies (Ceidwadwyr)	7,514
T ap Rhys (Llafur)	4,536

Ymateb ap Rhys oedd: 'The Labour element was supposed to be strong in certain areas… but the ballot box revealed a fallacious belief.'[43] Roedd yn anodd rhoi sialens go iawn i Lloyd George yn ei gadarnle.

Mae adroddiad Huw T ar yr ymgyrch ar glawr.[44] Dywed iddo fethu â chael yr un 'national speaker' i'r etholaeth i gefnogi'r ymgyrch. Credai, os oedd y Blaid Lafur am ennill grym, y byddai'n rhaid iddi ganolbwyntio ar 'backward areas' fel gogledd Cymru. Rhestrodd y gwersi a ddysgwyd o'r etholiad. Ymhlith y rhain oedd ei gred fod cnewyllyn o 4,500 o bobl y gellid dibynnu arnynt i bleidleisio i'r Blaid Lafur mewn etholiadau, ond bod yr etholwyr yn ystyried Lloyd George yn 'dduw' a'r unig ffordd o'u perswadio i droi at Lafur oedd 'persistent propaganda that will lead to political convictions'. Yn ôl Huw T, roedd angen gwella trefniadaeth y blaid yn y gogledd, gan gynnwys trefnu cynhadledd arbennig i drafod y sefyllfa, ffurfio canghennau o'r ILP ac isadrannau menywod o fewn y canghennau oherwydd, yn ei farn ef, bod menywod yn well gweithwyr na'r dynion. Credai hefyd y dylid pwyso i gael trefnydd ar gyfer gogledd Cymru, neu o leiaf y dylai un o'r ddau drefnydd presennol yng Nghymru ddod i fyw i'r gogledd. Llwyddwyd o leiaf i beidio â mynd i ddyled yn ystod yr ymgyrch, ac mewn cyfnod main iddo ef yn ariannol, fe gafodd Huw T ei ddigolledu â chyflog o £10 am bythefnos o waith.[45]

Cafodd Huw T ei ddewis yn asiant i Mrs Lilian Hamilton, ymgeisydd y Blaid Lafur ym mwrdeistrefi Caernarfon, yn 1931. Roedd hi'n ferch i C H Darbishire, perchennog chwareli Penmaenmawr, ond roedd hi wedi troi ei chefn ar y Blaid Ryddfrydol. Yn ôl Mrs Hamilton, yr hen system gyfalafol oedd i'w beio am ddiweithdra.[46] Fodd bynnag, erbyn Medi 1931 penderfynwyd na fyddai'r Blaid Lafur yn sefyll yn erbyn Lloyd George yn yr etholiad cyffredinol wedi'r cyfan.[47] Ar y pryd, roedd y Blaid Lafur ar chwâl wrth i Ramsay MacDonald arwain clymblaid o Dorïaid, Rhyddfrydwyr Cenedlaethol a rhai Llafurwyr. Gyda hynny daeth MacDonald – yng ngolwg Llafurwyr benbaladr – yn fradwr i'r mudiad. O safbwynt Llafurwyr Bwrdeistrefi Caernarfon, o leiaf, roedd Lloyd George yn gwrthwynebu'r llywodraeth newydd.

Ac yntau'n ddi-waith ar y pryd, a chanddo amser ar ei ddwylo, ni fu Huw T yn segur yn ystod ymgyrch etholiadol 1931. Fe'i dewiswyd yn gynrychiolydd Miss Frances Edwards, ymgeisydd y Blaid Lafur yn etholaeth Fflint, a symudodd i fyw i'r sir honno dros gyfnod yr ymgyrch. Cyhoeddwyd ei adroddiad ar yr ymgyrch aflwyddiannus mewn cylchlythyr newydd o'r enw *The North Wales Labour Searchlight*. Yn ôl y *Searchlight*, roedd adroddiad Huw T yn un o optimistiaeth a gwrhydri eofn. O ystyried bod trefniadaeth yn y sir yn wan, a bod yr ymgeisydd a'r asiant yn rhai newydd, roedd y canlyniad yn un calonogol. Pwysleisiodd Huw T yr angen i ffurfio canghennau ar hyd a lled yr etholaeth, i ddewis ymgeisydd seneddol yn gynnar ac i alw am gymorth gan y trefnydd cenedlaethol, T C Morris. Cwblhaodd ei adroddiad drwy erfyn ar gefnogwyr Llafur i: 'pull together. Pull harder. Pull always, and Flintshire will soon be won to Labour and Socialism.'[48] Os na chafodd y sedd ei hennill i Lafur yn 1931, llwyddodd Huw T i ennill parch Llafurwyr sir Fflint – ffactor a fyddai'n ddefnyddiol iddo maes o law.

★   ★   ★

Er y diffyg llwyddiant i Lafur yn y cyfnod hwn yng ngogledd Cymru'n gyffredinol, llwyddodd Huw T i ddechrau ei yrfa gyhoeddus bersonol fel cynghorydd lleol. Enwebwyd dau ymgeisydd Llafur i sefyll ar gyfer Cyngor Dosbarth Penmaen-mawr yn Ebrill 1927. Bu Idwal Davies, clerc gyda'r rheilffordd, yn ddigon ffodus i gael ei ethol yn ddiwrthwynebiad yn ward Pantyrafon, ond roedd yn ofynnol i Huw T geisio disodli'r Cynghorydd E A Cleeves, Ceidwadwr lleol amlwg, yn ward Capelulo. Er mai yma roedd cartref Huw T bellach, nid oedd yn debyg o fod yn dir ffrwythlon i'r Blaid Lafur. Yn ward Penmaen roedd trwch y setsmyn yn byw, ac yng Nghapelulo, yn ôl *Y Dinesydd*, roedd 'llawer o bobl busnes wedi riteirio' yn byw.[49] Ni fu Cleeves yn canfasio, ond roedd ganddo'r fantais o fod yn gynghorydd yn barod – mantais bwysig iawn mewn etholiadau lleol. Roedd yn rhaid i Huw T fynd ati'n frwdfrydig i geisio ennill cefnogaeth. Ar ddiwrnod yr etholiad gwelwyd ceir cefnogwyr Cleeves yn cario etholwyr i bleidleisio, ond daeth hen gyfaill i Huw T – siopwr o'r enw George Davies – i'r adwy a bu'n cario etholwyr ar ran Huw T. Roedd y canlyniad yn un agos, ond llwyddodd Huw T i gipio'r sedd o 129 pleidlais i 121 – mwyafrif o wyth. Mae'n debyg i Cleeves ystyried protestio, ond ni wyddom ar ba sail, ac ni ddaeth dim o hynny.[50]

Roedd buddugoliaeth Huw T, ac ethol Idwal Davies yn ddiwrthwynebiad, yn hwb i'r Blaid Lafur ym Mhenmaen-mawr ond, fel y nodwyd eisoes, ni olygai hynny fod ymlyniad dosbarth gweithiol yr ardal i'r Blaid Lafur yn gadarn. Nid oedd bod yn gynghorydd yn fater hawdd i weithiwr cyffredin, chwaith. Cynhelid cyfarfodydd y Cyngor yn y prynhawn, ac roedd colli oriau gwaith yn golygu colli cyflog i Huw T. Gwnaed sawl ymdrech gan Huw T ac Idwal Davies i newid amser cynnal y cyfarfodydd, ond yn ofer.[51] Fodd bynnag, tystiai Huw T i'w gyd-weithwyr gyfrannu at ei gyflog er mwyn iddo gael mynychu cyfarfodydd y Cyngor yn ystod y dydd.[52]

Pan etholwyd Huw T, credai mai Cyngor diddychymyg heb ganddo fawr ddim cydymdeimlad â safon byw'r werin bobl oedd

Cyngor Dosbarth Penmaen-mawr. Credai y byddai angen iddo ef ac Idwal Davies fywiogi gweithgareddau'r Cyngor a cheisio pigo cydwybod gymdeithasol y cynghorwyr eraill. Nid oes amheuaeth i Huw T lwyddo i fywiogi'r trafodaethau, ond roedd ei gyd-gynghorwyr – yn Doriaid ac yn Rhyddfrydwyr fel ei gilydd – hefyd yn ymwybodol o broblemau'r werin bobl. Roedd Ceidwadwyr fel Mrs Emily O'Regan, a Rhyddfrydwyr fel R D Owen a D A Bryan, mor bryderus â Huw T ynghylch sefyllfa cartrefi anaddas, ond bod y feddyginiaeth a gynigid ganddynt yn wahanol i un Huw T.[53] Roedd cyflwr tai, rhenti a threthi yn faterion y bu Huw T yn cymryd diddordeb arbennig ynddynt drwy gydol ei gyfnod ar y cyngor. Un rheswm am hyn oedd y cof oedd ganddo am ei hen gartref llaith a di-haul yn Brookside, Capelulo, lle y bu farw ei fab.

Roedd diweithdra, hefyd, yn fater y bu cryn drafod arno yng nghyfarfodydd y Cyngor. Gwelid effaith y dirwasgiad ar chwareli Penmaen-mawr erbyn diwedd yr 1920au ond, mewn gwirionedd, ar ôl 1931 gwelwyd cwymp sydyn yn nifer y gweithwyr a gyflogid gan y chwareli. Yn hyn o beth roedd Penmaen-mawr yn fwy ffodus nag ardaloedd y chwareli llechi, fel Llanberis, lle roedd dros 1,600 o bobl allan o waith erbyn 1930; 227 oedd y ffigur cyfatebol ym Mhenmaen-mawr.[54]

Ond roedd pla diweithdra'n fater y bu Huw T yn huawdl yn ei gylch dro ar ôl tro yn y cyfnod hwn. Yn Awst 1928, er enghraifft, anfonwyd 150,000 o lythyrau gan y Prif Weinidog Toriaidd, Stanley Baldwin, at gyrff megis y cynghorau lleol i ofyn am eu cefnogaeth yn y frwydr yn erbyn diweithdra. Beirniadwyd y llywodraeth yn hallt gan Huw T mewn araith yn y cyngor. Cyfeiriodd at y ffaith bod 850,000 yn fwy o bobl wedi colli eu gwaith dan y Toriaid ac, yn fwy perthnasol i Benmaen-mawr, roedd setsmyn yn colli eu gwaith gan fod llai o fuddsoddi mewn adeiladu ffyrdd ac o ganlyniad i fewnforio sets rhatach o Sweden. Ei gynnig i'r cyngor oedd: 'I would suggest that we reply to Mr Baldwin stating that we will do our best to relieve unemployment by giving them [the Government] the kickout as soon as we can.'[55]

Eiliwyd y cynnig gan Idwal Davies, ac yn ôl yr adroddiad yn y *North Wales Pioneer* fe'i pasiwyd. Esgorodd hynny ar ffrae ar ôl i'r *Pioneer* ymosod ar y penderfyniad gan honni 'Could any remark such as this be more deplorable at the present time?' Mewn ymateb honnodd y Cynghorydd J R Williams na fu i'r Cyngor basio'r cynnig. Ei farn ef oedd bod y cynnig wedi cael ei anwybyddu; mewn cyfarfod ar 4 Hydref cadarnhawyd i lythyr gael ei anfon at y Prif Weinidog, ond mae'n amlwg i'r cynnwys gael ei lastwreiddio.[56] Cyhoeddwyd llythyr hir gan Huw T yn y *Pioneer* yn ymosod yn chwyrn ar y Ceidwadwyr a'u polisïau ar ddiweithdra: 'They have shown their love for the unemployed as the cat shows its love for mice – by devouring and destroying them.'[57]

Er yr ymosodiadau tanbaid, roedd Huw T yn ddigon pragmataidd i weld bod angen dilyn llwybr cyfaddawd mewn rhai achosion. Yn Rhagfyr 1931, er enghraifft, mynegodd ei bryderon wrth y Cyngor ynglŷn â'i gynrychiolaeth ar Gyngor Whitley Gogledd Cymru.[58] Yn y Cyngor Whitley trafodid telerau cyflogau gweithwyr y Cyngor Sir, a chan ei fod ef yn un o gynrychiolwyr y Cyngor roedd Huw T yn yr achos hwn ar ochr y cyflogwr o'r bwrdd ac nid gyda'r gweithwyr. Gofynnodd felly i'r Cyngor roi cyfarwyddyd iddo o safbwynt pleidleisio ar ostyngiad cyflog. Er bod rhai cynghorwyr yn fodlon iddo ddod i'w benderfyniad ei hun, fe'i holwyd gan H W Darbishire a fyddai'n pleidleisio o blaid gostyngiad yn y cyflog? Ymateb Huw T oedd na fyddai, petai'n rhydd i benderfynu drosto'i hun, ond y byddai'n gweithredu'n unol â chyfarwyddyd y cyngor. Dywedodd: 'I sit as your representative on the employers' side, though my sympathies are with the men.' Os nad oedd cyfarwyddyd byddai'n pleidleisio yn ôl ei gydwybod – sef yn erbyn gostyngiad. Penderfynwyd trafod hyn mewn pwyllgor, a'r canlyniad oedd i'r Cyngor Whitley benderfynu gostwng y cyflogau. Roedd Huw T bellach yn ymwybodol o realiti gwleidyddiaeth ac o'r angen i droedio'n ofalus er mwyn cyrraedd y nod yn y pen draw.

Nid oes amheuaeth bod pobl yn parchu Huw T am ei waith ar y Cyngor. Etholwyd ef yn ysgrifennydd y *Town Improvements Association* yn 1931 a bu'n cydweithio'n hapus â Cheidwadwyr fel Ivor Watts Jones a Mrs O'Regan.[59] Cymaint oedd eu gwerthfawrogiad o'i gyfraniad fel y cyflwynwyd *honorarium* o £21 iddo ac, wrth benderfynu hyn, ni fyddai'r cynghorwyr yn ddall i'r ffaith i Huw T golli'i waith yn y chwarel yn gynharach y flwyddyn honno.[60]

Disgrifia Huw T yn *Tros y Tresi* sut y cafodd ei ddiswyddo ar gam. Yn ei farn ef roedd prif swyddog chwarel Penmaen-bach am gael gwared arno oherwydd ei weithgareddau gyda'r undeb. Roedd bod allan o waith yn ergyd i Huw T a'i deulu, ond roedd diweithdra'n rhemp yn y cyfnod hwn ac anodd oedd dod o hyd i waith arall. I Huw T, 'un o'r pethau sydd yn bwyta i mewn fel rhwd i haearn yw nid tlodi ond y wybodaeth fod gennych gyfraniad i'w wneud ac nad oes ar gymdeithas eisiau eich cyfraniad'.[61] Yn y Cyngor apeliodd ar ei gyd-gynghorwyr i ystyried, wrth drafod y di-waith, nad oeddent yn delio â 'wasters' ond â dynion gonest a oedd yn barod i weithio.[62]

Yn Ebrill 1932 etholwyd Huw T yn gadeirydd y Cyngor, a rhoddwyd cryn sylw yn y wasg leol i'r ffaith ei fod yn ddi-waith ar y pryd. Yn ôl y *North Wales Weekly News*, roedd ei ethol ar ôl cyfnod o bum mlynedd yn unig ar y Cyngor yn 'striking tribute to his ability and popularity'.[63] Er iddo bryderu am y costau a allai ddeillio o fod yn gadeirydd y cyngor, cafodd gefnogaeth gan ei gyd-gynghorwyr. Cynigiodd y fferyllydd lleol, y Cynghorydd D A Bryan, gan bunt o rodd iddo – ond roedd balchder Huw T, er ei dlodi, yn faen tramgwydd, a gwrthododd y cynnig hael hwn.[64]

Am gyfnod byr yn unig y bu Huw T yn gadeirydd y Cyngor gan iddo dderbyn swydd gyda'r *T&G* yn Shotton ym mis Awst y flwyddyn honno. Fodd bynnag, byddai ei gyfraniad i'r ardal yn parhau am gyfnod pellach. Roedd Huw T yn gadeirydd mewn adeg o ddiweithdra enbyd ym Mhenmaen-mawr ac yng ngweddill y wlad. Collodd cannoedd eu gwaith yn y chwareli ac, oherwydd y dirwasgiad, ataliwyd cynlluniau adeiladu ffyrdd gan leihau'r galw am sets. Dadleuodd Huw T y dylid rhoi statws 'ardal dirwasgiad' i sir Gaernarfon ac na ddylid caniatáu rhoi gwaith i weithwyr o ardaloedd eraill ar gynlluniau lleol y sir. Ym mis Hydref, ac yntau bellach wedi dechrau ar ei swydd newydd, derbyniodd lythyr gan W R O Williams, yn erfyn arno i alw cyfarfod ym Mhenmaen-mawr i drafod sut orau i leddfu diweithdra a chynorthwyo'r di-waith yn ystod y gaeaf. Poenai Williams am effaith diweithdra ar y gymdeithas o safbwyntiau materol ac ysbrydol. Cafwyd ymateb cadarnhaol i'r cais hwn gan Huw T nad oedd, chwedl ef, yn 'stickler for procedure & if a good suggestion comes from anywhere its always worth noticing'.[65] Cynhaliwyd y cyfarfod yn Nhachwedd 1932, gyda Huw T yn y gadair, ac o ganlyniad sefydlwyd pwyllgor – a oedd yn cynnwys cynrychiolwyr o'r eglwysi, y Lleng Brydeinig, Sefydliad y Merched, yr undebau llafur a'r cyngor dosbarth – i fynd i'r afael â goblygiadau diweithdra.[66] Fodd bynnag, roedd cyfraniad uniongyrchol Huw T i fywyd cyhoeddus Penmaen-mawr yn dirwyn i ben erbyn hynny a phennod newydd yn ei yrfa wedi dechrau.

Gadawodd Huw T Penmaen-mawr, y dref lle y cychwynnodd ar ei yrfa gyhoeddus, gydag enw da. Derbyniodd deyrngedau cynnes gan gynghorwyr o bob plaid, a mynegodd yntau ei deimladau yn yr un modd: 'I consider you all as bosom friends of mine, and I go away without an enemy.'[67] Dysgodd lawer yn ystod ei gyfnod ym Mhenmaen-mawr. Nid oedd wedi colli ei danbeidrwydd ond gwyddai sut i weithredu'n bragmataidd, sut i berswadio yn hytrach nag ymosod, sut i drefnu ymgyrchoedd (er nad oedd ef ei hun yn berson trefnus), sut i siarad yn gyhoeddus yn effeithiol, a sut i gadw dau ben llinyn ynghyd mewn cyfnod anodd. Gadawodd hefyd gyda llythyr cadarnhaol oddi wrth un o'i gyd-gynghorwyr, y Rhyddfrydwr L F Bartle, yn ei boced. Dywedodd yntau: 'It is an easy matter to destroy anything, but to do really constructive work requires a man, and I hope and believe that you are a constructor.'[68] Roedd cyfnod mwyaf adeiladol Huw T ar fin dechrau.

IV

'CER YN DY FLAEN AC ENNILL'

Arweinydd rhanbarthol, 1932–53

Y M MIS AWST 1932, ymgeisiodd Huw T am swydd ysgrifennydd cynorthwyol a threfnydd gyda changen Gogledd Cymru o'r *T&G*.[1] Er ei fod yn un o nifer o undebwyr a chwenychai'r swydd – ac er mae'n debyg y byddai ei ddiffyg addysg ffurfiol yn cyfrif yn ei erbyn – o'i blaid roedd blynyddoedd o weithgaredd diflino ar ran y mudiad llafur, a'i adnabyddiaeth drylwyr o'r ardal. Gwnaed penodiadau yn y dyddiau hynny gan swyddogion canolog yr undeb a'r Ysgrifennydd Cyffredinol, Ernest Bevin, ei hun oedd yn cadeirio'r panel penodi yn yr achos hwn. Mae'n amlwg i Bevin weld potensial yn Huw T ac fe'i penodwyd i'r swydd.

Ar ôl cyfnod o segurdod ac arian 'dole' o bunt a phum swllt yr wythnos, roedd derbyn swydd gyda chyflog o £5 yr wythnos a £1 o lwfans yn fanna'r nefoedd i Huw T a'i deulu. Yn ôl cofnodion canolog yr undeb, derbyniodd hefyd fenthyciad o £30 'to clear off certain liabilities he had incurred in consequence of his unemployment'.[2] Serch hynny, golygai'r penodiad hel pac a symud o Benmaen-mawr i Shotton, sir y Fflint, lleoliad swyddfa'r undeb.

Perthyna Shotton, a'i chwaer-dref Cei Conna, i ddalgylch Glannau Dyfrdwy lle yr oedd, ac y mae, golygon mwyafrif y boblogaeth at lannau Mersi yn hytrach na thuag at ogledd-orllewin Cymru. Roedd yn rhan o ddalgylch mwyaf diwydiannol y gogledd, rhimyn hir a ymestynnai dros ddeugain milltir o waith glo y Parlwr Du ar arfordir gogleddol sir y Fflint, ar hyd glannau'r Ddyfrdwy ac i lawr heibio olion Clawdd Offa hyd at gyrion Croesoswallt. Dyma oedd pwerdy economi gogledd Cymru, a chyflogid miloedd o weithwyr yn y diwydiant glo a hefyd yn y gweithfeydd haearn a dur – un o hen ddiwydiannau'r ardal a brofodd adfywiad ar ddiwedd y bedwaredd ganrif ar bymtheg. Shotton oedd cartref cwmni dur John Summers, ac er mai Conffederasiwn Haearn a Dur Prydain oedd prif undeb y gweithwyr yno, roedd gan y *T&G* droedle yn yr ardal hefyd; yn naturiol, felly, lleolwyd ei phrif swyddfa – a wasanaethai Cymru a rhannau o sir Gaer – yn y dref ddiwydiannol hon.

Er bod cymdeithas fechan o Gymry Cymraeg yn ymgynnull yng nghapel yr annibynwyr, Rehoboth, neu gapel y Methodistiaid, Bethel, Cei Conna – dau gapel a safai gefn yn gefn â'i gilydd – Saesneg oedd iaith y gymuned a Seisnig oedd ei hawyrgylch. Ceir disgrifiad da o agwedd y gymuned hon at newydd-ddyfodiaid yn y cyfnod hwn yn hunangofiant yr actor a'r dramodydd Emlyn Williams. Symudodd ef yno yn hogyn ifanc o bentref gwledig yn sir y Fflint a chael ei drin fel 'alien' gan rai a gredai fod yr iaith Gymraeg yn jôc. Collodd ei deulu ei Gymreictod a throdd iaith yr aelwyd i'r Saesneg.[3]

Gallasai teulu Huw T ddisgwyl wynebu'r un profiad. Roedd Huw T wedi hen arfer â defnyddio'r ddwy iaith, ond Cymraeg oedd iaith cyfathrebu naturiol ei wraig ac roedd ei thynnu o'i chynefin yn rhwyg sylweddol iddi. Bellach hefyd rhaid oedd i'w merch Beti adael Ysgol Sir y Merched, Bangor, a'i chyfeillion Cymraeg eu hiaith, am ysgol ramadeg gwbl Saesneg ym Mhenarlâg. Yno, mynnai'r athrawon gyfeirio ati fel 'Betty' yn lle 'Beti', er mawr rwystredigaeth iddi.[4] Parhaodd y Gymraeg yn iaith aelwyd teulu Huw T, er y pwysau cymdeithasol cynyddol, ac yn hyn o beth roedd ymlyniad Beti at Gymreictod yn allweddol. Bu'r teulu'n hoelion wyth yng nghymdeithasau Cymreig yr ardal. Yn 1936, er enghraifft, ffurfiwyd

'Cwmni'r Aelwyd' yng Nghei Conna a Shotton, a Huw T oedd cynhyrchydd y ddrama gyntaf a lwyfannwyd gan y cwmni.[5] Huw T hefyd oedd llywydd cangen Glannau Dyfrdwy o Undeb Cymru Fydd. Ysywaeth, mynegwyd y gwirionedd am Lannau Dyfrdwy gan aelod o Blaid Cymru, Nefyl Williams, mewn llythyr i'r wasg yn 1947: 'On Deeside we see so many so-called Welshmen who never attend a Welsh function, whose children cannot speak Welsh, have no knowledge of her traditions, and are often antipathetic to anything Welsh. For all the good they are to Wales they might as well be Zulus.'[6]

Ymgartrefodd y teulu mewn tŷ sgwâr o frics coch yn Kingsway, Shotton, a enwyd yn 'Bodlawen', a buont yn byw yno mewn cartref cysurus tan 1957. Tŷ ar rent oedd hwn, ond pan ymddeolodd Huw T yn 1953, casglodd ynghyd ddigon o arian i brynu'r tŷ. Pan briododd Beti â Nath Williams yn 1942, daeth yntau i fyw i Bodlawen a magwyd eu plant, Eleri a Sioned, yn yr un cartref. Erbyn yr 1950au, felly, roedd gan Huw T bedair meistres yn ei gartref a chafodd yntau fodd i fyw yng nghwmni ei wyresau bach.

Er y byddai ei aelwyd yn angor iddo, nid oedd oriau penodedig i swyddog undeb, a byddai Huw T ar grwydr am weddill ei yrfa. Golygai ei waith deithio ar hyd a lled gogledd Cymru. Yn 1933 cafodd fenthyciad o £91 gan yr undeb er mwyn prynu car ail-law gan ei fod yn gwasanaethu ardal wasgaredig lle roedd trafnidiaeth gyhoeddus yn bur anwadal.[7] Dengys ei ddyddiaduron iddo dreulio cryn amser y tu ôl i'r olwyn. Yn wythnos olaf Awst 1934, er enghraifft, bu'n mynychu cyfarfodydd ym Mhwllheli, Y Felinheli, Fflint (am bum niwrnod yn olynol), Ellesmere Port, Llandudno a'r Rhyl, a honnodd yn 1958 iddo deithio dros 750,000 o filltiroedd er 1932.[8] Nid oedd y teithiau hyn heb eu peryglon. Yn Rhagfyr 1936, wrth iddo yrru ar y ffordd rhwng Aber a Llanfairfechan, disgynnodd coeden anferth o flaen ei gar ac nid oedd modd i Huw T osgoi ei tharo. Cafodd y car gryn niwed ond fe gafodd Huw T ei hun, yn ôl y papurau newydd, 'ddihangfa wyrthiol'.[9] Er yr holl deithio a wnâi yn y car, meddai Huw T ar y gallu i aros ar ochr y ffordd a phendwmpian am ddeg munud, cyn ailgychwyn ar ei daith wedi'i atgyfnerthu.[10] Serch hynny, nid oedd Huw T ymhlith y diogelaf o yrwyr. Cafodd sawl damwain, y fwyaf difrifol ohonynt yn haf 1955 pryd mae'n debyg iddo syrthio i gysgu wrth yrru ger Rhiwabon. Bu bron iddo ef a'i hen gyfaill Syr William Jones ddioddef anaf cas yn y ddamwain honno, ac ymddangosodd Huw T o flaen ei well sawl tro a'i ddirwyo am ei ddiofalwch.[11]

Cafodd pwysau gwaith ('yn mynd â'r piser i'r ffynnon yn rhy aml' oedd ei ddisgrifiad ef o hynny) ac effaith anafiadau'r rhyfel gryn ddylanwad ar iechyd Huw T.[12] Bu'n wael iawn yn ystod 1937; sigwyd ei nerth a chollodd bwysau aruthrol. Daeth Ernest Bevin ei hun i'w weld yn ei gartref, fel petai i dalu'r deyrnged olaf. Yn ôl ei hunangofiant, *Tros y Tresi*, Huw T ei hun benderfynodd y byddai'n mynd i weld Dr Henry Cohen, meddyg enwog o Lerpwl. Cafodd Huw T lawdriniaeth am anhwylder ar chwarren y theiroid yn y Liverpool Royal Infirmary ddiwedd Medi 1937, ac wedi hynny adferwyd ei iechyd yn eithaf cyflym a dychwelodd i'w waith cyn diwedd y flwyddyn. Mae geiriau'r cyflwyniad yn *Tros y Tresi* yn dyst i ddyled Huw T i'r meddyg: 'i Arglwydd Cohen o Birkenhead a estynnodd fy nyddiau...'[13]

★   ★   ★

Pan ddaeth Huw T i Shotton yn 1932 roedd brathiad y dirwasgiad, a darodd y diwydiannau trwm yn arbennig o galed, eisoes wedi effeithio ar economi'r dalgylch. Ym mis Awst y flwyddyn honno roedd 6,765 o weithwyr wedi'u cofrestru'n ddi-waith yn sir y Fflint, tua 14 y cant o'r gweithlu, ac erbyn diwedd y flwyddyn amcangyfrifid bod oddeutu 380 o gartrefi yn Shotton ei hun yn cael eu heffeithio.[14] Fel ym Mhenmaen-mawr, ceisiai'r gymuned yn Shotton gynnig cefnogaeth i'r di-waith, ac yn ystod ei fisoedd cynnar yn ei swydd newydd bu Huw T yn cynorthwyo i drefnu gweithgareddau yn Transport House, Shotton, a drawsnewidiwyd yn ganolfan ar gyfer y di-waith. Yno roedd cyfle i ddarllen a chwarae gêmau, a gobeithid trefnu hyfforddiant mewn crefftau maes o law. Roedd Huw T hefyd yn weithgar yn trefnu cinio Nadolig mawreddog ar gyfer teuluoedd y di-waith, a sicrhawyd cefnogaeth i'r achlysur gan fasnachwyr yr ardal. Nid oes amheuaeth fod yr elfen gref o gydweithio cymdeithasol er mwyn lleddfu ychydig ar bla diweithdra, a oedd wedi cyrraedd ei anterth yn yr ardal yn 1931/32, yn digwydd o ganlyniad i weithgaredd y *T&G* yn bennaf. Yn allweddol yn hyn oedd ymrwymiad ysgrifennydd dalgylch gogledd Cymru, a phennaeth Huw T, sef W H Bennett. Roedd Bill Bennett yn gymeriad lliwgar, yn llym ei dafod ond yn ŵr a feddai ar galon gynnes. Enynnodd barch Huw T am ei weithgaredd diflino ar ran 'y bottom dog'.[15] Pan fu farw Bennett yn ddisymwth yn 54 mlwydd oed yn Chwefror 1933, dewiswyd Huw T i'w olynu – tystiolaeth i Huw T wneud ei farc gyda'r undeb dros gyfnod byr iawn. Ar ei benodiad derbyniodd lythyr o gefnogaeth gan hen gyfaill: 'The clouds have passed and I tell you bluntly there is nothing between you and the highest post so go on and win.'[16]

Yn sicr yr oedd y cyfrifoldeb newydd hwn yn rhoi cyfle i Huw T, ond roedd anawsterau sylweddol o'i flaen. Ar ddechrau'r 1920au, pan sefydlwyd y *T&G* trwy uno nifer o undebau, gwelwyd cynnydd sylweddol mewn aelodaeth undebau yn gyffredinol ac optimistiaeth yn rhengoedd undebwyr llafur; erbyn y 1930au cynnar, fodd bynnag, roedd hyn wedi diflannu yn wyneb dirwasgiad a diweithdra enbyd. Ar yr un pryd roedd aelodaeth undebau ym Mhrydain wedi gostwng o dros 8 miliwn yn 1920 i 4.3 miliwn erbyn 1933.[17] Ar ôl methiant Streic Gyffredinol 1926, yn anorfod, daeth undebau llafur yn fwy realistig. Nid oeddent mewn sefyllfa i gymryd agwedd filwriaethus: strategaeth o geisio amddiffyn cyflogau a safon byw'r aelodau oedd yr unig strategaeth gall bellach. Fodd bynnag, anelai'r *T&G* at ehangu ei aelodaeth, ac un o ddyletswyddau Huw T oedd sefydlu canghennau a denu aelodau newydd ledled y gogledd. Nid oedd hyn yn fater hawdd. Roedd aelodau potensial – y gyrwyr bysiau, y gweithwyr ffordd, y coedwigwyr a'r gweision fferm – wedi'u gwasgaru mewn cymunedau bychain ar hyd a lled y gogledd. Lle roedd cnewyllyn go dda o weithwyr, fel yn Shotton ei hun, roedd diweithdra'n uchel – ac mewn ffatrïoedd roedd gwrthwynebiad ystyfnig i undebaeth gan lawer i berchennog a rheolwr. Nid hawdd chwaith fyddai casglu ychydig geiniogau gan undebwyr a oedd yn aml yn ceisio dal dau ben llinyn ynghyd ar gyflog pitw.[18]

Serch hynny, byddai'r undebau llafur – ac yn arbennig y *T&G* – yn ymgryfhau drwy gydol y 1930au. Cynyddodd aelodaeth y *T&G* o 372,000 yn 1932 i dros filiwn yn 1944. Datblygodd dylanwad gwleidyddol yr undebau yn ogystal, a hynny'n rhannol o ganlyniad i'r rhwyg yn y Blaid Lafur yn 1931. Gwelwyd cyfle gan yr undebau i ddatblygu grym yn y blaid wrth iddi geisio ailadeiladu ei nerth, ac i raddau helaeth deuai dylanwad arweinyddion yr undebau llafur ag agweddau mwy ymarferol na rhai'r aelodau seneddol i'r Blaid Lafur. Eu greddf oedd gwneud eu gorau dros eu haelodau yn wyneb problemau economaidd dyrys, gan osgoi'r atebion damcaniaethol a gynigid gan sosialwyr deallusol.[19] Daeth dynion fel Ernest Bevin yn aelodau pwerus yn y mudiad llafur ac roedd edmygedd Huw T ohono'n ddiarhebol. Pan gyhoeddwyd cofiant i Bevin, ysgrifennodd Huw T yn *Y Faner* am ddyn a oedd wedi dilyn llwybr tebyg iddo yntau: 'Un o'r pethau mwyaf diddorol i'r darllenydd craff, rwy'n siŵr, fydd dilyn o gam i gam, megis, gamrau bachgen o gefn gwlad, heb fantais fawr o addysg ffurfiol, drwy Brifysgol Bywyd.' Ond barnai Huw T fod gan Bevin ei wendidau, sef 'nad oedd yn hoffi cael dyn rhy alluog yn agos ato yn fframwaith yr Undeb'.[20] Ym marn Huw T, dyna pam y penodwyd Arthur Deakin yn gynorthwy-ydd i Bevin yn 1935 ac yn ysgrifennydd cyffredinol yr undeb yn 1945, gan ddatblygu'n ffigur pwerus yn y mudiad Llafur yn negawdau canol y ganrif.

Mae'r cyfeiriad hwn at Deakin yn arwyddocaol, gan mai perthynas stormus iawn oedd yr un rhwng Huw T ac Arthur Deakin.

Penodiad Deakin i swydd ganolog a roddodd gyfle i Huw T yn 1932, gan mai fel swyddog gyda'r undeb yn Shotton y datblygodd Deakin ei yrfa. Er iddo symud i Lundain, ystyriai Deakin mai Cei Conna oedd ei gartref, a byddai'n dychwelyd yno'n gyson. Roedd ganddo deulu yno a derbyniai fwletinau cyson gan ei berthnasau ar ddigwyddiadau'r ardal, gan gynnwys sylwadau ar ymddygiad Huw T. Fe âi hyn dan groen Huw T, a cheisiai osgoi cwrdd â Deakin hyd y gallai. Yn aml, pan fyddai Deakin yn ôl yn ei hen gynefin, byddai Huw T – er mwyn ei osgoi – yn gadael neges yn y swyddfa yn dweud ei fod wedi'i alw i ffwrdd i fynychu 'mass meeting'.[21]

Yn wahanol i Huw T, ni feddai Deakin ar sgiliau rhyngbersonol naturiol, er y gwyddai sut i reoli torf o weithwyr. Byddai'n aml yn ymyrryd yng ngwaith swyddogion eraill, ond eto disgwyliai iddynt fod yn gwbl deyrngar iddo. Mae'n wir y byddai'n medru colli ei dymer gyda swyddogion fel Huw T mewn cyfarfod, ond wedi i'r swyddog adael yr ystafell byddai'n ei ganmol drwy ddweud ei fod yn un o'r swyddogion gorau a feddai'r undeb. O ganlyniad i un ffrae a gawsant yn ystod y rhyfel, pan wnaeth Deakin sylw angharedig wrth Huw T am iddo dderbyn cais i ddarlledu ar y BBC, collodd Huw T ei dymer yn llwyr a bygwth taro Deakin. Er bod cymodi'n digwydd o dro i dro, ac er i'r ddau edmygu gweithgaredd diflino ei gilydd, ni fuont yn gyd-weithwyr hapus, gan achosi cryn broblem i Huw T wrth i Deakin ddringo i fod yn olynydd i Bevin.[22]

Beth bynnag oedd y problemau rhyngddo ef a'r swyddfa ganolog, bwrodd Huw T ati i gynyddu nerth y *T&G* yng ngogledd Cymru. Erbyn 1939 roedd gan yr undeb tua 200 o ganghennau yn y gogledd. Roedd gan Huw T un fantais, sef bod rhwydwaith o swyddogion cyflogedig lleol gan yr undeb ar hyd a lled y gogledd. Roedd hyn yn fwy nag oedd nifer yr aelodau yn ei warantu, ond gweithredai'r undeb yn y modd hwn oherwydd natur wasgaredig y dalgylch. Cafodd Huw T gymorth swyddogion cyflogedig fel Bill Bellis – arbenigwr ar y diwydiant dur – yn Shotton, Cei Conna ac Ellesmere Port, ac Owen Edwards yn sir Feirionnydd. Ar ôl y rhyfel cafodd Huw T hefyd gymorth amhrisiadwy gan Tom Jones, un o brif ddatblygwyr undebaeth llafur yng Nghymru yn ystod ail hanner yr ugeinfed ganrif.[23]

Undeb cyffredinol yn cynnwys gweithwyr di-sgìl neu led-fedrus oedd y *T&G*, ac mewn anghydfod nid oedd iddo'r un grym ag a berthynai i undebau gweithwyr crefft. Serch hynny, gallai'r amrywiaeth o weithwyr o blith yr aelodau fod yn fanteisiol gan ei fod yn caniatáu i'r swyddogion undeb 'edrych drwy amal i ffenestr', chwedl Tom Jones, yn wahanol i agweddau unllygeidiog yr undebau a gynrychiolai un math o weithiwr yn unig.[24] Agwedd swyddogion undeb oedd ceisio gosod trefn deg o drafod telerau rhwng y perchnogion a'r gweithwyr, a gwnaed ymdrech arbennig i osgoi streiciau. O'i brofiad personol, gwyddai Huw T sut y gallai streic arwain at galedi, ac mai callach mewn cyfnod o ddirwasgiad a diweithdra oedd ceisio dod i gyfaddawd. Rhan o sgiliau swyddog undeb proffesiynol oedd ceisio darbwyllo penboethiaid nad oedd streicio'n fuddiol bob amser a bod mwy i'w ennill yn y pen draw drwy gymodi. Byddai Huw T yn hoff o ddweud wrth y gweithwyr mai 'streic' oedd ei enw canol yn ystod yr adeg pan oedd yn benboethyn ifanc, ond bellach ei fod wedi callio.[25] Er mai aelodau lleyg undebau, drwy bwyllgor, oedd yn cymryd penderfyniadau ffurfiol, y swyddog proffesiynol fel Huw T oedd yn meddu ar y pŵer mewn gwirionedd. Amaturiaid i bob pwrpas oedd aelodau'r pwyllgor, a byddai swyddog proffesiynol craff yn medru ennill y dydd mewn unrhyw ddadl gan mai ef fyddai'n gyfarwydd â'r rheolau ac yn medru trafod yr aelodau'n ddeheuig. Yn wir, cyfaddefa Tom Jones iddo ef a Huw T dorri'r rheolau'n aml er mwyn twyllo'r aelodau. Mae Huw T yn adrodd am un achos o hynny yn ei gyfrol *It was My Privilege*.

Mae'n debyg bod gweithwyr bysiau gorsaf Llandudno am fynd ar streic answyddogol. Ni chafodd Huw T groeso pan aeth yno i gyfarfod, ac nid oedd ei ddadleuon yn erbyn gweithredu diwydiannol am atal dim ar benderfyniad y gweithwyr. Pan aethpwyd i bleidlais, honnodd Huw T bod rheol gan y *T&G* mai'r swyddog undeb oedd i gyfri'r pleidleisiau, serch nad oedd y fath reol yn bodoli mewn gwirionedd. Wrth gyfri dwylo gwelodd Huw T fod mwyafrif o blaid streicio, gyda 54 o blaid a 48 yn erbyn. Roedd Huw T yn cyfri ar lafar, ac aeth ymlaen i gyfri mwy na'r 48 nes iddo gyrraedd ffigur uwch na'r 54. Daeth y cyfarfod i ben mewn 'hullabaloo' wrth i'r gweithwyr sylweddoli iddynt gael eu twyllo.[26]

Os oedd Huw T yn medru twyllo'r gweithwyr, gallai hefyd gael y gorau ar y perchnogion a'r rheolwyr. Roedd angen i swyddog undeb fod yn ofalus. Gallai swyddog undeb a weithiai'n rhy agos gyda'r cyflogwr gael ei feirniadu gan yr aelodau; ar y llaw arall roedd creu perthynas dda rhyngddo ef a'r rheolwyr yn fanteisiol a chafodd Huw T ei ganmol gan sawl cyflogwr am ei ddoethineb wrth geisio datrys problemau. Tueddai i gymryd agwedd bragmataidd; gwyddai nad oedd sefyllfa'r gweithiwr yn gryf bob amser ac mai trafod dêl oedd orau fel arfer.

Yn aml roedd yn rhwyddach bargeinio gyda chwmni mawr fel cwmni dur John Summers. Adeiladodd Huw T berthynas dda rhyngddo ef a'r rheolwr, Geoffrey Summers, a oedd yn medru trin anghydfodau mewn dull rhesymol. Pan ymddeolodd Huw T o'r undeb, rhoddodd Summers deyrnged gynnes iddo: 'I could not wish for a more able and fair negotiator,' meddai.[27] Serch hynny, nid oedd y berthynas gystal yn ffatrïoedd Courtaulds. Sefydlwyd ffatrïoedd Courtaulds, a oedd yn cynhyrchu sidan artiffisial, yn sir y Fflint ar ôl y Rhyfel Byd Cyntaf, ac erbyn yr 1930au cyflogid dros bum mil o weithwyr yn ffatrïoedd y cwmni – Greenfield, Castle ac Aber – ond roedd y berthynas rhwng y gweithwyr a'r rheolwyr yn un sur. Gwnaed ymdrech arbennig gan y *T&G* i wella'r sefyllfa, ond dim ond ar ôl yr Ail Ryfel Byd y gwelwyd perthynas resymol yn datblygu yn y ffatrïoedd hyn.[28]

Yn aml nid oedd adeiladu perthynas dda yn rhwydd gyda chwmnïau llai, yn arbennig cwmnïau lle roedd y perchnogion yn elyniaethus i ymyrraeth undebau llafur yn y gweithle. Yn 1938, er enghraifft, ceisiodd rheolwyr cwmni Campbell James (Quarries) Ltd, Coed Isa, Wrecsam, bwyso ar eu gweithwyr i arwyddo ffurflen yn dweud na fyddent yn ffurfio undeb.[29] Mewn achos arall, honnai Tom Jones i berchennog cwmni cludo nwyddau gynnig £500 iddo pe bai'n addo peidio â sefydlu cangen o'r undeb ymhlith gweithwyr y cwmni.[30]

Fel y gwelwyd eisoes, ymhlith y gweithwyr y câi Huw T drafferth i'w rheoli oedd y gweithwyr bysiau – y gyrwyr, y *conductors*, a'r gweithwyr cynnal a chadw. Erbyn yr 1930au roedd Crosville, cwmni â'i wreiddiau yn swydd Gaer, wedi llyncu llawer o gwmnïau bysiau bach y wlad yn y gogledd, megis y 'Bethesda Greys' a'r 'North Wales Silver', ac roedd y cwmni'n cynnig gwasanaeth mor bell i'r de ag Aberaeron yng Ngheredigion. Ychydig o hyfforddiant a roddid i yrrwr bysiau yn y dyddiau hynny. Rhoddid amserlen iddo, a chyda bod ganddo'r gallu i newid gêr, gadewid iddo wneud y gorau a allai. Yn wreiddiol, undeb yr MGWU a gynrychiolai'r gweithwyr ond erbyn yr 1930au recriwtiai'r *T&G* aelodau ar raddfa eang ymhlith gweithwyr bysiau yng ngogledd Cymru; gwnaed cytundeb ym mis Gorffennaf 1932 rhwng Ernest Bevin ar ran y *T&G* a Claude Crosland Taylor, cyfarwyddwr Crosville, i sefydlu system o dalu'r gweithwyr yn ôl yr awr.[31]

Un o dasgau cyntaf Huw T pan ddaeth yn swyddog undeb oedd ffurfio rhwydwaith o ganghennau ymhlith y gweithwyr bysiau a chael y profiad, chwedl yntau, o weld aelodau newydd 'yn disgwyl manna o'r nef cyn eu bod wedi talu'r chwech cyntaf i'r Undeb'.[32] Roedd ymwneud â gweithwyr bysiau yn rhoi cryn dipyn o straen ar swyddog undeb. Yn aml, cynhelid cyfarfodydd ganol nos ar ôl i'r sifft olaf ddod i ben a phan nad oedd y gweithwyr na'r swyddog undeb druan yn eu hwyliau gorau. Cofiai Tom Jones un cyfarfod yn Llandudno a barodd o un ar ddeg o'r gloch yn y nos hyd bump y bore, ac yna bu'n rhaid i Huw T ac yntau ddychwelyd i Shotton i ddechrau gweithio am naw.[33]

Ar gyfartaledd, enillai gweithwyr bysiau gogledd Cymru lai o gyflog na'u cyd-weithwyr dros y ffin yn Lloegr. Yn yr 1930au telid y gweithwyr yn ôl yr awr ar bum graddfa wahanol yn ôl natur y gwasanaeth a gynigid. Felly, enillai gweithwyr bysiau sir Fôn gryn dipyn yn llai o gyflog na gweithwyr yn y trefi mawr gan mai ychydig o wasanaeth y gellid ei gynnal mewn ardaloedd gwledig. Dim ond yn 1942 y llwyddwyd i ddileu'r graddfeydd hyn a chael yr un raddfa gyflog i bawb, er mantais i weithwyr bysiau gogledd Cymru.[34]

Fel y gwelwyd, byddai'r gweithwyr bysiau yn barod i ddelio ag anghydfod drwy streicio. Yn 1935 bygythiodd 250 o yrwyr yng ngorsaf Llandudno fynd ar streic. Roedd yn 1.30 y bore erbyn i Huw T setlo'r mater, a hynny wedi pythefnos o drafod caled. I gydnabod ei ymdrech, rhoddwyd yr £80 a enillwyd gan y gyrwyr mewn 'back-pay' i Huw T i'w gyflwyno i gartref ymadfer yr undeb yn swydd Efrog.[35] Llwyddodd Huw T hefyd i adfer y sefyllfa yn ystod y streic ym mis Mehefin 1945 a ledaenodd i holl orsafoedd bysiau'r gogledd-orllewin ac a effeithiodd ar ffatrïoedd yr ardal gan nad oedd modd i bobl deithio i'w gwaith.[36]

★ ★ ★

Pan dorrodd rhyfel yn 1939, penderfynwyd ym mis Tachwedd y flwyddyn honno y byddai'n fuddiol ffurfio Cyngor Rhanbarthol Undebau Llafur Gogledd Cymru ac etholwyd Huw T yn ysgrifennydd arno.[37] Diben y cyngor oedd cynorthwyo'r undebau unigol i ofalu dros fuddiannau'r 40,000 o aelodau yng ngogledd Cymru, er na fyddai ymyrraeth yng ngweithgareddau'r undebau unigol. Bernid y gallai'r cyngor ddylanwadu ar yr awdurdodau a chynorthwyo yn y frwydr yn erbyn Hitler. Nid oedd amheuaeth bellach gan Huw T bod angen iddo anghofio am y safbwyntiau pasiffistaidd a goleddai yn y gorffennol, a bod gwir angen ymdrechu i sicrhau buddugoliaeth yn erbyn gelyn a fynnai geisio difodi'r gwerthoedd y credai Huw T mor gryf ynddynt.

Y flwyddyn ganlynol, ad-drefnwyd peirianwaith y *T&G* yng ngogledd Cymru o ganlyniad i ymddeoliad Jac Williams, ysgrifennydd yr undeb yn Wrecsam. Penderfynwyd uno swyddfeydd Shotton a Wrecsam a phenodwyd Huw T yn ysgrifennydd y rhanbarth ar gyflog o seithbunt ac un swllt ar ddeg yr wythnos, yn codi i naw punt a thri swllt erbyn 1942.[38] Rhoddai Huw T a swyddogion undeb eraill gryn bwyslais ar osgoi anghydfodau diwydiannol yn ystod cyfnod y rhyfel, fel y gallai swyddog cymodi'r rhanbarth adrodd ym mis Mehefin 1942: 'Normally in this region, Trade Union officials make every endeavour to maintain a high degree of discipline over their members, and up to the present their efforts have been successful.'[39]

Y broblem fwyaf a wynebai Huw T yn y cyfnod hwn oedd datrys anghydfod a gododd pan adeiladwyd ffatri arfau newydd yn Marchwiel, ger Wrecsam, yn 1940. Yn ei gyfrolau o atgofion, ceir disgrifiadau lliwgar o ymdrechion Huw T a swyddogion undeb eraill i ennill y dydd yn erbyn criw o Gomiwnyddion a gredai ar y pryd mai rhyfel cyfalafol oedd y rhyfel mewn gwirionedd. Roeddent yn deyrngar i'r Weriniaeth Sofietaidd yn Rwsia yn hytrach nag i system gyfalafol y gorllewin. Dangosodd Huw T gryn wrhydri wrth fynd i ganol pwyllgor milwriaethus o weithwyr, a bu bron iddo gael ei daro gan styllen wrth iddo annerch cyfarfod a cheisio cymryd rheolaeth dros y gydberthynas ddiwydiannol yn y gweithle. O ganlyniad i'w arweinyddiaeth eofn, ailgydiwyd yn y gwaith o adeiladu'r ffatri a diswyddwyd y Comiwnyddion yn y fan a'r lle. Yn fuan wedyn, ymosododd yr Almaen ar Rwsia gan newid agwedd aelodau'r undeb a oedd yn Gomiwnyddion, wrth iddynt ymroi yn llwyr i'r ymdrech i guro Hitler.[40]

Ym mis Hydref 1942 anfonodd Huw T lythyr at bob aelod o'r *T&G* yng ngogledd Cymru – llythyr a fynegai ei falchder o'u hymdrechion, gan bwysleisio na fyddai ennill y rhyfel yn bosibl heb eu cymorth unigol hwy.[41] Erbyn diwedd y rhyfel, Huw T ei hun dderbyniodd y ganmoliaeth yn y wasg am ei gyfraniad: 'His achievements in arriving at amicable decisions between masters and men have won confidence, and men of skill and insight in these delicate tasks are not easily found.'[42]

Sylwyd hefyd ar alluoedd Huw T i ymdrin â phobl gan berchnogion a rheolwyr gweithfannau, a chafodd gynigion i fynd i weithio iddynt. Eisoes cawsai gynnig swydd gan gwmni Holland, Hannen and Cubitt wedi iddo ddatrys problemau Marchwiel yn 1940, ac yn 1945 daeth cynnig eto iddo ymuno â'r un cwmni fel swyddog personél. Roedd hyn mewn cyfnod pan oedd ei berthynas ag Arthur Deakin ar ei gwaethaf – ac roedd y cynnig o gyflog llawer uwch na'r hyn a dderbyniai gan yr undeb yn ei demtio – ond yn y pen draw gwrthododd y cyfle. Mynegodd ei resymau'n eglur yn ei hunangofiant: 'Yn sydyn sylweddolais gymaint fy nyled i'r Undeb, ac y byddwn wrth dderbyn swydd gan yr ochr arall yn difetha ffydd miloedd o'r bobl a garwn orau.' Gwell oedd ganddo gwmni ei gyd-undebwyr: 'dyma i mi halen y ddaear', meddai.[43]

Wrth i'r rhyfel ddirwyn i ben, penodwyd trefnydd newydd i gynorthwyo Huw T yn y swyddfa yn Shotton. Un o feibion Rhosllannerchrugog oedd Tom Jones ac, fel Huw T, bu yntau 'drwy'r ffwrn' fel milwr gwirfoddol gyda'r 'International Brigade' yn Rhyfel Cartref Sbaen. Adwaenid ef fel 'Twm Sbaen' wedi hynny. Daeth Tom Jones yn gefn amhrisiadwy i Huw T dros y blynyddoedd canlynol, yn arbennig wrth i Huw T ddatblygu ei yrfa y tu allan i weithgareddau'r undeb o ddydd i ddydd. Roedd Tom Jones yn negodwr pwerus, didderbyn-wyneb a gredai fod y rhan fwyaf o berchnogion yn casáu undebau llafur ond yn parchu eu pŵer. Yn hyn o beth roedd ei ddulliau'n wahanol i rai Huw T, a fyddai'n aml yn swcro perchnogion yn anffurfiol yn hytrach na'u hwynebu'n bengaled ar draws y bwrdd. Tra bod Huw T, er enghraifft, wedi adeiladu perthynas dda â Clayton Russon, perchennog cyfoethog cwmni gwerthu hadau yn Llangollen, roedd Tom Jones yn amheus o gymhellion Russon. Ym marn Tom Jones, roedd Russon yn manteisio ar Huw T tra ar yr un pryd yn cymryd agwedd negyddol tuag at yr undeb.[44] Beth bynnag oedd cymhellion Russon, nid oes fawr o amheuaeth mai Huw T oedd yn gyfrifol am ddyrchafiad Clayton Russon yn *Syr* Clayton Russon maes o law.

Er yr anghytuno a ddigwyddai o dro i dro, gweithiai Huw T a Tom Jones yn dda gyda'i gilydd. Tueddai Huw T i fod yn anhrefnus yn ei weithgareddau o ddydd i ddydd ac nid oedd fawr o drefn yn ei swyddfa chwaith, er gwaethaf ymdrechion glew ei ysgrifenyddes Hazel Becket. Yn wir, yn ystod gaeaf caled 1947, cedwid glo yn y cypyrddau ffeilio! Roedd Tom Jones yn fwy trefnus, ac yn absenoldeb Huw T byddai'n ateb pentwr o lythyrau ar ei ran. Rhoddai gymorth iddo mewn sawl ffordd arall hefyd. Ar un achlysur ar ddiwedd yr 1940au, roedd Huw T wedi treulio oriau diffrwyth yn trafod mater gyda dirprwyaeth o weithwyr yn y swyddfa yn Shotton. Cafodd air cyflym â Tom Jones gan ofyn iddo ffonio'i ystafell gan esgus mai galwad gan Aneurin Bevan, y Gweinidog Iechyd, ydoedd. Pan ddaeth yr alwad, edrychai'r ddirprwyaeth yn gegrwth ar Huw T wrth iddo siarad mewn ffordd bersonol iawn ag 'Aneurin' a threfnu mynd i Lundain i gwrdd ag ef. Rhaid, felly, oedd dirwyn y cyfarfod i ben yn sydyn a chafodd Huw T wared â'r ddirprwyaeth. Pan ymddeolodd Huw T yn 1953 penodwyd Tom Jones i'w olynu, ac fe ddaeth yntau 'n ffigur blaenllaw yn natblygiad undebaeth llafur yng Nghymru.[45]

Beirniadwyd Huw T yn y cyfnod hwn am y credid ei fod yn esgeuluso'i ddyletswyddau undebol. Roedd ei bresenoldeb ar bob pwyllgor dan haul yn hysbys, ac yn gyffredinol roedd ymdeimlad hefyd bod yr undeb 'out of touch' gyda'r aelodau. Yng Ngorffennaf 1948 anfonodd Huw T lythyr hir at ei gymrodyr yn yr undeb; ynddo, mae'n amlwg ei fod yn ceisio cyfiawnhau ei weithgareddau personol a phwysleisio effeithlonrwydd yr undeb yn y gogledd. Mae'r llythyr hwnnw hefyd yn ddatganiad eglur o'i safbwynt personol ar ddyletswyddau undebau llafur yn gyffredinol.

Dechreua drwy ddisgrifio peirianwaith yr undeb yn y rhanbarth gyda'i bum cant o ysgrifenyddion cangen, y chwe swyddfa leol ar hyd a lled y rhanbarth, a'r swyddogion a weithiai ynddynt. Cyfeiriwyd at y cyfarfodydd cyson a'r gynrychiolaeth ar y pwyllgorau. Barnai nad oedd modd gwella ar y drefniadaeth a bod beirniadaeth o'r undeb yn 'ill-informed'. Rhoddodd hefyd ei farn ar swyddogaethau undeb gan gyfiawnhau yn anuniongyrchol ei weithgareddau allanol: 'In this Area we have tried – and I hope in a very large measure succeeded – to make the Union a living force in the life of the people. We have always felt it necessary that the Union should not only deal with the Wages and Conditions of its Members, but should, through its Officers and Leading Laymen, play the fullest possible part in the well-being of the people at large.'

Barnai hefyd ei fod yn ddyletswydd ar undebau llafur nid yn unig i ymdrin â rheoli cyflogau ac amodau gwaith, ond hefyd i wneud eu rhan i sicrhau bod diwydiant yn cael ei redeg yn effeithiol. Meddai:

> '...if we are to succeed in the building of a Socialist Britain, we can only do so providing the workers realise that, when we returned a Labour Government in 1945, our action meant that we had succeeded in carrying through a Revolution in this Country, and its effect was to put in the hands of the people, for the first time, the machinery of Government. The Labour Government is entitled to expect from those who put it into power, that they will appreciate that they have a part to play in the efficient running of Industry, and any man or woman who today is guilty of striking or using restrictive practices has clearly not understood the significance of a Labour Victory in 1945 and is endangering a return of the Labour Government in 1950.'[46]

★ ★ ★

Fel y gwelwyd, erbyn yr 1940au, roedd y cysylltiad rhwng y *T&G* a'r Blaid Lafur yn gryf nid yn unig yn genedlaethol – lle yr oedd y cyn-Ysgrifennydd Cyffredinol, Ernest Bevin, bellach yn aelod o'r Cabinet – ond hefyd ar raddfa leol. Pan ddeuai etholiad, byddai'r swyddogion undeb yn rhoi o'r neilltu eu dyletswyddau arferol ac yn bwrw ati i gefnogi ymgyrch yr ymgeisydd Llafur.[47] Cafwyd cefnogaeth ariannol gan yr undeb yn ganolog hefyd. Rhoddwyd, er enghraifft, £40 o gymhorthdal gan y *T&G* i ymgyrchoedd y Blaid Lafur yn sir y Fflint yn 1950 ac 1951.[48]

Roedd Huw T eisoes wedi dod yn ffigur pwysig yn y Blaid Lafur yn sir y Fflint, gan adeiladu ar ei brofiad fel trefnydd etholiadol yn y sir yn 1931. Fe'i hurddwyd yn llywydd yr etholaeth yn 1935 ac yn drysorydd yn 1938, gan ymgymryd â'r ddwy swydd ar yr un pryd. Trwy ei gysylltiad â'r blaid, cafodd ei enwebu'n Ynad Heddwch yn 1937 ac yn Henadur ar y Cyngor Sir ym mis Rhagfyr 1939 ar sail ei 'high reputation for sagacity and fair-mindedness'.[49]

Honna rhai mai'r cyfnod rhwng tua 1940 a 1960 oedd oes aur Cyngor Sir y Fflint. Er bod y pleidiau'n ymgiprys am gefnogaeth yn ystod ymgyrchoedd etholiadol, yng nghyfarfodydd y Cyngor nid oedd ymlyniad at blaid yn cyfrif gymaint. Y nod oedd ceisio gwasanaethu'r cyhoedd yn y modd gorau posibl ac nid oedd yno drefn 'caucus', lle y gwnaed penderfyniadau cyn cyfarfodydd swyddogol y cyngor – dull o weithredu a lygrodd sawl awdurdod lleol, yn arbennig yn ne Cymru. Daethai Huw T yn arweinydd y cynghorwyr Llafur, ond honnai na cheisiodd erioed reoli'r un aelod a'u bod yn rhydd i fynegi barn mewn unrhyw ddadl.[50] Tri chynghorydd oedd yn meddu ar y dylanwad mwyaf ar benderfyniadau'r Cyngor yn y cyfnod hwn, sef y Rhyddfrydwr Tom Waterhouse, y Ceidwadwr Geoffrey Summers a'r Llafurwr Huw T.

Yn ôl mab Tom Waterhouse, y Barnwr Ronald Waterhouse, roedd Huw T yn medru cydweithio â'i dad gan fod y ddau yn hoffi ac yn parchu'i gilydd.[51] Er bod mwyafrif gan y Rhyddfrydwyr ar y Cyngor, byddai Tom Waterhouse yn mynnu rhannu cadeiryddiaeth pwyllgorau rhwng y pleidiau a sicrhau tegwch o safbwynt cynrychiolaeth. Roedd y ddau hefyd yn gytûn ar lawer i bolisi, yn arbennig yn y maes addysg a materion Cymreig. Pan dderbyniodd Waterhouse anrhydedd gan Gymdeithas yr Awdurdodau Lleol, ysgrifennodd Huw T ato fel a ganlyn:

There is no man in public life that I admire more than yourself, for three important reasons. Firstly, the high standard of conduct that you set & your insistence that those with whom you serve shall also observe those standards. Secondly, your courage once you are convinced that a thing is right, no opposition, however formidable will turn you from what you deem to be your duty, & thirdly, your broadly based humanitarianism, which had so often warmed me at unexpected moments.

We have crossed swords on many matters, and many occasions, & I hope we still shall, but you have never stooped to a mean or unfair advantage. You could have wielded your majority on the County Council ruthlessly, like so many leaders of all parties, unfortunately do, & by so doing murder the very spirit of democracy.[52]

Pan safodd ymgeisydd dros y Torïaid yn erbyn Huw T mewn etholiad cyngor sir yn 1949, ysgrifennodd Waterhouse at Huw T yn gresynu bod angen iddo sefyll etholiad.[53] Roedd hynny yn erbyn dymuniad nid yn unig y Rhyddfrydwyr ond rhai Ceidwadwyr fel Geoffrey Summers hefyd, a oedd, er nad yn cytuno â'i safbwynt bob amser, yn cydnabod ei allu a'i ymrwymiad i fuddiannau'r sir.

Barnai'r newyddiadurwr Charles Quant mai 'cewri' oedd yn cynnal Cyngor Sir y Fflint yn y cyfnod hwnnw.[54] Datblygwyd perthynas adeiladol nid yn unig rhwng Huw T a Waterhouse ond gydag arweinydd y Ceidwadwyr, Geoffrey Summers hefyd, a hynny'n seiliedig ar eu hedmygedd o'i gilydd. Roedd Summers yn ddyn diwylliedig a goddefgar a chydweithiai'n rhwydd ag arweinyddion y pleidiau eraill. Cyfeiriwyd yn y cyfnod hwn at 'y Tri Mawr' a gyfarfu i setlo dyfodol y byd wedi'r rhyfel, sef Stalin, Churchill a Truman, ond ar gyngor sir y Fflint y pryd hwnnw, y 'Tri Mawr' heb amheuaeth oedd Waterhouse, Summers a Huw T.

Meddai'r triawd hwn ar ddigon o awdurdod i herio cynlluniau swyddogion y cyngor. Roedd llawer o'r swyddogion hyn – rhai fel Hugh Jones, Haydn Williams a Haydn Rees – yn ddynion pwerus a galluog ond nid oeddent, fel eu tebyg mewn cynghorau eraill, yn medru gwthio'u cynlluniau heb gael eu holi'n galed iawn gan gynghorwyr fel Huw T. Serch hynny, unwaith y câi Huw T ei berswadio o briodoldeb rhyw gynllun, byddai'n gefnogol iawn i'r swyddogion. Mynnai Haydn Rees mai gweithio drwy 'bartneriaeth' y byddai'r swyddogion a'r cynghorwyr yn y dyddiau hynny.[55]

Efallai oherwydd na dderbyniodd addysg foddhaol ei hunan, ymddiddorai Huw T ym maes addysg tra oedd ar y cyngor sir, a bu'n gadeirydd y pwyllgor addysg am flynyddoedd. Cyfarwyddwr Addysg Sir y Fflint o 1941 ymlaen oedd yr arloesol Dr Haydn Williams, ac yn ddiweddarach cafodd gymorth dirprwy brwdfrydig, Moses Jones. Cenedlaetholwyr pybyr oedd y ddau a chredent yn gryf mewn addysg Gymraeg. Yn ei erthygl 'What I Want for Wales' a gyhoeddwyd yn 1944, dangosodd Huw T ei arddeliad dros y Gymraeg drwy gynnig y dylid dyrchafu'r iaith yn bwnc gorfodol yn ysgolion Cymru, gan bennu dyddiad pryd y byddai'n ofynnol i bob athro a benodid i ysgol yng Nghymru allu siarad Cymraeg.[56] Fodd bynnag, roedd cryn dipyn o wrth-Gymreictod cyffredinol yn sir y Fflint ac nid oedd agwedd Huw T o gymorth i swyddfa addysg y sir chwaith. Yn 1948, ceisiodd Haydn Williams a Moses Jones greu ysgolion Cymraeg eu hiaith ar gyfer plant dan saith oed. Byddai'r ysgolion hyn yn yr Wyddgrug, y Fflint, Treffynnon a'r Rhyl, a'r gobaith oedd y byddai'r plant yn defnyddio'r iaith yn hytrach na chael eu boddi ymhlith nifer cynyddol o blant o deuluoedd di-Gymraeg. Nid oedd Huw T yn cytuno â'r cynllun hwn, gan ddweud:

> Credaf y byddai hyn yn gam ffôl iawn i'w gymryd gan y pwyllgor addysg. Byddwn yn creu cymdeithas Gymreig y tu mewn i Gymru… Unwaith y sefydlir hwy [ysgolion Cymraeg], dyna rannu cymdeithas plant i ddwy ran, y rhai sy'n siarad Cymraeg a'r rhai sy'n siarad Saesneg… Pe baem yn penderfynu ar bolisi sy'n rhoi cyfle i bob plentyn ddysgu Cymraeg, byddai'n fwy o werth, oblegid y mae yma ddymuniad i roi i'r Gymraeg le teilwng. Ond fel trwy rannu cymdeithas fel hyn crëwn rwyg.[57]

Yn ddiweddarach, galwodd ysgolion Cymraeg yn 'gestyll

Cymraeg' ac ofnai y byddai awdurdodau addysg yn ystyried eu bod wedi gwneud popeth i gadw'r iaith petai ambell ysgol Gymraeg yn cael ei sefydlu.[58] Er y credai'n ddidwyll y dylai pob plentyn ddysgu'r iaith, mewn gwirionedd nid oedd ei feddyginiaeth ef yn un ymarferol. Petai ei syniadau ar gyfer addysg Gymraeg wedi'u gweithredu hanner canrif ynghynt, efallai y byddai wedi llwyddo – ond nid oedd hynny'n bosibl mewn cyfnod pan yr oedd y nifer o deuluoedd Cymraeg eu hiaith yn gostwng bob dydd.

Tra oedd Huw T yn gallu bod yn benstiff, roedd agwedd benderfynol Haydn Williams yn prysur ddwyn y maen i'r wal. Disgrifiodd Moses Jones ei bennaeth fel un a oedd '...yn gwbl ddi-ofn yng ngŵydd ei wrthwynebwyr ac yn gwbl ddi-gymrodedd gyda'i argyhoeddiadau'.[59] Erbyn yr 1950au newidiodd Huw T ei feddwl ar y pwnc, yn rhannol oherwydd iddo sylweddoli pa mor anodd y gallai fod i'w ddwy wyres gadw'r iaith mewn ardal mor Seisnig â Glannau Dyfrdwy. Ar ôl ei dröedigaeth ar bwnc addysg Gymraeg, ni fu neb yn fwy cefnogol nag ef i'r swyddogion hynny a fu'n arloesi wrth sefydlu ysgolion Cymraeg cynradd ac uwchradd yn sir y Fflint.

★ ★ ★

Os oedd cydweithio'n gyffredin rhwng y pleidiau yng nghyfarfodydd Cyngor Sir y Fflint, pan ddeuai etholiad – yn ôl Ronald Waterhouse – 'the gloves were off'.[60] Roedd Huw T wedi ennill cryn brofiad etholiadol erbyn iddo gyrraedd sir y Fflint, a gwelir ei stamp ar sawl ymgyrch. Yn ystod ymgyrch etholiad cyffredinol 1935, pryd y safodd hen gyfaill i Huw T – Cyril O Jones, cyfreithiwr yn Wrecsam – dros y Blaid Lafur, cafwyd cwynion gan y Rhyddfrydwyr am y 'scurrilous leaflet' a ddosbarthwyd ar y funud olaf gan y Blaid Lafur.[61] Nid yw'n anodd dychmygu pwy oedd wrthi. Beth bynnag, daeth Llafur ar waelod y pôl yn yr etholiad hwnnw, ychydig y tu ôl i'r Rhyddfrydwyr, ond gyda'r Ceidwadwyr yn fuddugol. Roedd y gefnogaeth i'r Ceidwadwyr mewn ardaloedd gwledig a glan môr yn sir y Fflint mor gadarn ag erioed, gan sicrhau mwyafrif o ddeng mil o bleidleisiau i'r blaid honno a'i hymgeisydd, Gwilym Rowlands. Nid oedd amheuaeth, felly, fod talcen caled o flaen y Blaid Lafur yn sir y Fflint. Nid oedd nifer yr aelodau'n uchel, ac yr oedd yn ddibynnol ar weithgaredd ychydig o ymgyrchwyr brwd. Nid oedd eto wedi ymdreiddio i wead y gymdeithas gyfan, ac nid oedd ei dylanwad mor eang â'r Ceidwadwyr a'r Rhyddfrydwyr. Gwelir hyn yn y dewis o Ynadon Heddwch, dewis a wnaed ar enwebiadau'r pleidiau gwleidyddol yn y dyddiau hynny. Pan gafodd Huw T ei enwebu'n Ynad Heddwch yn 1937, ychydig iawn o Lafurwyr oedd ar y Fainc, ond erbyn diwedd yr 1950au roedd bron i 30 y cant o'r ynadon yn gefnogwyr i'r blaid.[62]

Penderfynodd Cyril O Jones na fyddai'n sefyll yn yr etholiad canlynol, ac ym mis Gorffennaf 1936 bu dyfalu yn y wasg y byddai'r blaid yn dewis Huw T i'w olynu. Ond ar ddiwedd y mis cyhoeddwyd llythyr agored gan Huw T yn dweud na fyddai'n sefyll oherwydd ei weithgareddau gyda'r undeb a chan fod ymgeisydd mwy cymwys ar gael. Nid dyma'r tro cyntaf na'r tro olaf i Huw T gael ei holi ynglŷn ag ymgeisyddiaeth seneddol.[63]

Ym mis Hydref 1936 dewiswyd W J Rees o'r Rhyl yn ymgeisydd y Blaid Lafur ond, er bod adroddiadau am y cynnydd yn y nifer o ganghennau yn y sir, tynnodd ei ymgeisyddiaeth yn ôl oherwydd y credai fod diffygion yn nhrefniadaeth y blaid. Barnai ef fod disgwyl iddo sefyll pan oedd y blaid '... in its present state of somnambulism' yn 'rank mockery'.[64] Mae'n bosibl y gellid priodoli hyn oll i absenoldeb Huw T am gyfnod hir yn 1937 oherwydd y gwaeledd difrifol y cyfeiriwyd ato'n gynharach. Beth bynnag, gyda Huw T yn ôl wrth y llyw yn 1938, cafwyd adroddiadau bod cynnydd yn y nifer o aelodau a changhennau, a chynhaliwyd 'organisational conference' ar ddiwedd mis Mawrth y flwyddyn honno. Fodd bynnag, roedd y blaid yn yr etholaeth mewn sefyllfa ariannol fregus, yn ôl Huw T, erbyn diwedd 1938 a galwyd am gyfraniadau ariannol gan gyrff perthnasol. Daeth y cyfraniadau hynny i law ac aed ati eto i chwilio am ymgeisydd.[65] Unwaith yn rhagor dewiswyd W J Rees, a oedd ym marn Huw T yn ymgeisydd delfrydol, ond oherwydd ymyrraeth y rhyfel ni chynhaliwyd etholiad cyffredinol arall tan 1945, ac erbyn hynny roedd Rees wedi tynnu ei ymgeisyddiaeth yn ôl unwaith eto.[66]

Enw Huw T oedd yn cael ei grybwyll wrth i'r etholiad cyffredinol nesaf agosáu, ond unwaith yn rhagor gwrthododd roi ei enw ymlaen. Barnai ei bod yn amhosibl:

> ...for any man to do justice to his Trade Union works and at the same time to do full justice to his Parliamentary constituents, and in my view the supreme task that lies ahead is to find employment for all the people who will want employment after the war. The basis of a happy community rests upon being able to find full employment for all who desire it at rates of pay which will enable them to maintain their families at a reasonable level. I feel I could make a better contribution towards this by sticking to my industrial activities, rather than switching over to the political side.[67]

Dyma oedd ei ymateb cynt ac wedyn wrth iddo dderbyn sawl cynnig i sefyll mewn etholaethau ar hyd a lled gogledd a chanolbarth Cymru. Ategai safbwynt y *T&G* ar y mater, ond gwyddai hefyd y byddai'n siŵr o ddanto ar orchwylion aelod seneddol mainc cefn. Wrth i'r blynyddoedd fynd heibio, beth bynnag, byddai ei ddylanwad yn y byd gwleidyddol yn sylweddol uwch na dylanwad yr un aelod seneddol cyffredin.

Er nad oedd ef ei hun am sefyll, chwaraeodd Huw T ran allweddol yn y dewis o ymgeisydd. Yn 1944 chwiliai merch ifanc o'r enw Eirene Lloyd Jones am gyfle i ennill sedd seneddol. Holodd Elizabeth Andrews, un o drefnyddion y Blaid Lafur yng Nghymru, ac awgrymodd hithau y dylai ymgeisio am sir y Fflint, gan na fyddai glowyr y de yn ystyried cefnogi merch a chan fod angen medru'r Gymraeg i sefyll yn y gogledd-orllewin. Awgrymodd Elizabeth Andrews y dylai ymweld â Huw T, gan efallai y gallai ef ei chynorthwyo, a threfnwyd i'r ddau gwrdd mewn caffe ym Mhenmaen-mawr. Yn y cyfarfod hwnnw gofynnodd Eirene i Huw T a oedd yntau wedi ystyried sefyll, ond ei ymateb oedd chwerthin a dweud: 'If I wanted to go to Westminster at my age, I wouldn't start in Flintshire.'[68]

Yn dilyn y cyfarfod, penderfynodd Huw T ei chefnogi, ond roedd elfen anghyffredin yn hyn o beth gan fod Eirene Lloyd Jones o gefndir tra gwahanol i Huw T. Er ei bod yn Gymraes, ni fedrai fawr ddim o'r iaith a siaradai ag acen Seisnig uchel-ael, fel y gellid ei ddisgwyl gan un a addysgwyd yn ysgol fonedd Cheltenham. Gweithiai fel newyddiadurwraig, ac wedi hynny fel gwas sifil, ac ni fyddai'n ei chael hi'n rhwydd mynd i'r afael â denu pleidleisiau'r werin bobl. Yn sicr nid oedd yn siarad yr un iaith â hwy. Efallai mai'r hyn a ddenai Huw T i'w chefnogi oedd y cyfle i fagu cysylltiad â'i thad, Thomas Jones, un o wŷr mwyaf dylanwadol ei ddydd. Biwrocrat ac *eminence grise* oedd Thomas Jones (neu TJ fel yr adwaenid ef). Bu'n gweithio yn swyddfa'r Cabinet dan sawl Prif Weinidog, gan gynnwys Lloyd George a Stanley Baldwin, ac yr oedd yn ddylanwad mawr y tu ôl i'r llenni mewn nifer o feysydd yng Nghymru.[69] Gwyddai Huw T y byddai o gymorth iddo yntau petai'n cynorthwyo ei ferch yn ei gyrfa wleidyddol. Yn wir, mae'r ohebiaeth rhwng Huw T a TJ yn dangos i Huw T ddefnyddio'r cysylltiad hwn i'w fantais. Pan wnaed apêl i'r Pilgrim Trust – ymddiriedolaeth yr oedd gan Thomas Jones gysylltiad cryf â hi – am gefnogaeth i greu maes chwarae ar Lannau Dyfrdwy, derbyniwyd siec am £2,000.[70] Wrth i ddylanwad TJ bylu yn ystod y 1950au (bu farw yn 1955), etifeddodd Huw T ei fantell i raddau helaeth wrth i weision sifil droi ato ef am gyngor ar faterion Cymreig. Bellach, gelwid ar Huw T i gynnig enwau i'r llywodraeth am anrhydeddau brenhinol a phensiynau *civil list*.

Ni fyddai'n rhwydd trefnu i Eirene Lloyd Jones ennill enwebiad Llafur yn etholaeth sir y Fflint. Cynhaliwyd y cyfarfod dewis yn Nhachwedd 1944, ac yr oedd ei gwrthwynebwyr yn dod o gefndir a phrofiad a wreiddiwyd yn gryf yn y mudiad Llafur. Cynghorydd sir oedd C O Edwards o'r Rhyl, tra bod C E Thomas yn drefnydd gyda'r WEA a Joseph Jones yn gyn-lywydd undeb glowyr swydd Efrog. Cafodd Eirene Lloyd Jones gefnogaeth y Llafurwr dylanwadol Jim Griffiths, a gytunodd, er ei gydymdeimlad â Joseph Jones, i ysgrifennu at Lafurwyr y sir, gan gynnwys Huw T, a oedd yn ôl Griffiths yn 'very influential'.[71] Credai Tom Jones fod tystiolaeth o 'jiggery-pokery' yn y cyfarfod dewis, a barnai i Huw T wneud ei orau glas dros yr ymgeisydd a ffafriai – ac efallai hyd yn oed i gamgyfri'r pleidleisiau.[72] Barnai Eirene Lloyd Jones ei hun fod y cyfarfod yn 'somehow assembled and can only surmise that HT resuscitated, and I have a sneaking feeling, invented branches'.[73] Beth bynnag, bu gweithgareddau Huw T y tu ôl i'r llenni yn ddigon i sicrhau'r fuddugoliaeth i Eirene Lloyd Jones.

Yn yr etholiad cyffredinol a gynhaliwyd yn haf 1945, trefnwyd ymgyrch frwdfrydig iawn gan y Blaid Lafur. Oherwydd ei chysylltiadau, denwyd siaradwyr enwog i'r etholaeth i gefnogi merch Thomas Jones. Anfonwyd negeseuon o gefnogaeth gan George Bernard Shaw ac Emlyn Williams, a chyfrannodd Violet Markham, hen ffrind i TJ, ganpunt tuag at yr ymgyrch – swm sylweddol iawn yn y dyddiau hynny. O ystyried cryfder y pleidiau eraill yn un o'r etholaethau mwyaf o ran pleidleiswyr ym Mhrydain, roedd yn gryn gamp i Lafur ddod o fewn ychydig dros fil o bleidleisiau i gipio'r sedd a enillwyd gan y Ceidwadwr, Nigel Birch. Credai Eirene Lloyd Jones ac eraill y gallai Huw T ei hun fod wedi ennill y sedd. Ysgrifennodd hi lythyr i'r wasg yn 1949 yn dwyn y pennawd 'Could Huw T Edwards have won?' Dywedodd fod Birch a hithau'n ddibrofiad ac y byddai Huw T yn debygol o ennill cefnogaeth y 'floating voter' – digon i gipio'r sedd i Lafur. Ond, meddai, ni roddai Huw T bwyslais ar freintiau seneddol, 'circumstances... cast him for a different role'.[74]

Roedd y tir wedi'i fraenaru ar gyfer ymdrech arall gan y Blaid Lafur yn 1950. Erbyn hynny roedd yr etholaeth wedi'i rhannu'n ddwy ac enwebwyd Eirene Lloyd Jones (Eirene White erbyn hynny, wedi ei phriodas â John White) i sefyll yn etholaeth Dwyrain Fflint, lle roedd y gefnogaeth Lafurol ar ei chryfaf. Yn 1947 penderfynwyd cyflogi trefnydd i'r sir a phenodwyd Hubert Morgan, dyn ifanc o'r de, i'r swydd.[75] Cafodd ei drin bron fel mab i Huw T a threfnwyd iddo gael swyddfa yn Transport House, Shotton, lle y gallai dderbyn cefnogaeth Huw T a'i gyd-weithwyr. Trwy weithgaredd Hubert Morgan ac eraill, gan gynnwys Huw T, enillodd Eirene White sedd Dwyrain Fflint yn 1950 a'i chadw am ugain mlynedd. Daeth hithau'n weinidog yn y Swyddfa Gymreig yn yr 1960au, ond byddai bob amser yn cydnabod ei dyled ddiymwad i Huw T.[76]

★ ★ ★

Nid oes amheuaeth fod Huw T yn ddyn o ddylanwad sylweddol yng ngogledd-ddwyrain Cymru erbyn yr 1940au. Roedd ei ddatganiadau niferus yn cael sylw cyson yn y wasg ac yn ennyn ymateb gan golofnwyr a'r cyhoedd. Fis Rhagfyr 1948, er enghraifft, roedd yn y newyddion yn barhaus am ddatgan ei safbwynt ar addysg Gymraeg (y cyfeiriwyd ato eisoes) ac am ei gefnogaeth i'r syniad o sefydlu un awdurdod lleol ar gyfer gogledd Cymru. Daeth sialens gerbron Huw T y pryd hwnnw hefyd i ddadlau achos gwladoli'r diwydiant dur, mater o gryn bwys i drigolion dalgylch Shotton lle roedd gweithfeydd dur John Summers yn gyflogwr hollbwysig. Daeth y sialens yn wreiddiol gan Geoffrey Summers ei hun, a oedd am weld pleidlais o holl weithwyr ei gwmni i ddarganfod a oeddent o blaid gwladoli'r diwydiant ai peidio. Gwyddai Summers am eu hamheuon a bod ei reolaeth dadol o'r cwmni yn cael ei barchu gan lawer: 'Personally, I am not a baron, and I don't wear an iron heel, and this goes for my colleagues wherever we live and make steel,' meddai.[77] Er bod Huw T yn fodlon cynnal pleidlais, nid felly swyddogion prif undeb y gweithwyr dur, Conffederasiwn Haearn a Dur Prydain. Y canlyniad oedd cytuno i gynnal dadl fawr yn Shotton rhwng Huw T ac A E Vincent o blaid gwladoli, a Summers a'r Aelod Seneddol Nigel Birch a wrthwynebai gwladoli. Hubert Morgan oedd yn gyfrifol am y trefniadau, a'r cadeirydd fyddai Haydn Williams.

Mae'n anodd dychmygu'r cyffro a amgylchynai'r ddadl hon. Roedd i'w chynnal ar 12 Rhagfyr yn sinema'r Alhambra, Shotton, a'i darlledu hefyd i wrandawyr yn sinema'r Ritz gerllaw. Disgwylid cyfanswm o 1,500 o wrandawyr, a bu cryn ymgiprys am y tocynnau swllt. Yn wir, adroddwyd bod rhai yn prynu tocynnau ar y farchnad ddu am ddeng gwaith pris y tocyn. Disgrifiwyd y gynulleidfa gan un gohebydd fel un 'deallus, astud, gymysg o ran oed a rhyw' a wrandawai am ddwy awr gan roi derbyniad gwresog i bob siaradwr.[78]

Ofnai Summers y byddai'n colli'r dydd yn erbyn huodledd Huw T, gan ddweud wrth Moses Jones: 'He'll make mincemeat of me probably.'[79] Mynnai Tom Jones ar y pryd i Huw T areithio heb yr un nodyn o'i flaen, ond, yn ddiweddarach, daeth ar draws nodiadau ar gyfer yr araith (mae'r nodiadau hyn wedi goroesi ymhlith papurau Huw T) a sylweddoli i Huw T ddysgu'r cyfan ar ei gof. Barnai Tom Jones iddo 'nocio spots off' Summers a Birch yn y ddadl.[80]

Ar wahân i'r cyffro, roedd y ddadl hon yn un arwyddocaol. Ynddi codwyd cwestiynau ar sut oedd Prydain am ddatblygu wedi'r rhyfel. Roedd y llywodraeth Lafur wedi dod i rym ar sail cynnig rheolaeth ymyriadol o'r economi, a chyfiawnder cymdeithasol i bawb drwy ddatblygu'r wladwriaeth les. Nid oedd y brif wrthblaid, y Ceidwadwyr, am wyrdroi llawer ar natur y wladwriaeth les, ond gwrthwynebent ymyrraeth yn y farchnad drwy wladoli diwydiannau. Deuai'r dadleuon hyn i'r wyneb yn ystod y ddadl fawr.

Er i Huw T ddadlau yn ei ddull angerddol arferol, awgrymodd y newyddiadurwr Charles Quant nad oedd wedi ei berswadio'n llwyr fod gwladoli'r diwydiant dur yn beth da.[81] Credai fod hyn yn iawn fel polisi cenedlaethol, ond nid oedd mor siŵr y byddai'n fuddiol i Shotton – yn rhannol gan ei fod yn edmygu agweddau teg y cwmni at ei weithwyr. Dangosodd ffyddlondeb at ei blaid a'i undeb, ond roedd yn ddigon o wleidydd i sylweddoli nad oedd polisïau cyffredinol cenedlaethol bob amser yn effeithiol ar y raddfa leol.

★ ★ ★

Erbyn i Huw T benderfynu ymddeol o'i swydd gyda'r undeb yn haf 1953, roedd wedi dod yn ffigur cenedlaethol o bwys. Er iddo barhau i weithredu'n lleol ar y cyngor sir ac fel ynad heddwch am rai blynyddoedd eto, trodd ei olygon fwyfwy at faterion cenedlaethol. Mewn gwirionedd, ni allai fod yn swyddog undeb llawn amser a hefyd yn aelod o gynifer o bwyllgorau. Effeithiodd y pwysau hwn ar ei iechyd. Mewn llythyr ato yn 1950, mynegodd Thomas Jones y gwirionedd: 'My secret service tells me that you ought to cut down your activities & go to bed earlier & rise later or you'll never reach eighty.'[82] Gorchmynnwyd ef gan ei feddyg i weithio o naw tan bump ac osgoi teithio dianghenraid, ond prin i'r cyngor da hwn gael unrhyw effaith.[83] Roedd yn parhau i weithredu'n egnïol mewn meysydd cyhoeddus ond bellach roedd yn barod i ymddeol o'i swydd gyda'r undeb. Barnai Eirene White a Tom Jones ei fod wedi diflasu â gorchwylion arferol undeb a'i fod yn awyddus i ddilyn cyfleoedd eraill i ddatblygu ei ddoniau.[84]

Ar ei ymddeoliad cynhaliwyd cinio ffarwél gan yr undeb a chyflwynwyd iddo siec o £250 gan yr ysgrifennydd cyffredinol, ei hen elyn Arthur Deakin.[85] Ynghyd â chynilion eraill, roedd y swm hwn yn ddigon iddo brynu ei gartref, Bodlawen.[86] Yn ddiweddarach, daeth anrheg arall. Gan ei fod yn colli defnydd o gar yr undeb, roedd ei gyfeillion niferus – dan arweiniad Eirene White a Cyril O Jones – wedi casglu arian i brynu car newydd sbon iddo.[87] Yn ei araith ffarwél mynegodd ei gred na ddylai'r undeb gyfyngu ei weithgareddau'n rhy haearnaidd i gyflogau ac amodau gwaith gan y dylai hefyd chwarae ei ran ym mywyd y gymuned gyfan.[88] Roedd 'cymuned gyfan' Huw T eisoes yn golygu ei genedl yn ei chyfanrwydd.

V

'Y CYMRO GWIR GYNRYCHIOLIADOL'

Darpar arweinydd cenedlaethol, 1945–49

Y N YSTOD YMGYRCH etholiad cyffredinol 1945 awgrymodd y
Prif Weinidog Winston Churchill, petai'r Blaid Lafur yn ennill
grym, y byddai angen iddi ffurfio math o Gestapo i weithredu'i
pholisïau. Cythruddwyd Huw T gan y datganiad ymfflamychol hwn
a phenderfynodd anfon yr MBE a dderbyniodd yn 1943 yn ôl i'r
llywodraeth mewn protest.[1] Ym merw ymgyrch etholiadol roedd
gweithred Huw T yn tynnu sylw at ymgyrch y Blaid Lafur yn lleol ac
yn genedlaethol. Rhoddodd hefyd gyfle da i Huw T ddad–wneud ei
benderfyniad i dderbyn anrhydedd frenhinol – gweithred a wnâi iddo
deimlo'n anghyffordddus. Yn ddiweddarach yn ei fywyd gwrthododd
bob cynnig o anrhydeddau brenhinol, gan wrthod cynigion i ddod
yn farchog o leiaf ddwywaith.[2] Serch hynny, derbyniodd yn llawen
yr anrhydedd o ymuno â Gorsedd Beirdd yr Eisteddfod Genedlaethol
yn 1954 a'r ddoethuriaeth er anrhydedd a gafodd gan Brifysgol
Cymru yn 1957.[3] Gelwid ef yn Dr Huw T Edwards wedi hynny
gan lawer, ond gallai'n rhwydd fod wedi arddel yr enw *Syr* Huw T
Edwards. Gallai felly fod yn gyfforddus wrth dderbyn anrhydedd gan
ei bobl ei hun, ond nid oedd y gwerinwr hwn o Gymro pybyr yn ei
chael hi'n hawdd plygu glin i'r frenhiniaeth.

Yn y bennod ddiwethaf cyfeiriwyd at y ffordd yr adeiladodd Huw T safle o rym yn lleol, ac yng ngogledd Cymru yn gyffredinol, drwy ei weithgareddau yn y mudiad Llafur. Erbyn canol yr 1940au roedd yn prysur greu enw iddo'i hun ar raddfa genedlaethol ac mewn cylchoedd ehangach. Adroddid am lawer o'i weithgareddau yn y wasg. Gwyddai'n iawn sut i ennyn diddordeb y papurau newydd a sut i fwydo newyddiadurwyr. Nid peth newydd yw 'spin'. Er mai yn y papurau lleol neu yn y *Liverpool Daily Post* y cyhoeddid y straeon am Huw T yn bennaf, llwyddodd i gyrraedd cynulleidfa ehangach drwy ei ddarllediadau cyson ar y radio.

Ar ddechrau'r rhyfel penderfynodd y llywodraeth mai peth buddiol fyddai defnyddio cyfrwng y radio i gymell gweithwyr diwydiannol i weithio'n egnïol i gynhyrchu mwy o nwyddau er mwyn cynorthwyo i ennill y rhyfel. Byddai apêl o'r fath yn debygol o fod yn fwy effeithiol wrth ddod o enau gweithiwr neu un a adwaenai'r gweithwyr yn dda. Dewis amlwg i'r gorchwyl hwn oedd Huw T. Gwnaed rhai o'r darllediadau o Fangor a daeth Huw T i adnabod Sam Jones, cynhyrchydd bywiog y BBC yno; o hynny ymlaen derbyniai wahoddiadau'n rheolaidd i draethu mewn sgyrsiau, yn y Gymraeg yn bennaf, a gâi eu darlledu o stiwdio'r gogledd. Honnai un newyddiadurwr: 'as a fireside talker, Mr Huw T Edwards belongs to a select group of Welshmen who can be counted on the fingers of one hand'.[4] Darlledodd hefyd o Lundain yn ystod y rhyfel, ac ef oedd yn gyfrifol am drefnu a chyflwyno darllediad tramor o sir y Fflint i'r lluoedd arfog ym Mawrth 1943.[5] Pan awgrymwyd ei enw, ynghyd â'r Aelod Seneddol W H Mainwaring, i roi'r darllediad ar Galan Mai 1945, fe'i gwrthodwyd gan y BBC am ei fod yn 'rather frequently called upon to broadcast on other topics'.[6] Honna Sam Jones mai trwy ei ddarllediadau y 'daeth Cymru i'w adnabod, [a] daeth y llywodraeth i'w werthfawrogi'.[7] Beth bynnag am hynny, roedd Huw T bellach yn enw y gwyddai llawer o'i gyd-Gymry amdano ac fe gynyddodd y gwahoddiadau iddo ymddangos ar lwyfannau cyhoeddus ledled y wlad. Yn 1948 dywedodd: 'If I had accepted all the invitations I should be speaking about ten times a day in various parts of Wales.'[8]

★   ★   ★

Nid trwy ddarlledu yn unig y daeth Huw T yn adnabyddus. Yn ystod blynyddoedd olaf y rhyfel rhoddodd ei holl egni hefyd y tu ôl i'r broses o gynllunio ar gyfer y cyfnod wedi i'r ymladd ddod i ben, a daeth ei weithgareddau yn y maes hwn yn hysbys i lawer. Credai fod methiant y llywodraethau wedi'r Rhyfel Byd Cyntaf i greu cymdeithas decach yn wers y dylid dysgu oddi wrthi, a rhoddodd ei fryd ar ddatblygu polisïau a chynlluniau a fyddai o fudd i bobl Cymru ac yn benodol ar gyfer gogledd Cymru. Barnai na chafodd y gogledd chwarae teg yng nghyfnod dirwasgiad y 1930au. Er y cynnydd a gafwyd yn y diwydiannau yn sir y Fflint, gwelid cyni mawr mewn ardaloedd eraill yn y gogledd. Cwynai am y ffaith na chafodd y gogledd statws 'ardal arbennig' fel y cafodd rhannau o dde Cymru; beirniadodd hefyd fethiant awdurdodau lleol y gogledd i uno i leddfu'r problemau economaidd cyn y rhyfel, fel y gwnaeth awdurdodau'r de drwy sefydlu'r 'South Wales and Monmouthshire Development Council'.[9]

Rhyfel cyflawn – 'Total war' – oedd yr Ail Ryfel Byd a rheolid Prydain yn haearnaidd o'r canol. Tueddwyd hefyd i weld trefn o'r fath yn parhau wedi'r rhyfel, a safbwynt y mudiad Llafur oedd cynllunio canolog ac ystumio'r economi yn hytrach na dibynnu ar fympwy'r farchnad. Yn gyffredinol roedd y syniad o gynllunio ar seiliau sosialaidd yn cyd-fynd â safbwynt Huw T, ond credai hefyd fod angen i'r llais lleol gael ei glywed ac na ellid cynllunio o'r canol heb wrando ar y llais hwnnw. Daeth Huw T yn aelod blaenllaw o'r 'Post-War Development Committee of the North Wales County Councils' ac roedd yn un o'r cynrychiolwyr a fynychodd gyfarfod gydag Aelodau Seneddol y gogledd yn San Steffan ym Mehefin 1943 – cyfarfod a gadeiriwyd gan yr hynafgwr David Lloyd George.[10]

Roedd Huw T hefyd yn un o brif arweinwyr y 'North Wales Industrial Development Sub-committee' a adroddai i'r 'National Industrial Development Council of Wales and Monmôuthshire'. Ar y cyd gyda'r Henadur G F Hamer o sir Drefaldwyn, lluniodd Huw T adroddiad manwl ar y sefyllfa economaidd yn y gogledd a'i gyflwyno i'r pwyllgor yn Awst 1944.[11] Cyfeiriwyd at y cynnydd yn y nifer o ffatrïoedd a sefydlwyd yn y gogledd yn ystod y rhyfel, ond roedd llawer o'r rhain yn gwneud gwaith oedd â chysylltiad uniongyrchol â'r rhyfel, gan gynnwys cynhyrchu arfau. Ofnid y byddai'r ffatrïoedd hyn yn cau wedi'r rhyfel ac y byddai'r gogledd yn dychwelyd i fod yn ardal o ddiweithdra. Erbyn 1945 roedd Huw T a'i debyg wedi perswadio'r Bwrdd Masnach i gadw rhai o'r ffatrïoedd a sefydlwyd yn ystod y rhyfel a'u haddasu i bwrpasau eraill. Byddai hynny'n sicrhau bod gwaith ar gael yn yr ardaloedd hynny. Ond roedd Huw T hefyd yn ymwybodol o'r angen i ystyried ardaloedd eraill yn y gogledd lle nad oedd ffatrïoedd rhyfel. Gan dderbyn nad oedd yn debygol y gellid rhoi statws 'ardal arbennig' i'r gogledd cyfan, galwodd ar y Bwrdd Masnach i glustnodi rhai trefi fel Caergybi, Caernarfon, Ffestiniog, Wrecsam a'r Wyddgrug yn 'ardaloedd arbennig' unigol er mwyn rhoi cyfle iddynt gael eu datblygu'n economaidd.[12]

Wrth i'r rhyfel ddirwyn i ben, cafodd wahoddiad i annerch y Cymmrodorion ar faes Eisteddfod Genedlaethol Rhosllannerchrugog yn Awst 1945. Ei destun oedd 'Dyfodol Diwydiannau Gogledd Cymru'. Yn ei anerchiad cyfeiriodd at y cyfnod cyn y rhyfel: 'Blynyddoedd tywyll, diobaith, llawn tlodi a dioddefaint oeddynt.' Cyfeiriodd hefyd at y ffaith bod mwy o ddiweithdra yn y cyfnod hwnnw yng Nghymru nag oedd yn Lloegr. Roedd hefyd am ladd ar y syniad bod de Cymru wedi dioddef o ddirwasgiad llawer mwy difrifol na'r gogledd, safbwynt a goleddid yn gyffredinol gan wleidyddion y de. Honnai Huw T:

> Bron nad af ymhellach ac awgrymu fod effaith y dirwasgiad yn
> drymach ar gwpwrdd y werin yn y Gogledd nag yn y De. A'r
> rheswm am hynny ydoedd fod rhelyw Cynghorau Lleol y De yn

cael eu llywodraethu gan bleidiau cynnydd tra yr oedd mwyafrif
o awdurdodau lleol y Gogledd yn adweithiol. Yn ôl cyfartaledd y
boblogaeth yr oedd mwy o weithwyr allan o waith yn sir Fôn nag
ym Morgannwg, ar un cyfnod. [13]

Sylweddolai nad oedd dyfodol llewyrchus o flaen y diwydiannau
cloddiol, a phwysleisiodd y fantais a gafwyd o gyfeirio ffatrïoedd
i Gymru yn ystod y rhyfel. Bellach credai fod angen eu troi 'i
gynhyrchu nwyddau ar gyfer bywyd a lles y bobl yn amser heddwch'.
Yr angen yn awr oedd ceisio denu diwydiannau i ardaloedd lle nad
oedd ffatrïoedd cynt. Gwelai gyfle hefyd i ddatblygu'r diwydiant
ymwelwyr, nid wrth greu 'Blackpools' newydd ond efallai drwy
fanteisio ar yr hen gestyll 'a safant dros orthrwm y gorffennol' a'u
'gweu... i mewn i'r patrwm denu ymwelwyr' i ogledd Cymru.
Dadleuodd hefyd fod cyfrifoldeb ar Brifysgol Cymru a'r pwyllgorau
addysg i roi 'gogwydd am rai blynyddoedd i gyfeiriad addysg
dechnegol'. [14]

Dyma, felly, sail brwydr Huw T i wella economi Cymru. Roedd
yn seiliedig ar brofiadau Cymru a'i brofiadau ef ei hun yn ystod
dirwasgiad y 1920–30au a'r angen i ddysgu o'r profiadau hynny:
'You can't plan ahead unless you look back,' meddai. [15] Y ffordd
ymlaen oedd cynllunio manwl a chyfeirio gwaith i ardaloedd o
ddiweithdra – ond tra byddai'n cyfeirio'i ddadleuon at wleidyddion
San Steffan, fel Llywydd y Bwrdd Masnach, Stafford Cripps, byddai
bob amser yn gweld yr angen i Gymru a'r Cymry weithredu ar eu
liwt eu hunain. Tra bod y Cymry wedi bod yn genedl o 'hewers of
wood and drawers of water', roedd angen iddi gynllunio ei dyfodol
drwy sefydlu Corfforaeth Datblygu Economaidd i Gymru. Roedd
am i Gymru gael ei chynllunio 'by people who have their roots in
the soil, by people who are urged forward, because they are ashamed
of the past. By people who know that the Welsh way of life is indeed
life to us.' [16] Edrychai, felly, ar y Cymry eu hunain fel yr allwedd
i ddatrys dyfodol y genedl: thema a ddatblygodd yn ystod ei yrfa
gyhoeddus. Denai ei ddatganiadau ar economi Cymru gryn sylw a

hygrededd iddo, ond nid oedd ei safbwyntiau'n cyd-fynd â chyfeiriad llywodraethau'r cyfnod a gredai nad oedd modd ystyried Cymru yn uned ar wahân a bod cynllunio o'r canol yn angenrheidiol.

$$\star \quad \star \quad \star$$

Tra oedd Huw T yn ymestyn ei lais y tu allan i'r mudiad Llafur, ehangodd hefyd ei ddylanwad o fewn y Blaid Lafur yn gyffredinol yng Nghymru yn ystod y 1940au. Yn 1945, cynrychiolodd ef a Goronwy Roberts Ffederasiwn Llafur Gogledd Cymru yng nghynhadledd flynyddol Cyngor Rhanbarthol Llafur De Cymru fel 'fraternal delegates'.[17] Wedi hynny, yn Wrecsam ar 27 Ebrill 1945, cadeiriodd Huw T gyfarfod a fynychwyd gan ysgrifennydd cyffredinol Cyngor Rhanbarthol Llafur De Cymru, sef Cliff Prothero. Adroddodd Huw T am arolwg o farn undebau llafur Cymru ar y syniad o ffurfio Cyngor Rhanbarthol Llafur ar gyfer Cymru gyfan. Dywedodd fod pob un o blaid y syniad, ac eithrio Undeb Cenedlaethol y Gweithwyr Rheilffyrdd a Chonffederasiwn Haearn a Dur Prydain, a bryderai am y gost. Awgrymwyd y gellid rhannu costau teithio a chytunwyd i'r cynnig.[18] Fodd bynnag, torrodd yr etholiad cyffredinol ar draws y cynllun ac ni ffurfiwyd Cyngor Rhanbarthol Cymreig Llafur tan 1947, a hynny ar ôl derbyn sicrwydd o gefnogaeth ariannol o'r Blaid Lafur yn ganolog i gynorthwyo i dalu costau teithio cynrychiolwyr y gogledd. Cytunwyd y byddai'r Cyngor newydd yn cynnwys 27 aelod, ond pedwar yn unig fyddai'n cynrychioli'r gogledd – dau o'r undebau llafur a dau o'r etholaethau. Fodd bynnag, byddai is-bwyllgor o'r Cyngor yn cwrdd yn y gogledd ac yn adrodd i'r Cyngor ei hun. Ysgrifennydd pwyllgor y gogledd fyddai ysgrifennydd cyffredinol y Cyngor ei hun, Cliff Prothero.[19] Roedd ganddo yntau agwedd reolaethol gref, ac er iddo fagu perthynas dda gyda Huw T, cadwodd afael haearnaidd ar weithgareddau'r Cyngor am flynyddoedd maith.

Nid oedd yn syndod gweld Huw T yn cael ei ethol yn un o ddau gynrychiolydd yr undeb llafur ar y Cyngor (y llall oedd Edward

Jones, asiant y glowyr yn ardal Wrecsam). Etholwyd yr Aelodau Seneddol Goronwy Roberts a Huw Morris Jones, ymgeisydd aflwyddiannus y Blaid Lafur ym Meirionnydd yn 1945, i gynrychioli etholaethau'r gogledd. Erbyn hynny câi Huw T ei gydnabod fel y dyn mwyaf dylanwadol yn y mudiad Llafur yng ngogledd Cymru, ac yr oedd yntau'n ymwybodol o'r cyfrifoldeb a ddeilliai o hynny. Yn ôl tystiolaeth y cofnodion, serch hynny, anfynych oedd ei bresenoldeb ar y pwyllgor hwn.[20]

Roedd Huw T ar ben ei ddigon pan ysgubodd y Blaid Lafur i fuddugoliaeth yn etholiad cyffredinol 1945. Ei ddyletswydd nawr oedd rhoi pob cefnogaeth i'r llywodraeth newydd a hyrwyddo'i safbwyntiau ar sut i wella economi a bywyd pobl Cymru. Teyrngarwch i'r llywodraeth Lafur oedd yn hollbwysig, yn hytrach na chorddi'r dyfroedd. Bellach roedd cyfle iddo ddylanwadu ar benderfyniadau – penderfyniadau a wneid yn aml y tu ôl i ddrysau caeedig. Gallai fanteisio ar ei adnabyddiaeth bersonol o wleidyddion mwyaf dylanwadol y Cabinet. Dros y blynyddoedd cyfarfu â llawer ohonynt mewn cynadleddau, fel y Prif Weinidog newydd, Clement Attlee, tra bod ei hen bennaeth Ernest Bevin bellach yn Ysgrifennydd Tramor yn y Cabinet newydd. Roedd ganddo adnabyddiaeth dda o'r ddau wleidydd blaenllaw o Gymru, Aneurin Bevan a Jim Griffiths, ac edmygai eu hymrwymiad i ailadeiladu'r wlad wedi'r rhyfel ar seiliau sosialaidd. Cafodd gyfle i ddatgan ei farn mewn sawl maes, ac fe'i henwebwyd i eistedd ar y 'Wales Regional Board of Industry' yn Hydref 1945 ac ar fwrdd y 'Wales and Monmouthshire Industrial Estates Ltd.' yn Ebrill 1948.[21]

★   ★   ★

Er ei deyrngarwch i lywodraeth Lafur Attlee, nid oedd Huw T yn fodlon ag agwedd y llywodraeth at ddatganoli grym i Gymru. Er nad oedd Plaid Cymru yn llawer mwy na grŵp pwyso yn y cyfnod hwn, roedd wedi llwyddo i ddyrchafu'r cwestiwn cenedlaethol i'r agenda gwleidyddol am y tro cyntaf ers dyddiau goruchafiaeth y Rhyddfrydwyr yng Nghymru. Ychydig o sylw a gymerodd Huw T o'r Blaid yn y 1930au wrth iddo ganolbwyntio ar geisio lleddfu effaith y dirwasgiad ar bobl gyffredin gogledd Cymru. Nid oedd materion fel datganoli o bwys mawr iddo yn y cyfnod hwnnw, er bod rhai cyfeillion yn y Blaid Lafur yn y gogledd, fel Cyril O Jones, yn parhau i ddadlau'r achos pan gaent gyfle.[22] Nid oedd amheuaeth, serch hynny, ynghylch ymlyniad Huw T at Gymreictod. Yn 1939, er enghraifft, roedd Huw T ymhlith y rhai a fu'n annerch yn y cyfarfod a gynhaliwyd yn Transport House, Shotton, i gefnogi'r Ddeiseb Iaith a anelai at sicrhau statws i'r Gymraeg mewn llysoedd barn yng Nghymru.[23]

Yn ystod y rhyfel cafwyd ymgais arall gan aelodau seneddol Cymru i sicrhau y câi Cymru ei chydnabod fel cenedl. Ysgrifennodd y Blaid Seneddol Gymreig, a oedd yn cynnwys holl aelodau Cymru o bob plaid, at y Prif Weinidog Winston Churchill yn gofyn iddo greu swydd Ysgrifennydd Gwladol dros Gymru gyda phwerau tebyg i rai Ysgrifennydd Gwladol yr Alban. Ond gwrthododd Churchill gwrdd â'r ddirprwyaeth o Gymru, a'r unig gonsesiwn a roddwyd i Gymru oedd sefydlu'r 'Welsh Day debate' pryd y clustnodwyd amser yn Nhŷ'r Cyffredin i drafod materion Cymreig penodol.[24]

Erbyn y cyfnod hwn roedd diddordeb Huw T yn y maes yn esblygu. Ceir arlliw o ddatblygiad yn ei safbwynt yn haf 1941 pan oedd ei ffocws ef yn bennaf ar yr ymdrech i ennill y rhyfel. Pasiwyd cynnig ym mis Gorffennaf y flwyddyn honno gan Gyngor Rhanbarthol Undebau Llafur Gogledd Cymru, corff yr oedd Huw T yn ysgrifennydd iddo, yn gresynu bod y Blaid Genedlaethol yn galw am drafod telerau heddwch. Mae'n debygol mai Huw T ei hun a luniodd y cynnig:

> …our desire for peace is as strong today as it has ever been, but it must be based on social justice, equality of opportunity, freedom

of thought, the right to worship, and the recognition by larger
nations of the traditions and independence of the smaller states.[25]

Er nad oedd Cymru yn 'smaller state' roedd awgrym yma bod
angen ystyried anghenion cenhedloedd bach y byd.

Yn Rhagfyr 1942 roedd ei safbwynt ar Gymru wedi datblygu
ymhellach. Mewn araith yn dwyn y teitl 'Wales and the new social
order', a draddododd i'w hen gymdeithas ddadlau ym Mhenmaen-
mawr, y *Mutual*, mynegodd ei farn ar genedlaetholdeb Cymreig.
Ceir blas o'r hyn a ddywedwyd yng ngholofn 'Flintshire and
Denbighshire notes' yn y *Chester Chronicle* ac mae'n debygol mai
Huw T a fwydodd gynnwys ei araith i'r colofnydd:

> ...he [Huw T] expressed himself as afraid of the nationalism
> which had no vision, though he laid it down that we could not
> be good internationalists without being good nationalists. He
> could go a long way with the Welsh Nationalist party, for Wales
> had legitimate grievances against Westminster, and there was a
> measure of truth in that party's contention that the old political
> parties had failed to give expression to the aspirations of Wales;
> the Nationalist party had therefore won over many recruits from
> among the thinking young people of Wales. It would, however,
> be a real tragedy for the Welsh Nationalist party to attain power
> in this country; its leaders were openly modelling its policy on
> that of Eire.[26]

Aeth ymlaen, serch hynny, i ddweud bod gan Gymru gyfle i
ddatblygu'i hunaniaeth: 'Wales must not look to England to solve
its problems. England does not know that we exist... It is our own
task. Wars are terrible things, but they do bring the opportunity of
looking around, to seek something better than we have been used
to. The desire of something better than we have been used to...'[27]

Ychydig fisoedd yn ddiweddarach rhoddodd Huw T gynnig
gerbron y Blaid Lafur yn sir y Fflint yn cefnogi hunanlywodraeth
i Gymru, a rhywbryd yn 1944 ymatebodd i lythyr a gawsai gan
ysgrifennydd cyffredinol Plaid Cymru, J E Jones, gan esbonio'i

safbwynt ar y pryd yn gwbl eglur.[28] Mae'r llythyr hwn, sydd â'r gair 'Cyfrinachol' wedi'i danlinellu ar ei frig, wedi goroesi ymhlith archifau Plaid Cymru.[29] Yn y llythyr dywed:

> Credaf yn gydwybodol nad oes obaith i Gymru – ond trwy fesur o Hunan-lywodraeth. Credaf hefyd ei bod yn bosibl – ennill mwyafrif y Genedl i gredu'r un peth – os gallwn, fel rhai sydd yn rhyw fath o arwain, ddod o hyd i 'Lwyfan Cyffredin'. Sosialwr ydwyf yn cashau cenedlaetholdeb cul – er hynny yn credu fod gan genhedloedd bach – gyfraniad mawr i'w wneud tuagat wella briwiai dynoliaeth' – [ond ei] fod yn amhosibl i'r gwledydd bach wneud eu cyfraniad heb fesur helaeth iawn o hunanlywodraeth.[30]

Erbyn iddo lunio'r llythyr hwn, roedd Huw T eisoes wedi cynhyrfu'r dyfroedd. Yn Ionawr 1944 cyhoeddwyd erthygl o'i eiddo yn y cylchgrawn *Wales*, a olygid gan y newyddiadurwr llengar a phryfoclyd, Keidrych Rhys. Go brin fod cylchrediad y cylchgrawn hwn yn uchel iawn, ond roedd y cynnwys mor ddadleuol fel y câi sylw eang yn y wasg yn gyffredinol. Teitl yr erthygl, a luniwyd gan Huw T yn Nhachwedd 1943, oedd: 'What I want for Wales'.[31]

Mae'r erthygl yn cynnwys llu o argymhellion a dyheadau Huw T ar gyfer Cymru wedi'r rhyfel. Credai y dylid adeiladu'r 'great Welsh road' o'r gogledd i'r de, ac y dylid sefydlu 'Welsh Holiday Resorts Council' a 'Forestry Commissioner for Wales'. Ond roedd hefyd am weld symud 25 y cant o boblogaeth y Rhondda yn orfodol i ardaloedd newydd am resymau economaidd, a chan nad oedd digon o le yno ar gyfer poblogaeth mor uchel. Dadleuodd y dylid dymchwel 75 y cant o eglwysi a chapeli Cymru neu eu defnyddio at bwrpasau gwell, gan fod cynnal yr adeiladau'n costio cymaint i'r werin bobl a bod gweinidogion ar gyflogau pitw yn pregethu i seddau gweigion. Roedd hefyd am weld yr iaith Gymraeg yn bwnc gorfodol yn ysgolion Cymru. Fodd bynnag, prif fyrdwn ei neges oedd yr angen am hunanlywodraeth i Gymru. Credai nad oedd modd dychwelyd at yr hen Gymru, a bod y rhai a oedd yn gwasanaethu yn y rhyfel yn disgwyl dychwelyd i wlad well; yn ei farn ef, yr unig ffordd o sicrhau hynny oedd trwy i Gymru gael yr hawl i reoli ei thynged ei hun. Beirniadai'r Blaid Lafur Brydeinig am ei hagwedd at y galwadau am ddatganoli grym i Gymru: 'Twenty years ago I feel certain that the Party would not have treated Wales in this way. The rights of small nations were an integral part in the policy of the Party in those days; whether they are to-day is extremely doubtful.'

Roedd am weld sefydlu plaid sosialaidd Gymreig gyda'r pŵer i benderfynu polisi ar bob mater a effeithiai ar Gymru. Byddai ganddi aelodaeth gyswllt â'r blaid yn Lloegr a chyswllt â mudiadau sosialaidd rhyngwladol. Beirniadodd hefyd y pleidiau eraill, a galwodd ar elfennau blaengar Cymru i ddod at ei gilydd: 'I say again that if we had the courage to forget our Party tags and labels and got together to hammer out a progressive policy for Wales, that the matters that keep us apart to-day would melt away.'

Poenai am y cynnydd yn y gefnogaeth i'r Blaid Genedlaethol gan y credai fod y Blaid yn 'anti-English rather than pro-Welsh', gan ddieithrio'r Cymry nad oeddent yn medru siarad yr iaith. Iaith swyddogol senedd Cymru, felly, fyddai Saesneg – er y byddai hawl gan unrhyw aelod i siarad ei iaith ei hun. Byddai'r senedd hon yn rheoli'r holl agweddau ar fywyd Cymru ond gydag un eithriad, sef amddiffyn. Disgynnai'r cyfrifoldeb hwnnw ar Gyngor Amddiffyn Ynysoedd Prydain a byddai gan Gymru lais ar y cyngor hwnnw.[32]

Cynhyrfu'r dyfroedd oedd bwriad Huw T yn yr erthygl hon – enghraifft o'i allu i bryfocio dadl er mwyn hyrwyddo'i syniadau. Dyma faniffesto un a droediai lwybrau gwahanol i lawer o'i gyd-sosialwyr ond, er nad oes amheuaeth iddo gael ei ddylanwadu gan syniadau Plaid Cymru, gwelai'r posibilrwydd o ddylanwadu ar y mudiad llafur o fewn ei furiau. Roedd yna aelodau cenedlatholgar eraill o fewn y Blaid Lafur yng ngogledd Cymru yn y cyfnod hwnnw, rhai megis Goronwy Roberts, athro yn ysgol Penarlâg ar y pryd, un a oedd ar fin dod yn Aelod Seneddol dros sir Gaernarfon. Roedd yntau'n un o'r siaradwyr mewn cynhadledd arbennig o Ffederasiwn Llafur

Gogledd Cymru a gynhaliwyd yn Llandudno yn Chwefror 1945. Y cadeirydd oedd Huw T, a theitl y gynhadledd oedd nid *What I want for Wales* ond *What Wales wants*. Y prif siaradwr oedd Jim Griffiths; pwysleisiodd ef yr angen am i'r Blaid Lafur, petai'n ennill grym, ganolbwyntio ar sicrhau bywoliaeth deg i bawb. Siaradwr arall oedd Aelod Seneddol Wrecsam, yr economegydd Robert Richards, a ddadleuai o blaid elfen o ddatganoli ond gan nodi y byddai'n hanfodol integreiddio economi Cymru gydag un Lloegr. Ar ôl clywed yr areithiau hyn o'r gadair, mynegodd Huw T ei anfodlonrwydd: 'Our speakers have not gone as far as I would personally have liked them to go,' meddai. Galwodd Goronwy Roberts am senedd i Gymru fel rhan o drefn Brydeinig neu fel rhan o ffederasiwn o lywodraethau Ewropeaidd; serch hynny, cynnig Huw Morris Jones a fabwysiadwyd, sef galw am Ysgrifennydd Gwladol i Gymru fel y cam cyntaf tuag at hunanlywodraeth a hefyd 'the treatment of Wales as a national entity in the period of reconstruction'.[33]

Mynegwyd y safbwynt hwn yn llenyddiaeth rhai o'r ymgeiswyr Llafur yng ngogledd Cymru yn ystod ymgyrch etholiad cyffredinol haf 1945, ond nid dyna oedd polisi swyddogol y Blaid Lafur. Beth bynnag, pan enillwyd yr etholiad gan Lafur daeth yn amlwg mai llugoer oedd ymateb llywodraeth Attlee i'r galwadau am unrhyw ffurf ar ddatganoli. Pan gyflwynwyd cynnig i'r llywodraeth gan y blaid seneddol Gymreig ym Mawrth 1946 y dylid creu Ysgrifennydd Gwladol i Gymru, ymateb Attlee oedd y byddai swydd o'r fath yn cymhlethu yn hytrach nag yn hwyluso llywodraethu effeithiol.[34]

Nodweddwyd y cyfnod wedi'r rhyfel, felly, gan anfodlonrwydd ymhlith gwleidyddion Cymru ar amharodrwydd y llywodraeth i ymateb i alwadau cyson am ymdriniaeth arbennig i Gymru. Tra oedd yr Alban yn llwyddo o dan ei Ysgrifennydd Gwladol i gynyddu ei phwerau i benderfynu a dylanwadu ar bolisïau, gan gynnwys sefydlu 'Scottish Council of State' a 'Scottish Council of Industry', ychydig o sylw a roddwyd yn benodol i Gymru. Mewn un cyfarfod o'r Cabinet rhybuddiodd y Prif Chwip fod Aelodau Cymru 'on the warpath', ond prif lais Cymru yn y Cabinet oedd Aneurin Bevan ac nid oedd ef yn bleidiol i'r syniad o ymdrin â phroblemau Cymru ar wahân.[35] Canolbwyntiai'r llywodraeth ar daclo problemau'r economi o'r canol a cheisio am well cyfiawnder cymdeithasol ym Mhrydain; ymylol i'w rhaglen oedd galwadau'r Aelodau Cymreig. Y farn gyffredinol yn y Cabinet oedd na fyddai sefydlu swydd Ysgrifennydd Gwladol yn debygol o ateb problemau economaidd Cymru.[36]

Gyda'r Aelodau Cymreig yn methu ag ennill y dydd yn haf 1946, penderfynodd Huw T ddilyn ei lwybr ei hun a chynnig syniadau gwahanol. Ym Medi 1946, yn fuan wedi ymateb negyddol diweddaraf Attlee, lluniodd Huw T femorandwm yn dwyn y teitl 'The Problem of Wales' a'i anfon at Morgan Phillips, ysgrifennydd cyffredinol y Blaid Lafur. Yn y memorandwm hwn pwysleisiodd Huw T yr angen i gydnabod Cymru fel gwlad oedd â'i hiaith, ei diwylliant a'i thraddodiadau ei hun, a chyfeiriodd at yr ymdeimlad nad oedd gan Westminster gydymdeimlad yn y byd at ddyheadau'r Cymry. Nid oedd y safbwynt a gyflwynai yn deillio o 'extreme elements' ond oddi wrth 'thinking Welshmen generally', a chyfeiriodd at yr hyn a alwai'n 'psychological problem' na ellid ond ei hateb drwy gydnabod Cymru fel uned weinyddol. Yn wahanol i farn llawer o wleidyddion Cymreig, cytunai Huw T â phenderfyniad y llywodraeth i wrthod yr alwad am Ysgrifennydd Gwladol i Gymru 'on grounds of Parliamentary time and the administrative difficulties involved'. Yn lle hynny awgrymodd y dylid penodi Comisiynydd dros Gymru, a phwyllgor ymgynghorol i'w gynorthwyo. Byddai gan y comisiynydd hwn yr hawl i fynd yn uniongyrchol at y Cabinet heb orfod ymgynghori â'r gwasanaeth sifil, ac yn sgil ei swyddogaeth ddeublyg gallai gyfleu i'r Cabinet anghenion Cymru a chyflwyno i bobl Cymru farn y Cabinet ar faterion arbennig.[37]

Er ei fod yn Gymro Cymraeg a fagwyd yng Nghwm Rhymni, nid oedd Morgan Phillips yn gefnogol i'r pwysau a ddeuai o Gymru o blaid Ysgrifennydd Gwladol; ei ddisgrifiad ef o hyn oedd 'impractical political thinking', ac anwybyddwyd y memorandwm i bob pwrpas.[38]

Y mis canlynol, yn ystod y Ddadl Gymreig yn Nhŷ'r Cyffredin, cyhoeddwyd nad oedd y llywodraeth yn derbyn y dadleuon o blaid datganoli, a'r unig gonsesiynau a gynigiwyd oedd cyhoeddi Papur Gwyn blynyddol ar weithrediadau'r llywodraeth yng Nghymru a sefydlu pwyllgor o brif weision sifil adrannau'r llywodraeth yng Nghymru.[39] Nid oedd hyn yn plesio Huw T ac fe'i hysgogwyd i ysgrifennu'n uniongyrchol at Arglwydd Lywydd y Cyngor, Herbert Morrison; wedi hynny, ar 16 Rhagfyr, anfonodd lythyr agored at y Prif Weinidog ei hun. Cyhoeddwyd y llythyr hwn yn ei gyfanrwydd yn y wasg, gan gynnwys fersiwn Cymraeg yn *Y Cymro*.[40]

Yn ei lythyr mynegodd ei safbwynt yn gwbl ddiflewyn-ar-dafod. Er yn canmol y llywodraeth, roedd yn ysgrifennu at Attlee am ei fod '… yn Gymro gyda'r argyhoeddiad nad brawdoliaeth gydwladol yn unig yw Sosialaeth, ond hefyd hawl pob cenedl i wneud ei chyfraniad ei hun yn ei ffordd ei hun i hapusrwydd cyffredinol dynoliaeth'. Pwysleisiodd nad oedd o blaid y syniad o gael Ysgrifennydd Gwladol i Gymru, ond ei fod hefyd yn gwrthod credu y byddai'r llywodraeth yn peidio ag ymateb yn gadarnhaol i ofynion rhesymol pobl Cymru. Ofnai fod llawer o Gymry'n credu nad oedd gan y llywodraeth unrhyw awydd i werthfawrogi na deall eu problemau arbennig hwy. Ni chredai Huw T fod pwyllgor o weision sifil yn dderbyniol; yn hytrach, cynigiai y dylid penodi ysgrifenyddion seneddol i ymdrin ag addysg, amaethyddiaeth ac iechyd yng Nghymru. Dylid hefyd sefydlu gweinyddiaethau Iechyd ac Amaeth yng Nghymru, yn unol â phatrwm y Weinyddiaeth Addysg, a chanddynt gyswllt uniongyrchol â'r gweinidog perthnasol. Roedd angen hefyd am Bwyllgor Ymgynghorol gyda swyddfeydd yng Nghaerdydd.[41]

Trwy wrthwynebu'r syniad o Ysgrifennydd Gwladol, roedd Huw T yn mynd yn erbyn prif ffrwd syniadaeth y Blaid Lafur yng Nghymru ar y pryd. Gellid hefyd ei gyhuddo o fod yn anghyson gan iddo gynnwys ar ddiwedd yr adroddiad ar y sefyllfa economaidd yn y gogledd – a baratowyd ganddo ef a'r Henadur Hamer yn Awst 1944

– y frawddeg hon mewn priflythrennau: 'Finally, a Secretary of State for Wales would appear to be essential to help us in the stupendous task we have undertaken and to safeguard the interests of Wales.'[42]

Serch hynny, adroddiad a baratowyd ar y cyd oedd hwn ac yn gyffredinol ni fu Huw T yn pledio achos Ysgrifennydd Gwladol yn y cyfnod yma; wedi'r cyfan, galw am senedd yr oedd yn *What I Want for Wales*. Roedd yn ddigon o hen lwynog hefyd i sylweddoli bod y llwybr hwnnw at ddatganoli wedi'i gau gan y llywodraeth am y tro ac mai dibwrpas fyddai ceisio'i droedio eto. Yn y cyfnod hwn, felly, chwiliai am ffordd arall o sicrhau elfen o ymdrin â Chymru fel endid. I raddau helaeth, ef oedd yn gyfrifol am osod agenda newydd yn y ddadl dros ddatganoli yn 1946/47.

Gwelir hyn yn glir pan aeth ati i gyflwyno, ym Mehefin 1947, femorandwm arall i Gyngor Rhanbarthol Llafur Cymru, a oedd newydd ei ffurfio. Yn y memorandwm hwn amlinellai syniadau tebyg i'r rhai a roddodd gerbron Attlee yn Rhagfyr 1946.[43] Testun y memorandwm oedd 'Suggestions on the Link between Wales and Westminster'. Cyfeiria at ddymuniad y Blaid Lafur yng Nghymru i gael Ysgrifennydd Gwladol, fel yn achos yr Alban, ac er i bron pob corff cyhoeddus yng Nghymru fynegi siom pan wrthodwyd y syniad gan y llywodraeth, yn bersonol croesawodd ef y penderfyniad. Beirniadodd y trefniant lle ceid gweision sifil yn cynghori'r llywodraeth, ar sail diffyg democratiaeth. Iddo ef, '... any devolution committed to the care of a body of Civil Servants, however capable, is immediately suspect'. Gan ei fod yn derbyn nad oedd hunanlywodraeth yn wleidyddol ymarferol ar y pryd hwnnw, cyflwynodd sawl syniad ynglŷn â'r ffordd ymlaen. Cynhwysai'r rhain sefydlu swyddi ysgrifenyddion seneddol Cymreig ar gyfer Addysg, Amaeth ac Iechyd. Byddai hynny'n caniatáu i'r is-weinidogion hyn ddadlau achos Cymru yn y meysydd allweddol hynny heb fod angen un gweinidog yn y Cabinet i gynrychioli holl agweddau ac anghenion Cymru.

Cyfaddawd oedd y syniad hwn, a danseiliai un o ddadleuon mawr y llywodraeth y byddai Ysgrifennydd Gwladol yn torri ar draws cyfrifoldebau gweinidogion eraill. Nid oedd yn amhosibl y byddai'r llywodraeth yn edrych yn fwy ffafriol ar y cynnig hwn ond, mewn gwirionedd, ei ail gynnig oedd yr un mwyaf deniadol. Awgrymodd y dylid sefydlu Pwyllgor Ymgynghorol Cymreig gyda swyddfeydd yng Nghaerdydd – pwyllgor a fyddai'n cymryd lle'r pwyllgor o weision sifil. Nid oedd hwn yn syniad newydd, ond roedd gobaith y gellid perswadio'r llywodraeth i ddilyn y trywydd yma. Yn ogystal, i ddatganolwyr, gallai fod yn damaid i aros pryd. Rhoddai hefyd gyfle i'r Blaid Lafur yng Nghymru weithredu ar ddyhead Huw T i gyflwyno rhaglen ar gyfer Cymru na fyddai'n wrthwynebus i bolisi'r Blaid Lafur ym Mhrydain.[44]

Trafodwyd syniadau Huw T yng nghyfarfod Cyngor Rhanbarthol Llafur Cymru ar 16 Mehefin 1947, a phenderfynwyd eu trafod eto yng nghyfarfod nesaf y Cyngor ar 21 Gorffennaf. Y tro hwn, nid oedd Huw T yn bresennol – ond erbyn hynny roedd ysgrifennydd y pwyllgor, Cliff Prothero, wedi paratoi papur arall yn seiliedig ar femorandwm Huw T yn dwyn y teitl 'Democratic Devolution in Wales'. Penderfynwyd yn unfrydol y dylid anfon dogfen Prothero at is-bwyllgor polisi'r NEC (pwyllgor gweithredol y Blaid Lafur) ac yna ei gyflwyno i'r Senedd ar gyfer y 'Welsh day debate'.[45] Effaith hyn fyddai ailgynnau fflam datganoli – ac nid oes amheuaeth mai Huw T oedd yn gyfrifol am danio'r fatsien yn y lle cyntaf.

Tua'r un cyfnod bu Huw T ynghlwm â dadleuon ynglŷn ag ad-drefnu llywodraeth leol yng Nghymru. Credai fod y drefn a fodolai ar y pryd yn bur aneffeithiol, a chefnogai awgrym a wnaed yn 1946 gan glerc Cyngor Sir Ddinbych, William Jones (Syr William Jones wedi hynny) i sefydlu un awdurdod mawr ar gyfer gogledd Cymru; byddai hwnnw'n gyfrifol am faterion traws-ffiniol megis priffyrdd, y gwasanaeth tân a'r heddlu, a naw o gynghorau rhanbarthol. Roedd Huw T i gydweithio gyda William Jones dros y blynyddoedd dilynol mewn sawl maes, ond llugoer oedd ymateb y cynghorau sir i'r cynllun hwn ac awgrymodd un cynghorydd fod 'blas Comiwnistiaeth arno'.[46] Mewn memorandwm a baratôdd ar y pwnc hwn yn Nhachwedd 1947, manteisiodd Huw T ar y cyfle i ddadlau achos sefydlu 'All Wales Advisory Committee'. Byddai pwyllgor fel hwn, yn ei farn ef, yn 'short of self Government' ond byddai'r '...best thing that can happen as far as Wales is concerned. It would act as a two-way Conveyer, i.e., bringing to the Cabinet the views of Wales and, Secondly, would tell Wales what were the views of the Cabinet on specific issues; this Committee could have a permanent Chairman and Secretary, appointed by the Prime Minister.'[47]

Cododd y momentwm o safbwynt y syniad hwn yn ystod 1948. Yn gynnar yn y flwyddyn honno bu Jim Griffiths, y Gweinidog dros Yswiriant Cenedlaethol, ac un o'r ychydig rai o blith aelodau'r llywodraeth a oedd o blaid mesur o ddatganoli, yn gohebu â'r aelod seneddol ifanc Goronwy Roberts.[48] Roedd Griffiths yn awyddus i'r Aelodau Llafur baratoi polisi i'w gyflwyno i'r Prif Weinidog ar y syniad o sefydlu Cyngor Ymgynghorol neu Gyngor Economaidd ar gyfer Cymru. Aeth Goronwy Roberts ati'n ddiymdroi i baratoi dogfen, ac y mae drafft ohoni wedi goroesi ymhlith ei bapurau yn y Llyfrgell Genedlaethol. Yn y ddogfen hon awgrymodd y dylid sefydlu Cyngor a fyddai'n cynnwys holl aelodau seneddol Cymru, ond mewn atodiad i'r papur ceir nodyn gan aelod seneddol arall, Percy Morris, yn anghytuno â'r syniad hwn gan ddweud: 'We cannot be judge and jury of events in Wales'.[49]

Datblygwyd y ddogfen ymhellach, ac yn y pen draw y cynnig a drafodwyd gan y Blaid Lafur yng Nghymru yn Ebrill a Gorffennaf 1948 oedd y dylid sefydlu dau gyngor, sef Cyngor Economaidd wedi'i gadeirio gan weinidog o'r Cabinet a gynrychiolai etholaeth yng Nghymru, a Chyngor Ymgynghorol ar wahân a fyddai'n trafod materion diwylliannol.[50] Rhoddwyd y cynnig gerbron y llywodraeth a threfnwyd i ddirprwyaeth o Gymru gwrdd â Herbert Morrison, y dirprwy Brif Weinidog – a oedd ymhlith y mwyaf ffyrnig yn y llywodraeth yn erbyn datganoli. Yn bresennol hefyd yn y cyfarfod ar 29 Hydref 1948 roedd dau weinidog arall – y ddau Gymro tra gwahanol eu barn ar ddatganoli, sef Aneurin Bevan a Jim Griffiths – a rhai Aelodau Seneddol, gan gynnwys Goronwy Roberts. Ymhlith y ddirprwyaeth o Gymru roedd Huw T ei hun.[51]

Neges Morrison oedd y byddai'r llywodraeth yn derbyn y cynnig i sefydlu Cyngor Ymgynghorol, ond nid oedd o blaid cael gweinidog o'r Cabinet yn gadeirydd. Yn yr achos hwn roedd Morrison wedi ennill y dydd gan fod Jim Griffiths yn dadlau'n frwd y tu ôl i'r llenni o blaid y syniad hwnnw.[52] Dadleuai Morrison y byddai'n creu 'buffer minister' ac na fyddai hynny'n gymorth i lywodraethu'n effeithiol. Mae'n siŵr iddo sylweddoli hefyd y gallai swyddogaeth o'r fath arwain at fwy o alw am Ysgrifennydd Gwladol go iawn. Ei obaith yn awr oedd y byddai sefydlu cyngor yn ddigon i gau pen y mwdwl ar y dadleuon dros ddatganoli. Y cynnig, felly, oedd Cyngor Ymgynghorol gyda chadeirydd wedi'i ethol o blith ei aelodau. I raddau helaeth, roedd syniad Huw T wedi'i dderbyn. Cwestiwn cwbl wahanol oedd – a fyddai'r cynnig yn bodloni pobl Cymru?

Ymhlith papurau Huw T mae memorandwm 'strictly confidential' di-ddyddiad ynglŷn â'r cyngor arfaethedig.[53] Mae'n debyg iddo gael ei lunio ar ryw adeg ar ôl y cyfarfod pwysig hwnnw ym mis Hydref 1948 a chyn cyfarfod arall a gynhaliwyd ym mis Ionawr 1949, ond mae'n ddirgelwch pwy oedd awdur y ddogfen. Mae'n annhebygol, fel y gwelir, mai gwaith Huw T ydoedd; efallai mai William Jones, sir Ddinbych, neu un o Aelodau Seneddol Llafur y gogledd fel Goronwy Roberts oedd yr awdur. Yn y memorandwm, dadleuir na ddylid defnyddio'r term 'advisory' ar gyfer y cyngor newydd gan y byddai rhai yn awgrymu mai atgyfodiad o'r hen 'Advisory Council on Reconstruction', a sefydlwyd yn ystod y rhyfel, ydoedd. Dylai'r enw adlewyrchu hefyd y ffaith bod modd i'r cyngor 'initiate' yn ogystal â bod ar gael ar gyfer 'consultation' ac y dylai pob mater a ystyrid gan y llywodraeth fel un a fyddai'n effeithio ar Gymru fynd gerbron y cyngor newydd i dderbyn ei sylwadau. Dadleuid y dylai fod gan y cyngor 'wide and express powers' ac y gellid ei weld fel 'a right and proper workable substitute for a Secretary of State'. Tybid y gallai'r cyngor ddod yn sail i gorff ehangach a llawnach yn y dyddiau i ddod ac y gallai gysylltu'n uniongyrchol â gweinidogion heb fod angen mynd trwy'r blaid seneddol Gymreig.

Rhoddid sylw hefyd i'r gadeiryddiaeth, ac mae'n werth dyfynnu'r paragraff perthnasol yn ei gyfanrwydd:

> It is essential that the Chairman especially should be Welsh speaking, should have full and broad Welsh sympathies, with a complete understanding of Welsh problems and feelings – in short, he should 'know his Wales' – and should, as far as possible, have practical knowledge and experience – not theoretical knowledge – of the problems of Welsh administration and difficulties and be acceptable to Wales generally.[54]

O edrych yn ôl-syllol ar y datganiad, gellid dychmygu'r awdur yn defnyddio Huw T fel ei fodel. Serch hynny, awgrymodd hefyd y dylai'r swydd fod yn un llawn amser ac nid yw'n glir a fyddai Huw T yn awyddus i dderbyn y fath gyfrifoldeb.

Nid yw'n eglur at bwy yr anfonwyd y ddogfen hon. Yn sicr ni fyddai croeso iddi gan Morrison, ond mae'n siŵr iddi gyrraedd desg Goronwy Roberts a'i debyg. Mae'n debygol iddi gyrraedd Jim Griffiths hefyd, ac y byddai yntau wedi cymryd sylw o'r paragraff ar y gadeiryddiaeth.

Roedd y cynigion yn y memorandwm yn rhai pellgyrhaeddol, ond ni lwyddwyd i ddylanwadu fawr ddim ar y pryd ar natur y corff newydd, 'The Advisory Council for Wales and Monmouthshire', fel y cyhoeddwyd gan Morrison yn y Senedd ddiwedd Tachwedd 1948. Serch hynny, yn ddiweddarach, collwyd yr 'Advisory' o'r enw. Cyhoeddodd Morrison yn y Senedd y byddai'r Cyngor Ymgynghorol yn gweithredu fel sianel rhwng pobl Cymru a'r Llywodraeth ac mai ei gylch gorchwyl fyddai:

i) to meet from time to time, and at least quarterly, for the interchange of views and information on developments and trends in the economic and cultural fields in Wales and Monmouthshire, and

ii) to secure that the Government are adequately informed of the impact of Government activities on the general life of the people of Wales and Monmouthshire.

Byddai aelodau'r Cyngor yn cael eu henwebu, nid eu hethol yn ddemocrataidd, ac ni fyddai cyfarfodydd y Cyngor yn agored i'r wasg na'r cyhoedd.[55]

Cafwyd ymateb chwyrn gan y gwrthbleidiau i'r cyhoeddiad: 'a scraggy bone, without meat or marrow in it', 'the smallest mouse', a 'new Soviet of Wales', oedd y math o sylw cyffredin. Nid oedd yr aelodau seneddol Llafur yn gwbl fodlon chwaith: 'pointless and useless' oedd disgrifiad S O Davies ohono. Ceisiodd Goronwy Roberts ddadlau bod y Cyngor yn golygu bod Cymru bellach yn cael ei thrin fel endid cenedlaethol, er y gobeithiai am fwy o ddatganoli yn y man.[56] Serch hynny, ar y cyfan roedd y Blaid Lafur yng Nghymru yn ffyddlon i'r llywodraeth. Ar droad y flwyddyn gallai Cliff Prothero ysgrifennu at Herbert Morrison i ddweud nad oedd Cyngor Rhanbarthol Llafur Cymru wedi derbyn yr un gwrthwynebiad i'r polisi newydd o blith aelodau'r mudiad Llafur yng Nghymru. Ymatebodd Morrison drwy ddweud yn hunanfodlon iddo dderbyn dim ond un llythyr o wrthwynebiad, a hynny gan un gangen leol.[57] Serch hynny, pan ymgynghorwyd â Chymdeithas Llywodraeth Leol Cymru cafwyd ymateb llugoer. O'r 182 awdurdod lleol yng Nghymru, dim ond 13 oedd o blaid y syniad; roedd 72 yn dangos cefnogaeth amodol (er yn ffafrio creu swydd ysgrifennydd gwladol), roedd 68 yn erbyn ac ni dderbyniwyd ateb gan 21 awdurdod.[58] Nid yw barn Huw T ar glawr yn y cyfnod hwn, ond mae'n debyg y byddai ef o'r un farn â Goronwy Roberts. Rhaid oedd gwneud y gorau o'r sefyllfa a gobeithio am ddatblygiadau mwy sylweddol yn y dyfodol.

O fewn dyddiau i gyhoeddiad Morrison yn y Senedd, cynhaliwyd rali gan y Rhyddfrydwyr ym Mae Colwyn ar 29 Tachwedd. Pan ddisgrifiodd eu harweinydd, Clement Davies, y cyngor arfaethedig fel 'Soviet Council', ac mai'r cam nesaf fyddai i'r 'Socialist caucus in London' benodi 'Commissar for Wales', clywyd sawl gwaedd o'r gynulleidfa – 'H T Edwards!'[59] O'r cychwyn cyntaf, felly, enw Huw T oedd ar wefusau llawer yng Nghymru wrth iddynt geisio dyfalu pwy fyddai'n cael y fraint o gadeirio'r Cyngor.

Yn ystod yr wythnosau canlynol bu'r llywodraeth yn ceisio rhoi trefn ar ei chynllun. Cyfarfu'r Aelodau Seneddol Cymreig â Morrison ym mis Ionawr 1949 i geisio am fwy o awdurdod i'r Cyngor, ond yn ofer. Bu'r llywodraeth hefyd yn casglu enwebiadau ar gyfer y 27 aelod a fyddai ar y Cyngor, ond roedd pryder yng Nghymru am natur yr enwebiadau posib. Barn y *Western Mail* oedd: 'So long as the Council does not consist of labour "yes–men" there is still hope that some good will ensue from its deliberation… Seats must be filled by men who can speak for Wales. The Council must not be regarded as yet another refuge for tired trade unionists.'[60]

Cafodd Cliff Prothero alwad ffôn ym mis Chwefror yn gofyn i Gyngor Rhanbarthol Llafur Cymru enwebu darpar-aelodau cymwys fel y gallai'r Prif Weinidog ddewis o'u plith. Enwebwyd Cliff Prothero ei hun (er na chafodd ei ddewis yn y pen draw) ac roedd Huw T hefyd ymhlith yr wyth enw a roddwyd gerbron.[61] Erbyn hynny roedd Huw T yn 'strongly tipped' yn y wasg i gael ei ddewis yn gadeirydd cyntaf, a honna Cliff Prothero iddo'n bersonol enwi Huw T wrth Morrison fel y cadeirydd mwyaf cymwys.[62] Crybwyllwyd enwau eraill, gan gynnwys sylfaenydd yr Urdd, Syr Ifan ab Owen Edwards, a'r ysgolhaig a phrifathro Prifysgol Cymru, Caerdydd, Syr J Frederick Rees.[63]

Ym mis Ebrill cynhaliwyd etholiadau'r cynghorau sir, ac yn ystod yr ymgyrch yn sir y Fflint cyhoeddwyd llythyr gan 'Independent Housewife' yn y papur lleol yn cwyno bod Huw T wedi'i enwebu i sefyll dros y Blaid Lafur unwaith eto: ' Can they not find someone as suitable with more time to spare? It is a constant wonder to me how one man can fulfil so many duties.'[64] O fewn ychydig ddiwrnodau syrthiodd cyfrifoldeb arall ar ysgwyddau llydan Huw T.

Ar y pryd roedd y llywodraeth yn poeni am yr ymateb llai na brwdfrydig a gafwyd yng Nghymru i'r syniad o Gyngor, a sylweddolwyd bod penodi cadeirydd a fyddai'n dderbyniol i drwch y boblogaeth yn gwbl allweddol. Dyma oedd ymateb y Ceidwadwyr hefyd. Barn RA Butler oedd: 'I do not think that the Council can work unless it is brought into relation with a central personality who will be associated in the minds of the Welsh people with the aspirations and ideals of the Welsh people.'[65] Yn hyn o beth roedd un newyddiadurwr eisoes wedi disgrifio Huw T fel 'the complete Welshman...[who] measures up fully to the requirements, which demand intimate acquaintances with the life, conditions, and aspirations of the people in North and South Wales'.[66] Roedd Jim Griffiths yntau o'r un farn. Pan ofynnodd Attlee iddo pwy ddylai fod yn gadeirydd y Cyngor ei ateb oedd, heb betruso, 'Huw T Edwards – he is the truly representative Welshman'.[67] Ym marn Griffiths, y dewis o'r Cymro gwir gynrychioliadol hwn a achubodd y Cyngor.[68]

VI

'PRIF WEINIDOG ANSWYDDOGOL CYMRU'

Arweinydd cenedlaethol, 1950–55

Nı WASTRAFFODD KEIDRYCH Rhys unrhyw amser cyn manteisio ar benodiad Huw T yn gadeirydd Cyngor Cymru a Mynwy. Rhuthrodd i ailargraffu erthygl Huw T, 'What I want for Wales', a gyhoeddwyd yn ei gylchgrawn *Wales* yn 1944, ar ffurf pamffled a'i werthu am ddwy geiniog yr un.[1] Mae'n siŵr iddo weld hwn yn gyfle i hyrwyddo'r achos cenedlaethol, ond roedd yn ddull effeithiol o ennill ceiniog neu ddwy iddo yntau hefyd. Erbyn Awst 1949, honnid iddo werthu 20,000 o gopïau o'r pamffled a hynny dros bedwar argraffiad.[2] Awgryma hyn fod diddordeb mawr yn syniadau Huw T yn y dyddiau pryd yr oedd cyhoeddi pamffledi yn parhau'n boblogaidd fel dull o ledaenu syniadau. Fodd bynnag, ystyriai Huw T weithred Rhys yn resynus, yn arbennig wrth iddo geisio cysylltu'r pamffled â Chyngor Cymru. Cyhoeddwyd y pamffled heb ymgynghori o gwbl â Huw T, a phan anfonodd Rhys ddwy gini iddo dychwelodd Huw T yr arian a chwyno am ei ymddygiad.[3]

Er bod hyn oll yn achosi cryn embaras i Huw T, mewn gwirionedd nid oedd y safbwynt a goleddai yn 1944 wedi newid cymaint â hynny. Credai mai ateb dros dro oedd y Cyngor, ac mai proses o esblygu oedd datganoli, safbwynt sy'n ymdebygu i'r un a fynegwyd gan Ron Davies yn yr 1990au: 'proses yw datganoli, nid digwyddiad'. Awgrymodd un newyddiadurwr mai 'guinea pig' ar gyfer datganoli pellach oedd y Cyngor i Huw T, ac esboniodd newyddiadurwr arall sefyllfa Huw T yn eglur:

> He was up against the same problem as anyone else who meddled with the idea of devolution, that of knowing how much devolution and what form of devolution...

ac y barnai Huw T:

> 'when we can get any sort of uniformity in the principality on these two issues then we will be much nearer the type and set-up we require'. [4]

Gwyddai hefyd fod angen gwneud y gorau o'r sefyllfa a cheisio creu Cyngor effeithiol.

Un o broblemau mawr y Cyngor, a'i gadeirydd, oedd bod y Cyngor yn cael ei ystyried yn gorff pwysig yng Nghymru ond mai corff ymylol iawn ydoedd i'r llywodraeth. Nid oedd yn unigryw yn ei natur gan fod, yn ystod y cyfnod hwn, tua 700 o gyrff ymgynghorol ym Mhrydain yn cynghori'r llywodraeth ar faterion amrywiol; nid oedd ei ffurf yn anarferol chwaith.[5] Yn fras, corff sefydlog ydoedd i gynghori'r llywodraeth ar ddatblygiadau ym meysydd economaidd a diwylliannol Cymru ac i adrodd i'r llywodraeth am effaith ei pholisïau ar bobl Cymru. Roedd gan y Cyngor 27 aelod gwirfoddol; ni dderbynient dâl am eu gwaith, dim ond costau ar raddfeydd y gwasanaeth sifil. Cynrychiolent agweddau amrywiol o fywyd Cymru a chaent eu dewis drwy ddulliau enwebu ac nid drwy eu hethol yn ddemocrataidd. Roedd deuddeg aelod yn cynrychioli awdurdodau lleol ac wyth yn cynrychioli diwydiant ac amaeth (pedwar o ochr y cyflogwyr a phedwar o ochr y gweithwyr). O safbwynt addysg, cafwyd un enwebiad o Brifysgol Cymru ac un o'r Cyd-bwyllgor Addysg, yn ogystal ag un enwebiad yr un o'r Eisteddfod a'r Bwrdd Croeso. Ar ben hyn, dewisodd y Prif Weinidog dri aelod arall er mwyn llenwi unrhyw fwlch amlwg. Ymdrechwyd i sicrhau cydbwysedd daearyddol (dewiswyd deg o'r gogledd a 17 o'r de) a chynrychioliadol.[6] Serch hynny, yn nodweddiadol o'r cyfnod, dim ond un a wraig a gafodd sedd, sef Mrs Jennie Jenkins o Gastell-nedd, a dewiswyd hi fel enwebiad uniongyrchol gan y Prif Weinidog gan nad oedd yr un wraig wedi'i henwebu drwy'r categorïau.[7] Yn ddiweddarach, bu cwyno am y diffyg hwn ac fe fu Huw T yn bleidiol i gynyddu'r gynrychiolaeth o blith gwragedd Cymru.[8]

Beirniadwyd y broses o ddewis ar y sail ei bod yn annemocrataidd. Cwynwyd bod y Cyngor yn ymdebygu i gorff cudd fel y 'Star Chamber' neu Gyngor Deg Fenis yr oesoedd o'r blaen. Mae digon o dystiolaeth ar gael i awgrymu i'r dewis o aelodau fod yn wleidyddol ei natur. Yn y pen draw, er mai'r Prif Weinidog oedd yn dewis yr aelodau, a hynny o blith yr enwebiadau a dderbyniwyd gan y cyrff a holwyd, Morrison oedd y dylanwad pennaf ar y dewis ac, fel y cyfeiriwyd eisoes, bu mewn cysylltiad anffurfiol â Cliff Prothero.[9] Roedd cyngor Prothero yn cynnwys gwybodaeth am dueddiadau gwleidyddol y darpar aelodau, ac mae'n debyg bod yna drefniant anffurfiol y byddai gan y Blaid Lafur fwyafrif ar y Cyngor.[10] Serch hynny, gyda Llafur yn tra-arglwyddiaethu dros lywodraeth leol yn ne Cymru, roedd yn annhebygol y byddai'r Cyngor yn dewis peidio ag adlewyrchu grym y blaid honno.

Collfarnwyd y Cyngor hefyd am ei fod yn cwrdd y tu ôl i ddrysau caeedig, ond yr oedd rheswm da am hynny. Barnwyd y byddai modd cynnal trafodaeth agored, gan roi'r cyfle i'r aelodau siarad yn ddiflewyn-ar-dafod, mewn cyfarfodydd a gynhelid heb bresenoldeb y wasg a'r cyhoedd. Petai'r wasg yno, byddai'r aelodau'n fwy petrusgar ac yn fwy tebygol o 'chwarae i'r galeri'. Wedi'r cyfan, nid senedd oedd y Cyngor ac nid oedd bwriad iddo weithredu felly. Ei swyddogaeth oedd dod i gasgliadau ar sail tystiolaeth a chynnig cyngor i'r llywodraeth, yn bennaf drwy gyfrwng adroddiadau ffurfiol a gyhoeddid mewn print.

Y Prif Weinidog fyddai'n dewis y cadeirydd, ac yr oedd disgwyl iddo aros yn ei swydd am flwyddyn yn unig, gyda'r gadeiryddiaeth yn cael ei chylchdroi rhwng gogledd a de Cymru. Ond o 1950 ymlaen rhagdybiwyd mai'r Cyngor ei hun fyddai'n dewis cadeirydd, ac ailetholwyd Huw T yn flynyddol tan 1958 pan ymddiswyddodd.[11] At ei gilydd, ni ellir ond tybio fod aelodau'r Cyngor yn fodlon iawn ag arweiniad Huw T ac nad oedd awydd gan y llywodraeth i'w ddiorseddu.

Er bod Huw T wedi pwyso am adran sefydlog yng Nghymru i gefnogi'r Cyngor, mewn gwirionedd dim ond *secretariat* bach o weision sifil a gafwyd. Roedd presenoldeb gwas sifil i wasanaethu'r Cyngor yn allweddol gan y byddai'n deall peirianwaith y llywodraeth ac yn medru cynghori'r Cyngor ar 'ffyrdd a moddau'. Gallai hefyd fod yn negesydd rhwng y llywodraeth a'r Cyngor. Cafodd y Cyngor, a Huw T ei hun, wasanaeth clodwiw gan weision sifil fel J L Palmer ac, yn ddiweddarach, John Clement.

Yn ystod wythnosau cyntaf ei fodolaeth daeth awgrym gan J L Palmer y gellid newid enw'r Cyngor i Council *of* Wales yn hytrach na Council *for* Wales and Monmouthshire. Newidiadau cynnil ond arwyddocaol fyddai'r rhain. Byddai colli'r 'Monmouthshire' yn sodro'r sir honno yn bendant yng Nghymru a thorri ar hen drefn anfoddhaol a ddyddiai o'r unfed ganrif ar bymtheg. Byddai defnyddio *of* yn lle *for* yn sicr o fod wedi rhoi argraff fwy cadarnhaol, gan awgrymu mai Cymru oedd piau'r Cyngor ac nad corff a roddwyd iddi gan y llywodraeth yn Llundain ydoedd. Nid oedd hynny'n broblem yn y Gymraeg gan mai Cyngor Cymru a Mynwy a ddefnyddid; yn wir, roedd yr awgrym a wnaed gan yr aelod seneddol Arthur Moyle yn cynnig ateb syml, sef defnyddio'r fersiwn Cymraeg, 'Cyngor Cymru', yn unig. Ond penderfynwyd peidio â newid yr enw am y tro ac aeth sawl blwyddyn heibio cyn y gollyngwyd yr 'and Monmouthshire'.[12] Mae'n arwyddocaol hefyd mai National Assembly *for* Wales yw enw swyddogol Saesneg y Cynulliad a sefydlwyd yn 1999, gan ategu damcaniaeth Enoch Powell bod pŵer a ddatganolwyd yn bŵer y cedwid gafael arno.

Yn ystod misoedd cyntaf ei fodolaeth, nid oedd pall ar y feirniadaeth o'r Cyngor gan y wasg a'r gwrthbleidiau. Cyn y cyfarfod cyntaf taerodd Glyn Griffiths, colofnydd y *Liverpool Daily Post*: 'A man who expected a mackerel for supper is hardly expected to stir himself into a gastronomical hysteria over a mere sprat.' Roedd â'i lach ar Morrison: 'the godfather of this orphan of political storms'.[13] Barnai ysgrifennydd Plaid Cymru, J E Jones, fod y Cyngor yn 'more emasculated than the councils of the darkest colonies'.[14] Chwiliai Saunders Lewis, ar y llaw arall, yn ei golofn 'Cwrs y Byd', am arwydd o 'ysbryd cenedlaethol' ymhlith aelodau'r Cyngor – serch na welai llawer o obaith o hynny o blith y cynghorwyr sir a frithai'r corff newydd. Fodd bynnag, barnai nad oedd pob un ohonynt yn annerbyniol: '... y mae ysbryd iach a da yn y cadeirydd, a gwelir enwau gwŷr eraill... a ddangosodd yn eu gyrfâu cyhoeddus sêl dros werthoedd Cymreig'.[15] Ni fedrai Huw T guddio rhag y feirniadaeth gyffredinol. Ddiwedd 1949, awgrymodd 'I am the chairman of a Council no one likes' ac yn ei adolygiad o'r flwyddyn yn yr *Annual Register*, mynegodd yr hanesydd R T Jenkins yr argraff gyhoeddus ar y pryd: 'here it was said, was yet another impotent committee, in a land whose sky was already dark with committees'.[16] Yn sicr, roedd talcen caled o flaen y Cyngor wrth iddo geisio ennyn ymddiriedaeth a chefnogaeth pobl Cymru.

★   ★   ★

Cynhaliwyd cyfarfod cyntaf y Cyngor yng Nghaerdydd ar ddydd Gwener 20 Mai 1949. Daeth Herbert Morrison yno i bledio ar bobl Cymru i roi cyfle teg i'r sefydliad newydd. Er y disgwyliai i'r Cyngor fod yn feirniadol o'r llywodraeth, credai hefyd y dylai gymryd agwedd realistig. Yn ei araith ef, prif neges Huw T oedd bod y Cyngor yn '... one further recognition that Wales is a Nation'.[17] Yn hyn o beth, roedd yn gwbl gywir. Natur y llywodraeth Lafur oedd canoli grym yn Llundain heb ystyried y gwahaniaethau rhwng cenhedloedd Prydain. Yn awr rhoddwyd math o gydnabyddiaeth bod Cymru yn wahanol a chanddi ei phroblemau ei hun. Fel y dywedodd Huw T yn yr un araith: 'We are not a boastful Nation – we do not claim to be better than any other, but we do claim to be different.'[18]

Ar y dydd Llun canlynol ysgrifennodd Huw T at Morrison fel a ganlyn:

> I know, of course, the difficulties that you have had with the Welsh Parliamentary Party and, even with members of the Labour group and that if it were not for your very wise leadership, in this matter, we would not have had a Council today... I have a feeling that those who have been loudest in their condemnation of the Council are now just a little afraid that the Council may do something useful and prove them to be false prophets.[19]

Ystyriai ei bod yn hanfodol fod y Cyngor, gydag etholiad cyffredinol ar y gorwel, yn medru cyfeirio at un llwyddiant mawr. Ffafriai yntau sefydlu Comisiwn Datblygu Cymreig i gynorthwyo gyda'r gwaith o ddatblygu'r economi yng Nghymru.[20]

Yn ei ateb cytunodd Morrison y dylent drafod y sefyllfa a bod angen i'r Cyngor gael '...some big achievement to its credit during its first year' ond roedd yn amheus o syniad Huw T.[21] Pan gyfarfu'r ddau ddechrau Gorffennaf cytunwyd y byddai'r Cyngor yn osgoi cwestiynau mwy dadleuol gan dderbyn nad oedd y llywodraeth o blaid sefydlu comisiwn datblygu. Felly, erbyn mis Medi, gollyngwyd unrhyw awgrym dadleuol a ddaethai gerbron y Cyngor yn ei gyfarfodydd cyntaf a phenderfynwyd ystyried materion yn ymwneud â diboblogi yng nghefn gwlad, diweithdra – gyda sylw arbennig i'r ganran uchel o ddiweithdra ymhlith yr anabl – a thir ymylol. Penodwyd tri phanel i ystyried y problemau hyn dan gadeiryddiaeth Syr William Jones (diboblogi), Sidney Mitchell (diweithdra) ac Edward Gibby (tir ymylol).[22]

Roedd gobeithion Huw T yn uchel y gallai'r Cyngor ennill ei blwy yn y cyfnod hwn, yn arbennig pan ddaeth ei hen feistr, Ernest Bevin, yn gyfrifol am faterion Cymreig yn lle Morrison ar ôl etholiad cyffredinol Mawrth 1950. Credai y gallai ddylanwadu ar Bevin a threfnwyd cyfarfod i gwrdd ag ef yn swyddogol ddiwedd Ebrill. Ychydig ddiwrnodau ynghynt galwyd Huw T i weld Bevin yn ei gartref yn Llundain. Roedd yn ddifrifol wael a chwalwyd gobeithion Huw T pan fu farw Bevin yn fuan wedi hynny.[23] Nid oedd ei olynydd, yr ysgolfeistraidd Chuter Ede, mor hyblyg – a beth bynnag, roedd dyddiau'r llywodraeth Lafur yn dirwyn i ben wedi cyfnod o chwe blynedd o gyflawni llawer er budd y gweithiwr cyffredin a'i deulu. Fel llawer i sosialydd, edrychai Huw T ar lywodraeth Attlee gyda balchder. Dyma oedd oes aur y sosialwyr, ac i Huw T a'i debyg nid oedd datblygiad y Blaid Lafur wedi hynny yn ei ysbrydoli i'r un graddau.

Pan enillodd y Ceidwadwyr etholiad cyffredinol Hydref 1951, roedd posibilrwydd cryf y byddai'r Cyngor yn dod i ben a chynigiodd Huw T ei ymddiswyddiad.[24] Cyn yr etholiad addawodd y Ceidwadwyr y byddent yn rhoi cyfrifoldeb penodol dros Gymru i un o weinidogion y Cabinet, er na fyddai hi'n swydd debyg i un Ysgrifennydd Gwladol yr Alban, ac ni fyddai'r gweinidog yn meddu ar gyfrifoldebau gweithredol. Wedi'r etholiad, penderfynwyd y byddai'r portffolio Cymreig yn cael ei fabwysiadu gan yr Ysgrifennydd Cartref, Syr David Maxwell Fyfe. Cyfreithiwr o'r Alban, a ddaeth yn Arglwydd Ganghellor yn ddiweddarach yn ei yrfa, oedd Maxwell Fyfe. Roedd yn wleidydd diwyd, ond nid oedd yn meddu ar wybodaeth arbennig am Gymru; cafodd ei ddirmygu gan rai cenedlaetholwyr a'i alw'n 'Dai Bananas' oherwydd y cysylltiad rhwng yr enw Fyfe a gwerthwyr y ffrwyth hwnnw.

Nid oedd Maxwell Fyfe am newid statws y Cyngor ar y pryd hwnnw, gan dderbyn y gallai'r Cyngor barhau yn ei waith o gynghori'r llywodraeth. Ni dderbyniwyd y cynnig o ymddiswyddiad gan Huw T chwaith, a datblygodd perthynas foddhaol rhyngddo a Huw T dros y blynyddoedd canlynol.[25] Pan ddaeth Maxwell Fyfe i Gymru, mae'n debyg i Huw T roi ar lafar gyflwyniad ysgubol ar Gymru a'i phroblemau a barodd awr, a hynny heb gyfeirio at yr un nodyn. Cyfareddwyd Maxwell Fyfe: 'I have heard many people delivering speeches but this man has covered the whole of Wales in one hour and has given me a wonderful picture of what the situation is.'[26] Lluniodd Huw T soned ddychanol yn croesawu Maxwell Fyfe pan oedd ar ymweliad â sir y Fflint ym Mawrth 1952, ac amddiffynnodd yr Albanwr rhag ymosodiadau cellweirus Michael Foot yn y *Daily Herald*.[27] Serch hynny, dan y Ceidwadwyr nid oedd y Cyngor yn debygol o ddatblygu fel y gobeithiai Huw T ar ddiwedd y 1940au. Er ei allu i swyno Maxwell Fyfe, i raddau helaeth collodd Huw T ei ddylanwad personol ar weinidogion y llywodraeth. Byddai angen iddo weithio gymaint â hynny'n galetach i ennyn diddordeb y bugeiliaid newydd yn San Steffan.

Cynhaliwyd cyfarfod pwysig rhwng Maxwell Fyfe a Huw T yn y Swyddfa Gartref ym mis Medi 1952 i drafod dyfodol y Cyngor, ac y mae cofnod o'r cyfarfod hwnnw wedi goroesi.[28] Dadleuai Huw T fod y Cyngor wedi profi ei hun ond ei fod bellach mewn 'awkward stage'. Roedd y Cyngor yn dymuno gweld creu swydd Ysgrifennydd Gwladol a hoffai wybod beth oedd bwriadau'r llywodraeth o safbwynt datganoli. Ymateb Maxwell Fyfe oedd nad oedd y llywodraeth wedi dod i gasgliad ynglŷn â'r awgrym o roi'r cyfrifoldeb am Gymru dan adain un gweinidog. Nid oedd Huw T am golli'i gyfle, a holodd a fyddai'r llywodraeth yn ystyried rhoi mwy o bwerau i'r Cyngor; ymateb Maxwell Fyfe oedd ei fod yn deall yn iawn yr anhawster i ddarganfod '...some constitutional formula that would prevent the Council feeling impotent'. Cytunodd, serch hynny, i geisio perswadio gweinidogion y llywodraeth pan fyddent yn trafod materion a oedd yn ymwneud â Chymru, i ymgynghori â'r Cyngor.[29] Ond, fel y gwelir maes o law, geiriau gwag oedd y rhain.

Pan ad-drefnwyd y Cyngor yn 1953 cynyddwyd y nifer o enwebiadau gan y llywodraeth, ond yn gyffredinol dangosodd y llywodraeth ddigon o hyder yn y Cyngor i'w adael i barhau fwy neu lai fel ag yr oedd. Daeth yn amlwg hefyd bod Huw T yn ganolog i'r broses o ddewis yr aelodau, ac ef oedd yn cynghori'r llywodraeth pan ddaeth cwyn gerbron gan Cliff Prothero ynglŷn ag enwebiadau. Mewn llythyr at Syr Austin Strutt o'r Swyddfa Gartref, awgrymodd Huw T sut i ddelio â'r sefyllfa gan ddisgrifio'r achos (mewn ôl-nodyn preifat a chyfrinachol) fel un o 'sour grapes'.[30]

Dros y blynyddoedd, edrychai'r Cyngor ar faterion cenedlaethol hirdymor gan ymateb hefyd o fewn rheswm i faterion y dydd wrth iddynt godi.[31] Nid oes amheuaeth i'r Cyngor baratoi adroddiadau cynhwysfawr a defnyddiol mewn meysydd fel diboblogi yng nghefn gwlad a diweithdra, ac yn wir gweithredwyd llawer o'i argymhellion yn y pen draw. Byddai hefyd yn troi ei sylw at faterion fel y byd cyhoeddi llyfrau Cymraeg, gan ddechrau'r broses a arweiniodd at sefydlu'r Cyngor Llyfrau. Dylanwadodd ar y dewis o Gaerdydd yn brifddinas Cymru, penderfyniad a roddodd statws newydd nid yn unig i'r ddinas ond hefyd i Gymru fel cenedl. Er mai yn 1955 y cafodd Caerdydd y fraint honno, bu Huw T yn weithgar y tu ôl i'r llenni er 1950. Yn Hydref y flwyddyn honno ysgrifennodd at Palmer ar y pwnc, gan ddweud: 'Quite frankly I cannot see any alternative to Cardiff and if we give a lead, then I think the Government would be prepared to act.'[32]

Serch hynny, roedd pwerau'r Cyngor wedi'u cyfyngu i roi cyngor i'r llywodraeth, a gallai llywodraeth y dydd ddewis derbyn y cyngor neu beidio. Digwyddodd hyn yn achos adroddiad y Cyngor ar ddatblygu cefn gwlad a gyhoeddwyd yn 1953. Argymhelliad y Cyngor oedd y dylid gwella safonau gweithio a byw yng nghefn gwlad er mwyn atal y symudiad o boblogaeth o'r ardaloedd gwledig. Barnai fod angen i'r llywodraeth chwistrellu £60 miliwn i ddatblygu ardaloedd gwledig a sefydlu asiantaeth o'r enw 'The Welsh Rural Development Corporation' i weinyddu'r gwaith ac i gydweithio gyda'r awdurdodau lleol. Gwrthod y cynigion a wnaeth y llywodraeth, a phan gyhoeddwyd Papur Gwyn llai uchelgeisiol y llywodraeth ar Gefn Gwlad Cymru, fe'i beirniadwyd gan y Cyngor am beidio ag ymgynghori ag ef ar ei gynnwys. Serch hynny, gallai'r llywodraeth wrthsefyll y feirniadaeth yn ddidrafferth oherwydd, fel y nodwyd eisoes, cynnig arweiniad i'r llywodraeth oedd swyddogaeth y Cyngor, ac nid oedd cyfrifoldeb ar y llywodraeth i wrando nac i weithredu ar ei argymhellion.

Trefnwyd cyfarfod arbennig yn Ionawr 1954 rhwng dirprwyaeth o'r Cyngor, dan arweiniad Huw T, a Maxwell Fyfe i geisio datrys y broblem. Mynegodd Huw T ei gred i'r Cyngor, wedi cyfnod dechreuol amhoblogaidd, ennill ei blwy fel 'useful instrument'.[33] Ond roedd dull y llywodraeth o ddelio ag adroddiadau'r Cyngor yn anfoddhaol, er y derbyniai mai swyddogaeth y llywodraeth oedd penderfynu ar bolisi. Agwedd Maxwell Fyfe oedd 'decisions involving large sums of money must be government decisions' ac efallai y gallai'r Cyngor yn y dyfodol ymgynghori â'r llywodraeth cyn iddo gwblhau adroddiad i weld a oedd yr argymhellion yn dderbyniol iddi. Serch hynny, ni fyddai'r fath drefniant yn debygol o fod yn dderbyniol i'r Cyngor gan y byddai'n tanseilio'i annibyniaeth; ystyriai Huw T, beth bynnag, nad oedd yn debygol fod Maxwell Fyfe ei hun yn credu yn y fath awgrym. Fodd bynnag, nid oedd y llywodraeth yn debygol o warantu y byddai'n ymgynghori â'r Cyngor wedi iddo gyflwyno'i adroddiad; canlyniad hyn oedd gwanhau sefyllfa'r Cyngor yn ddirfawr.[34]

Yn ogystal â'r trafferthion gyda'r llywodraeth, parhaodd y feirniadaeth o'r Cyngor gan wleidyddion o bob lliw. Perthynai elfen o genfigen ym meirniadaeth rhai Aelodau Seneddol, yn arbennig yr Aelodau Llafur, a deimlai fod y Cyngor wedi trawsfeddiannu eu swyddogaeth cynghori. Serch hynny, ychydig o wirionedd oedd yn hyn gan fod yr Aelodau Seneddol yn agosach at ganolfannau grym na'r Cyngor. Tra oedd y Cyngor, er enghraifft, yn cwrdd yng Nghaernarfon ar 15 Medi 1949, pryd y trafodwyd problemau diweithdra, cynhaliwyd cyfarfod o'r Aelodau Seneddol Cymreig gyda Llywydd y Bwrdd Masnach, Harold Wilson, a'r Gweinidog Llafur,

George Isaacs, i drafod yr un pwnc yn union.[35] Gan amlaf, roedd yn fwy tebygol y byddai gweinidogion y llywodraeth yn gwrando ar ddirprwyaeth o Aelodau Seneddol nag ar y Cyngor, oni bai ei bod yn siwtio'r llywodraeth i wneud hynny. Credai'r Aelodau Seneddol hefyd fod yna ddiffyg gwybodaeth am weithgareddau'r Cyngor, a pharhawyd i bwyso am yr hawl i'r wasg fynychu'r cyfarfodydd. Fodd bynnag, byddai Huw T yn cysylltu â'r Aelodau drwy ysgrifennu at Ysgrifennydd y Grŵp Seneddol Cymreig, fel y gwnaeth ym Medi 1949, a byddai caniatáu i'r wasg fynychu'r cyfarfodydd wedi newid holl natur y Cyngor.[36]

Cafwyd beirniadaeth hefyd o blith aelodau'r Cyngor. Haerai Henry Brooke, a etifeddodd bortffolio Cymru ddiwedd yr 1950au, i Syr Ifan ab Owen Edwards wrthod aros ar y Cyngor yn 1956 am fod Huw T yn 'running it as a one-man show'.[37] Cwynai un aelod arall fod dyddiadau cyfarfodydd yn cael eu newid er cyfleustra'r cadeirydd.[38] Yn sicr, Huw T oedd y ffigur a gysylltid ym meddwl y cyhoedd â'r Cyngor. Ef oedd y ddolen gyswllt gyda'r wasg, ac ef fyddai'n darlledu ar gynnwys adroddiadau'r Cyngor ar y radio. Nid oes amheuaeth chwaith mai ef a lywiai agenda cyffredinol y Cyngor. Roedd yn benderfynol o osgoi rhaniadau ymhlith yr aelodau; mewn llythyr at J L Palmer pwysleisiodd: 'if there is unanimity behind whatever we report, it will obviously receive much greater attention than if we were divided'.[39] Pan godai anghydfod, ceisiai ddatrys y broblem yn syth. Mewn llythyr at Syr Percy Thomas o'r Bwrdd Diwydiant Cymreig, esboniodd y broblem a wynebai pan oedd y Cyngor yn rhanedig: '... it is my duty, whilst acting as Chairman of the Council at this early stage in its history, to prevent it becoming divided on what may be regarded as an important principle'.[40] Serch hynny, roedd aelodau eraill fel Syr William Jones, Edward Gibby, D M Rees a Sidney Mitchell yn ddigon pwerus i wthio'u syniadau a chyflawni llawer o'r gwaith caib a rhaw, ac roedd y cymorth a geid gan y gweision sifil, a'u gallu i gael gwybodaeth ddefnyddiol o adrannau'r llywodraeth, yn amhrisiadwy. Nid oes amheuaeth, serch hynny, fod Huw T yn feistr corn ar y Cyngor. Tra oedd dynion fel Syr William Jones yn fiwrocrataidd gywir, nid oeddent yn berchen ar y fflach na'r carisma a berthynai i Huw T. Barnai John Clement mai saethu 'blunderbuss' fyddai Syr William ond mai 'sniper' oedd Huw T.[41]

★   ★   ★

Un o brif destunau trafod y Cyngor oedd datganoli, ac yn benodol felly beirianwaith y llywodraeth yng Nghymru. Serch hynny, nid aed ati o ddifrif i ystyried y mater tan ar ôl 1953, ond yr oedd y gweithgaredd hwn i arwain at adroddiad pwysicaf a mwyaf pellgyrhaeddol y Cyngor. Hwn oedd yr adroddiad a roddodd hwb newydd i ddatganoli yng Nghymru wedi methiant y mudiad 'Senedd i Gymru' a gafodd gymaint o sylw ar ddechrau'r 1950au.

Nid oedd rhai o wleidyddion Cymru wedi'u bodloni â'r Cyngor ym mlynyddoedd cynnar yr 1950au, ac nid oeddent yn araf i'w feirniadu a gwthio am fesurau pellach o ddatganoli. Fodd bynnag, mae'n werth nodi yma hefyd nad oedd pawb yng Nghymru yn ystyried bod datganoli yn bwnc o unrhyw bwys. I Aneurin Bevan – gwleidydd o ddylanwad mawr yn ystod degawdau canol yr ugeinfed ganrif – y peth pwysig oedd cael ei ddwylo ar y 'levers of power', yn arbennig y rhai economaidd, yn Llundain. Er bod peth amwysedd a deuoliaeth yn perthyn i'w safbwynt at Gymru, credai llawer o'i gefnogwyr (a'i elynion) ei fod yn wrthwynebydd disyfl i fesurau o ddatganoli. Serch hynny, nid oedd holl wleidyddion Llafur Cymru yn rhannu'r un safbwynt. Y gwleidydd Llafur mwyaf brwd o blaid datganoli oedd Jim Griffiths, dyn mwyn ond un a feirniadwyd gan radicaliaid cenedlatholgar yng Nghymru am ei fod yn eu golwg hwy yn ffug-sanctaidd ac amwys ei safbwynt at Gymru. Cafodd gefnogaeth sawl Aelod Seneddol yn y cyfnod hwn, ac yn y pen draw ei ymlyniad at ryw fesur o ddatganoli a enillodd y dydd o fewn ei blaid – a hynny'n aml yn erbyn dymuniadau Rhanbarth Cymru o'r Blaid Lafur. Ar yr un pryd, er eu cefnogaeth i fesurau o ddatganoli, doedd y Rhyddfrydwyr yn ddim ond cysgod o'r blaid a dra-arglwyddiaethai ar Gymru hanner canrif ynghynt, ac ar y cyrion hefyd oedd Plaid Cymru. Beth bynnag, drwy gydol yr 1950au, y Ceidwadwyr oedd mewn grym yn Llundain a phlaid o unoliaethwyr rhonc oedd y Torïaid. Roedd brwydr hir o flaen y sawl a gredai mewn datblygu hunaniaeth wleidyddol Cymru.

Cyhuddir Huw T o fod yn gwbl anghyson yn ei safbwynt ar ddatganoli yn ystod yr 1950au. Yn y 1940au roedd wedi datgan ei fod o blaid senedd i Gymru ac nid oedd yn ffafrio sefydlu swydd Ysgrifennydd Gwladol, fel y dymunai llawer o wleidyddion Llafur Cymru. Cyfaddawd oedd sefydlu Cyngor Cymru, a gobeithiai, mae'n debyg, y gallai'r Cyngor ddatblygu i fod yn gorff llawer mwy pwerus, os nad yn senedd go iawn. Er ei fod o blaid senedd o ryw fath i Gymru, nid oedd Huw T wedi'i lwyr argyhoeddi o allu Cymru i sefyll ar ei thraed ei hun yn economaidd.[42] Iddo ef, roedd y cysylltiad economaidd rhwng Cymru a Lloegr yn rhy gryf ac ofnai y gallai creu economi Cymreig ar wahân arwain at gyni a diweithdra. Barn nid anghyffredin oedd hon, yn arbennig ymhlith y rhai a ddioddefodd yn bersonol o effeithiau dirwasgiad y cyfnod cyn y rhyfel, ac yr oedd yn safbwynt y câi cenedlaetholwyr drafferth i'w wrthbrofi. Serch hynny, dadleuai Huw T o blaid system ffederal lle y byddai gan Gymru senedd a fyddai'n gyfrifol am ddyletswyddau y gellid eu gweithredu'n fwy effeithiol nag yn San Steffan. Mewn erthygl o'i eiddo, dyddiedig Tachwedd 1950, mynegodd ei safbwynt yn ei ddull du a gwyn nodweddiadol: 'whoever seeks to separate Wales from England on the economic front, is a Fool, it would not be out of place if I said in this article that in my view the person or Government that refuses to see that there are Welsh problems that cannot be solved at Westminster, is quite as foolish'.[43]

Ar yr un pryd gellid bod wedi disgwyl y byddai Huw T yn croesawu sefydlu mudiad amlbleidiol i hyrwyddo achos sefydlu senedd i Gymru. Onid dyma oedd ei ddymuniad yn 'What I want for Wales', yn arbennig y dull o geisio uno'r pleidiau i bledio'r achos hwn? Ond nid dyma oedd safbwynt Huw T pan lansiwyd yr Ymgyrch Senedd i Gymru yn 1950. Mae hwn yn fater cymhleth i'w egluro, ond mae'r allwedd yn ei ymateb i sefyllfa arbennig yn hytrach na chanlyniad rhyw feddylfryd hirdymor. Yr unig ffordd, felly, o iawnddeall safbwynt Huw T yw trwy edrych yn gronolegol ar ei ymateb i gwestiynau'r cyfnod mewn perthynas â'r hinsawdd ar y pryd.

Nod Huw T o 1949 ymlaen oedd ceisio rhoi hygrededd i'r Cyngor ac i ddyrchafu ei statws. Roedd hefyd yn deyrngar i'r Blaid Lafur ac i'r llywodraeth a roddodd y swydd iddo. Er i Lafur ennill etholiad cyffredinol yn 1950, roedd ei mwyafrif mor fychan fel bod etholiad cyffredinol arall yn anorfod yn 1951. Roedd ansicrwydd yn y gwynt i gefnogwyr Llafur yn ystod y cyfnod hwnnw, felly, a byddai angen disgyblaeth i ennill y dydd. Roedd Huw T yn ymwybodol o hynny gan ffrwyno'i natur i siarad yn gyhoeddus ar bob pwnc dan haul, a theimlai hefyd y pwysau a roddid arno i gadw'r Cyngor yn weithredol effeithiol.

Roedd ymddangosiad mudiad amlbleidiol i ymgyrchu dros senedd i Gymru – a hynny ar yr union adeg pan grëwyd y Cyngor a phan oedd y llywodraeth Lafur dan bwysau gwleidyddol – yn creu problem i Huw T. O'r diwrnod cyntaf, roedd Cyngor Rhanbarthol Llafur Cymru yn anfodlon iawn pan sefydlwyd Ymgyrch Senedd i Gymru. Lansiwyd yr ymgyrch yn Llandrindod ar 1 Gorffennaf 1950, ar yr un diwrnod â Rali Cymru-gyfan y Blaid Lafur yn y Drenewydd – dewis a gythruddodd trefnwyr y Blaid Lafur yng Nghymru. Undeb Cymru Fydd, mudiad na chefnogai'r un blaid wleidyddol, oedd yn gyfrifol am drefniadau'r ymgyrch, a gwahoddwyd pob mudiad a phlaid i Landrindod. Mynychwyd y cyfarfod gan rai o arweinyddion amlyca'r genedl, gan gynnwys Megan Lloyd George, Syr Ifan ab Owen Edwards, y Parch. G O Williams (a ddaeth yn ddiweddarach yn Archesgob Cymru) a Gwynfor Evans. Nod yr ymgyrch fyddai casglu cefnogaeth i ddeiseb genedlaethol ar gyfer mesur o hunanlywodraeth i Gymru. Er y gynrychiolaeth eang, y gwleidydd maferic S O Davies, yr Aelod Seneddol dros Ferthyr Tudful, oedd yr unig wleidydd Llafur amlwg i fynychu'r cyfarfod cychwynnol.

Ni fu, ac nid yw, y Blaid Lafur yn or-hoff o fudiadau amlbleidiol, a gwelid y mudiad hwn yn fygythiad i'w hawdurdod. Penderfyniad Cyngor Rhanbarthol Llafur Cymru oedd peidio â chydweithredu â'r mudiad newydd nac anfon cynrychiolwyr i'w gyfarfodydd. Safbwynt y Cyngor Rhanbarthol oedd mai dim ond trwy'r mudiad Llafur y gellid gweithredu er budd Cymru, a bu'r hollbresennol ysgrifennydd Cliff Prothero yn brysur iawn yn ceisio tanseilio'r ymgyrch. Serch hynny, yn ogystal ag S O Davies, daeth cnewyllyn o Aelodau Seneddol Llafur eraill hefyd yn gefnogwyr maes o law, gan gynnwys Goronwy Roberts a Tudor Watkins, gan arwain at y bygythiad o achos o ddisgyblaeth yn eu herbyn gan eu plaid. Ond ni fu Huw T yn Llandrindod.

Wrth i'r ymgyrch fagu nerth, cynyddodd y pryder yn rhengoedd y Blaid Lafur yng Nghymru, yn arbennig gydag etholiad cyffredinol yn debygol yn 1951. Rhaid oedd taro'n ôl ac, er nad oes tystiolaeth ar glawr i gadarnhau hynny, mae'n debyg y gofynnwyd i Huw T lunio pamffled yn gwrthwynebu'r ymgyrch ac yn benodol i ymosod ar Blaid Cymru a'i harweinydd Gwynfor Evans. Y farn oedd mai Plaid Cymru oedd y tu cefn i'r ymgyrch, a'r blaid honno oedd y debycaf o elwa o'r ymchwydd yn y gefnogaeth i'r mudiad.

Achosodd pamffled ymfflamychol Huw T, *They went to Llandrindod*, gryn gyffro pan y'i cyhoeddwyd ar Ddydd Gŵyl Dewi 1951, a barnai un colofnydd fod Huw T 'yn tywallt llifeiriant o'r dyfroedd oeraf am ben yr holl syniad' o senedd.[44] Cymysgedd o syniadau, honiadau a hyd yn oed atgofion a geid ym mhamfflled pryfoclyd Huw T. Dechreuodd drwy honni nad oedd ystyr i gariad at wlad os nad oedd y cariad hwnnw'n ymestyn i gynnwys y bobl oedd yn byw ynddi, a gorffennodd drwy honni mai Plaid Cymru oedd yr unig brif rwystr i 'undod Cymru'. Yn ei dyb ef, roedd angen wynebu problemau Cymru'r presennol a'r dyfodol yn hytrach na chyfeirio'n ôl byth a beunydd at ddadleuon hesb y gorffennol. Dadleuodd fod Cymru wedi elwa ar lwyddiant y llywodraeth Lafur a ddaethai i rym yn 1945, a chyfeiriodd at y trawsnewidiad a fu yn economi'r wlad o'i gymharu â'r tlodi a'r diweithdra a nodweddai'r cyfnod rhwng y ddau Ryfel Byd. Roedd yn argyhoeddedig mai gweithred hynod beryglus fyddai torri'r cysylltiad economaidd rhwng Cymru a Lloegr. Honnodd mai'r Blaid Lafur, yn hytrach na'r pleidiau a fynychodd y cyfarfod yn Llandrindod, oedd yn cynrychioli barn pobl Cymru orau, a chynhwysodd ystadegau etholiadol i brofi hynny. Pe ceid senedd, meddai, byddai aelodau o ardaloedd poblog Morgannwg a Mynwy yn ei rheoli ac ni fyddai modd sicrhau deddfwriaeth gadarn i gefnogi'r iaith Gymraeg heb gytundeb y mwyafrif di-Gymraeg hwnnw. Yn ei dyb ef, roedd angen Siarter Iaith a fyddai'n dod â'r Cymry Cymraeg a'r di-Gymraeg at ei gilydd.

Barnai Huw T hefyd fod oddeutu 6 y cant o bobl Cymru o blaid ymreolaeth, tua 18 y cant o blaid Senedd megis eiddo Gogledd Iwerddon, 56 y cant dros fwy o ddatganoli nag a geid y pryd hwnnw, a 20 y cant yn fodlon gyda'r sefyllfa fel ag yr oedd. Nid oedd sail, felly, i'r galwadau a ddeuai o du Plaid Cymru na'r Ymgyrch dros Senedd i Gymru. Ei feddyginiaeth ef oedd Siarter yn cynnwys deuddeg pwynt. Ymhlith y rhain roedd dewis prifddinas; cynnal cyfarfod am dridiau bob blwyddyn pryd y gallai Aelodau Seneddol Cymru, cynrychiolwyr awdurdodau lleol a mudiadau crefyddol a diwylliannol y genedl, gydgyfarfod i drafod materion Cymreig; datblygu'r gwasanaeth sifil yng Nghymru, a sefydlu amryw bwyllgorau i drafod materion megis yr economi a'r celfyddydau.

Roedd yr ymosodiad mwyaf ffyrnig yn y pamffled yn ymosodiad ar Blaid Cymru. Tybiai Huw T mai un o'r camgymeriadau mwyaf yn hanes Cymru fodern oedd sefydlu'r Blaid Genedlaethol ac mai amgenach peth fyddai i aelodau'r Blaid weithio trwy'r pleidiau eraill yn lle bodloni ar brotestiadau. Wrth fynegi ei barch at Saunders Lewis, bu'n dra angharedig wrth Gwynfor Evans. Barnai ei fod '…yn rhy fwyn, rhy hygar, ie, rhy hawddgar i lwyddo yn ei arweinyddiaeth wleidyddol'.[45]

Nid oedodd Gwynfor Evans yn hir cyn ymateb i gynnwys y pamffled. Mewn araith a draddodwyd yng Nghastell-nedd, dywedodd yn goeglyd: 'Llenwi posau croesair yw difyrrwch rhai yn eu horiau hamdden, ond difyrrwch amlwg Mr Huw T Edwards yw llunio polisïau i Gymru. Mae ganddo athrylith i hyn a lluniodd ddegau yn ei amser, pob un yn wahanol i'w gilydd... Dichon y bydd ganddo bamffled a pholisi arall ymhen y rhawg.'[46] Nid oedd y wasg yn garedig chwaith. 'This hotch-pot of ideas will please no-one,' taranodd y *Western Mail*, tra mai 'nightmare of bureaucracy' fyddai cynllun Huw T ym marn 'Ninian' yn yr *Herald of Wales*. Ym marn y *Caernarfon and Denbigh Herald*, rhoddai Huw T ei blaid ymhell o flaen ei wlad, gan ychwanegu: '... if the Socialists cannot rule Wales their own way, then they will not allow anyone else to rule it'.[47] Cafwyd ymateb deifiol hefyd gan olygydd y *Welsh Nation*, cylchgrawn Plaid Cymru:

> If for a few moons this gentleman could manage to keep still we might be able to see whether his present coat of many colours has been tailor-made at Transport House or recently borrowed from the threadbare wardrobe of Mr Cliff Protheroe.[48]

Nid oedd *They went to Llandrindod* yn enghraifft o Huw T ar ei fwyaf doeth. I raddau, roedd yn nodweddiadol o'i duedd i gymysgu syniadau a rhagfarnau a hel sgwarnogod. Byddai hynny'n iawn fel arfer mewn araith, lle roedd angen i ddiddori'r gynulleidfa drwy bryfocio ymateb, ond nid mewn print. Mewn gwaed oer y darllenid y pamffled, ac roedd y beirniadaethau a dderbyniodd o sawl cyfeiriad yn ddilys. Yn wir, mae'n amlwg ei bod yn edifar ganddo lunio'r fath ddeunydd. Nid yw'n cyfeirio at y pamffled yn ei hunangofiant ac, yn ôl ei gyfaill Tom Jones, byddai'n difa pob copi y deuai ar ei draws.[49]

Mae'n siŵr bod llawer i wleidydd Llafur yn falch iawn o ymosodiadau Huw T ar Blaid Cymru wrth iddynt bryderu am effaith penderfyniad y Llafurwyr hynny i gefnogi'r Ymgyrch Senedd i Gymru. Ar y llaw arall, gobeithiai Huw T y byddai'r Blaid Lafur yn cymryd sylw o'i 'Siarter deuddeg pwynt' a'i droi'n bolisi i'r blaid, ond er mawr siom iddo ni ddigwyddodd hynny. Yn y pen draw dylid ystyried y pamffled fel achos o Huw T yn ildio i bwysau gan y Blaid Lafur yn ganolog i wrthsefyll yr Ymgyrch Senedd i Gymru ac yna'n mynd dros ben llestri gyda'i feirniadaeth. Serch hynny, roedd dilysrwydd yn perthyn i'w gŵyn nad oedd yr Ymgyrch wedi ystyried gwir natur y senedd y gelwid amdani, ac ym marn Huw T roedd angen troi'r slogan yn bolisi.

Erbyn mis Awst 1951 defnyddiodd Huw T ei adnabyddiaeth o'r newyddiadurwr Gwilym Roberts i gyfleu neges dra wahanol i'r un a fynegai chwe mis ynghynt. Yn ei golofn yn y *Daily Post*, awgrymodd Gwilym Roberts fod *They went to Llandrindod* yn 'nothing more than a temporary loss of vision' gan Huw T.[50] Anodd dychmygu mai neb llai na Huw T ei hun oedd wedi bwydo'r ymadrodd hwn i'r newyddiadurwr. Mewn cyfweliad dethol gyda Roberts, mynegodd Huw T beth yn union oedd ei safbwynt chwe mis ar ôl 'colli ei weledigaeth dros dro'. Dywedodd iddo ofyn i Blaid Cymru bum mlynedd ynghynt i eistedd i lawr a thrafod pa fath o senedd roedd ei hangen ar Gymru, ond mynnai mai agwedd y Blaid oedd ymgyrchu dros senedd yn y lle cyntaf ac yna penderfynu beth ddylai ei dyletswyddau fod. Cwynai fod Cymru bellach yn 'happy hunting ground for sloganism', a beirniadai'r ymosodiadau cyson gan y Blaid ar y llywodraeth. Gan efallai geisio gwneud iawn am ei ymosodiad annheg ar Gwynfor Evans, dywedodd ei fod yn parchu llawer o arweinwyr y Blaid. Tybiai fod 'my aims and theirs are not unidentical. Our basic difference is method'. Bellach yr oedd yn awyddus i drafod â Phlaid Cymru ar ôl yr etholiad cyffredinol er mwyn ystyried sut i wireddu'r freuddwyd o senedd i Gymru ar linellau ffederal. Byddai hynny'n golygu senedd o fewn y Deyrnas Unedig ac iddi hawliau penodol a ddatganolwyd gan San Steffan.[51]

Wedi i'r Ceidwadwyr ennill etholiad cyffredinol Hydref 1951, nid oedd yr un pwysau ar Huw T i fod yn deyrngar i safbwyntiau ffurfiol y Blaid Lafur. O hynny ymlaen roedd ef, a llawer i Lafurwr arall o ran hynny, yn teimlo'n fwy rhydd i ddatgan ei farn. O fewn dwy flynedd o gyhoeddi *They went to Llandrindod*, cafodd Huw T ei ddenu'n swyddogol i rengoedd yr Ymgyrch Senedd i Gymru gan ddod yn un o is-lywyddion yr Ymgyrch. Mewn cyfarfod yn y Rhyl ym mis Awst 1953, honnodd: 'Ni all Cymru fyth obeithio dod yn wlad lle y gall ei thrigolion fyw bywyd teilwng, hyd oni chaiff yr hawl i lywodraethu ei materion ei hun.' Roedd mwy o gysondeb yn safbwynt Huw T nag yr ymddangosai ar yr wyneb. Mewn cyfarfod o'r Ymgyrch yn Eisteddfod Genedlaethol Llanrwst rai dyddiau ynghynt, penderfynwyd dilyn llwybr senedd ffederal, sef union safbwynt Huw T; roedd hynny, chwedl Huw T, yn sicrhau '... that the economic fabric was not going to be torn to shreds'.[52]

Rhoddodd y cyfarfod yn Llanrwst, yn ogystal â thröedigaeth Huw T, hwb sylweddol i ymgyrch a oedd yn gwegian ar y pryd. Cafodd yr Ymgyrch ail wynt ac aed ati'n fwy brwdfrydig nag erioed i gasglu enwau ar y ddeiseb. Yn ogystal, cafwyd trefniadaeth fwy effeithiol dan ofal Elwyn Roberts, un o hoelion wyth Plaid Cymru.[53] Nid oedd y Blaid Lafur yn fodlon ag ymddygiad y rebeliaid Llafur a oedd yn parhau i gefnogi'r Ymgyrch – rebeliaid a oedd bellach yn cynnwys Huw T yn eu rhengoedd. Rhybuddiwyd Cliff Prothero gan Huw T y byddai unrhyw weithred o ddisgyblaeth yn erbyn yr Aelodau Seneddol hynny a gefnogai'r Ymgyrch yn gorfod cael ei gymryd yn erbyn rhai eraill hefyd, gan ei gynnwys ef.[54]

Ar ddechrau 1954, mynegodd Jim Griffiths ei ofid pan siaradodd Huw T ar lwyfannau'r Ymgyrch yn Rhydaman a Llanelli. Hon oedd etholaeth seneddol Griffiths, ac ofnai y byddai ymddangosiad Huw T ar yr un llwyfan â phleidiau eraill yn debygol o fod yn niweidiol iddo ef yn bersonol. Yn fuan wedi hynny ysgrifennodd Huw T at Eirene White gan esbonio ei safbwynt ar 'all this fuss'. Yn y llythyr hir a phwysig hwn, cyfeiriodd at y ffaith i Cliff Prothero anfon rhybudd 'semi private' parthed ymgeiswyr seneddol yn mynd i siarad mewn etholaethau heb ganiatâd y 'sitting tenant', ond gan nad oedd Huw T yn ymgeisydd ni welai fod hyn yn berthnasol iddo. Credai y byddai Jim Griffiths yn deall ei fod yn ymweld â'r etholaeth fel sosialydd a oedd yn cefnogi '... a Federal Parliament, but never, I hope, forgets his socialism... I cannot see how sharing a platform with other supporters weakens Labour's cause.' Ychwanegodd Huw T hefyd na fyddai fyth yn ymuno â Phlaid Cymru. Barnai fod ei safbwynt yn eglur. Nid aeth i Landrindod oherwydd na chafwyd manylion ynglŷn â pha fath o senedd roedd ei hangen ac oherwydd bod senedd ymhen pum mlynedd yn 'nonsense & leading Wales up the garden path'. Yn y cyfarfod yn Llanrwst penderfynwyd mai'r nod oedd senedd ffederal, ac roedd hynny'n dderbyniol ganddo ef.

Aeth ymlaen i gyfeirio at ei bamffled *They went to Llandrindod*, a chan gyfeirio'n benodol at ei siarter ar gyfer datganoli, meddai: '... it may not have been the right charter, but I did expect that the Labour movement in Wales would have shown some interest in that charter, or would have quickly produced one of its own. Nothing happened & as a result the MPs even started to talk in four different languages, leaving the movement bewildered and leaderless!' Cwynai nad oedd gan y Cynadleddau Llafur fyth amser i drafod materion Cymreig. Nid oedd yn deall pam bod yna wrthwynebiad i senedd ffederal, a rhestrodd ei ddadleuon o blaid senedd o'r fath:

- Nid oedd amser gan San Steffan i ystyried problemau Cymru
- Byddai gan y senedd bwerau dirprwyol a benderfynwyd gan San Steffan
- Bod ffederaliaeth wedi gweithio mewn gwledydd eraill
- Bod diffyg amser yn San Steffan i drafod materion rhyngwladol
- Bod gwir ryng-genedlaetholdeb ond yn weithredol pan fo mynegiant llwyr yn cael ei ganiatáu i bob cenedl
- Bod Llafur wedi cefnogi galwadau am ryddid gan wledydd eraill ond yn gwrthwynebu galwadau gan yr Alban a Chymru, gan adael y maes i'r cenedlaetholwyr

Honnai pe na bai Llafur yn credu bod Cymru'n genedl, yna

roedd y cyfan a ddywedai yn 'nonsense & impractical dreams', ond pe bai Llafur yn credu bod Cymru'n genedl, yna byddai synnwyr i'w ddadl. Barnai hefyd y byddai Jim Griffiths, ym mêr ei esgyrn, yn cytuno ag ef.[55]

Yn 1955 torrwyd ar draws yr Ymgyrch Senedd i Gymru gan ymgais S O Davies i gyflwyno mesur seneddol i roi hunanlywodraeth i Gymru. Methiant nid annisgwyl oedd yr ymdrech hon, ond unwaith eto rhoddwyd sylw cynyddol i'r cwestiwn o ddatganoli. Pan gyflwynwyd, yn 1956, ddeiseb sylweddol iawn yr Ymgyrch, yn cynnwys bron i chwarter miliwn o enwau, i'r Ysgrifennydd Cartref, Gwilym Lloyd George – mab y cyn-Brif Weinidog – cynyddwyd y pwysau ar y llywodraeth i ymateb i alwadau datganolwyr Cymru, gan gynnwys Huw T.

Ar yr un pryd, tra oedd y Blaid Lafur yng Nghymru, ac eithrio rhai rebeliaid, yn parhau'n elyniaethus i'r Ymgyrch Senedd i Gymru, gorfodwyd y blaid yn y cyfnod hwn i ailedrych o ddifri ar y cwestiwn o ddatganoli. Cynyddodd y pwysau ar iddi baratoi polisïau ar faterion penodol Gymreig, ac wrth i'r ddegawd fynd yn ei blaen dechreuodd y datganolwyr Llafur, ac yn bennaf Jim Griffiths, ennill y dydd yn erbyn gwleidyddion fel Iorrie Thomas a George Thomas a wrthwynebai'r syniad o gydnabod cenedligrwydd Cymru. Rhaid cofio hefyd mai gwrthblaid oedd y Blaid Lafur o 1951 ymlaen, ac yn mynd trwy gyfnod o gecru mewnol. Diflannodd y ddisgyblaeth a nodweddai'r blaid yn ystod y cyfnod 1945–50. Roedd Aneurin Bevan wedi ymddiswyddo o'r llywodraeth yng ngwanwyn 1950, a bu brwydr sur rhwng ei gefnogwyr ef a chefnogwyr Hugh Gaitskell yn ystod y 1950au ynglŷn â dyfodol y blaid.[56] Rhoddodd hynny fwy o ryddid i Huw T ddatgan barn ar faterion fel datganoli, ac yn rhinwedd ei swydd fel cadeirydd Cyngor Cymru telid sylw i'w ddatganiadau niferus.

★   ★   ★

Tra oedd yr Ymgyrch Senedd i Gymru wrthi'n casglu enwau i'w ddeiseb, a'r Blaid Lafur yn rhedeg mewn cylchoedd, ystyriai Cyngor Cymru sut orau i hyrwyddo achos datganoli, ac yn arbennig felly ddatganoli gweinyddol. Er na fu Huw T yn gefnogol i'r syniad o Ysgrifennydd Gwladol, wedi iddo ymweld â'r Alban fel rhan o ddirprwyaeth gan y Cyngor ym Mai 1951, newidiodd ei feddwl ar y pwnc. Yn ei adroddiad dywedodd fod yr ymweliad yn fwy defnyddiol nag yr oedd wedi'i rag-weld: 'The first clear impression that we had was that Scotland felt far more independent of Westminster than we do in Wales and that the State Departments, together with the Secretary of State, are really able to deliver the goods.'[57] Credai i'r Albanwyr lwyddo i briodi anghenion amaethyddol a choedwigaeth yn llawer mwy llwyddiannus nag a wnaed yng Nghymru, ac nad oedd datblygiadau hydro-electrig yn amharu ar yr 'Highlands' fel yr ofnid.[58] Barnai Huw T, felly, fod llawer o wersi i Gymru eu dysgu o brofiadau'r Alban. Deuai 'cydraddoldeb â'r Alban' yn fantra i ddatganolwyr yn y cyfnod hwn ac, i raddau, mae wedi parhau felly i mewn i'r unfed ganrif ar hugain.

Fel y cyfeiriwyd eisoes, nod personol Huw T oedd sefydlu senedd ffederal i Gymru, ond deallai hefyd mai dymuniad cyffredinol aelodau'r Cyngor oedd creu swydd Ysgrifennydd Gwladol. Fel cadeirydd y Cyngor, roedd yn ofynnol i Huw T gydsynio â'r dymuniad hwn; teimlai hefyd mai hyrwyddo achos datganoli oedd yn bwysig, ym mha fodd bynnag y digwyddai hynny. Roedd hefyd yn gredwr cryf mewn datblygu swyddfeydd y gwasanaeth sifil yng Nghymru gan roi iddynt gymaint o annibyniaeth ag a oedd yn bosibl, ac roedd hynny'n safbwynt a goleddid gan ei gyd-aelodau.

Ar ddechrau 1954, yn y cyfarfod gyda Fyfe y cyfeiriwyd ato'n gynharach, mynegodd Huw T deimladau'r Cyngor y byddai sefydlu Swyddfa Gymreig a swydd yr Ysgrifennydd Gwladol yn cael ei groesawu, a gobeithiai y gallai hynny ddigwydd o fewn cyfnod y senedd bresennol.[59] Ond gwyddai nad oedd hyn yn debygol o gael ei wireddu heb fod achos cryf wedi'i baratoi, a hwnnw'n seiliedig ar ffeithiau, yn hytrach na thrwy fynegi rhyw ddyheadau cenedlaetholgar annelwig heb sail ymarferol iddynt. Aeth y Cyngor ati o 1953 ymlaen, felly, i astudio natur peirianwaith llywodraethu Cymru a dod ag argymhellion gerbron y llywodraeth yn seiliedig ar yr astudiaeth mewn dogfen bwysig – rhan o Drydydd Memorandwm y Cyngor – a gyhoeddwyd yn Ionawr 1957.

Cafwyd sawl ymgais i ystyried y pwnc hwn o ddyddiau cynta'r Cyngor, a gwnaed argymhellion ynglŷn â chyfrifoldebau swyddfeydd y llywodraeth yng Nghymru fel bod mwy o statws ac awdurdod gan y gweision sifil ynddynt i weithredu'n annibynnol yng Nghymru. Gweithredwyd ar rai o'r argymhellion hyn gan gynnwys, er enghraifft, trosglwyddo i Gymru holl gyfrifoldeb gweinyddol swyddfa Gymreig y Weinyddiaeth Llywodraeth Leol a Chynllunio a arferai fod yn gyfrifoldeb i Whitehall. Gwelwyd hwn gan y Cyngor fel cam tuag at sefydlu 'a Welsh Department of State' ac y gellid ystyried y byddai creu'r swydd Ysgrifennydd Gwladol yn gam naturiol gyda'r bwriad iddo fod yn bennaeth ar weinyddiaeth o'r fath. Nid oedd y llywodraeth yn ddall i'r strategaeth hon. Ysgrifennodd gwas sifil yn y Trysorlys cyn gynhared ag Ebrill 1951: 'Clearly what is aimed at is a uniform arrangement for a series of Welsh offices located in Wales, with powers broadly equivalent to their counterparts in Scotland. That is stage one in the Council's campaign.'[60] Yr ail gam fyddai Ysgrifennydd Gwladol.

Wedi hynny aed ati yn 1954, ar ôl ymgynghori â'r Swyddfa Gartref, i ymchwilio i'r cwestiwn o ddatganoli gweinyddol, ac yn arbennig felly i'r cyfrifoldebau a ddirprwywyd i benaethiaid y swyddfeydd Cymreig. Rhoddid ystyriaeth hefyd i 'the character and adequacy of arrangements between Headquarters' Departments and their Welsh Offices for ensuring that Welsh aspects of departmental policies were fully considered.'[61] Gwnaed llawer o'r gwaith ymchwil gan was sifil ifanc brwdfrydig a thalentog, John Clement, Cymro

Cymraeg o Felindre, ger Abertawe – un a fu'n cynghori Huw T dros y blynyddoedd dilynol. Yn 1955 ymgymerwyd â'r gwaith o adeiladu ar yr wybodaeth gan banel o'r Cyngor dan gadeiryddiaeth Syr William Jones; y cylch gorchwyl oedd 'to examine the machinery of Government administration in Wales, and to report'.[62] Nid oedd bwriad i adrodd ar ddatganoli o safbwynt y posibilrwydd o ddeddfu drwy sefydlu senedd, nac ar ddulliau gweithredu'r diwydiannau cenedlaethol yng Nghymru. Nid oedd chwaith unrhyw fwriad i adrodd ar lywodraeth leol. Y bwriad oedd canolbwyntio'n llwyr ar weinyddiaeth ganolog y llywodraeth yng Nghymru; roedd y panel i ystyried yr holl sefyllfa o'r newydd a thrwy hynny roi stamp cyfoes i'w argymhellion.

Barnai Huw T y byddai angen 'sylfeini gweinyddol cadarn' cyn ystyried datganoli pellach. Bu bron i'r gwaith gael ei atal pan awgrymwyd y dylid sefydlu Comisiwn Brenhinol i astudio'r cwestiwn yn hytrach na bod y gwaith yn cael ei wneud gan y Cyngor. Mewn llythyr at yr Ysgrifennydd Cartref, Gwilym Lloyd George, yn Ebrill 1955 mynegodd Huw T ddicter y Cyngor gan awgrymu mai 'delaying tactic' fyddai sefydlu Comisiwn Brenhinol.[63] Cafodd yr ymateb hwn gryn effaith a phenderfynodd y llywodraeth beidio â sefydlu Comisiwn, gan adael i'r Cyngor fynd ati i baratoi ei adroddiad.[64]

Cyhoeddwyd adroddiad y Cyngor yn Ionawr 1957, ac roedd yn amlwg i'r panel a oedd yn gyfrifol am yr ymchwil fynd i gryn drafferth i gasglu ynghyd dystiolaeth fanwl a chynnig dadleuon grymus.[65] Ym marn y Cyngor, roedd gwendidau amlwg yn nulliau gweinyddu'r llywodraeth yng Nghymru ac roedd angen gweithredu i greu trefn fwy effeithiol gyda'r bwriad o adnabod problemau penodol Gymreig. Bernid bod angen mwy o gydlynu gweithgareddau rhwng y swyddfeydd yng Nghymru a bod angen gweision sifil ar raddfeydd uwch i weithio yng Nghymru. Ystyrid hefyd bod y diffyg yn awdurdod gweithredol y gweinidog â chyfrifoldeb am faterion Cymreig yn wendid mawr. Argymhellid sefydlu gweinidog yn y

Cabinet, yn dwyn y teitl Ysgrifennydd Gwladol i Gymru, gydag awdurdod gweithredol mewn meysydd penodol. Argymhellid hefyd y dylid creu trefniadau arbennig i Gymru yn y meysydd hynny lle na fyddai gan y gweinidog arfaethedig awdurdod drostynt.

Gobeithiai Huw T y byddai argymhellion y Cyngor yn cael eu derbyn gan y llywodraeth ac y byddai hynny'n cyfiawnhau holl lafur y Cyngor dros y blynyddoedd. Roedd y Cymry hynny, o sawl plaid a safbwynt, wedi ymdrechu'n ofer oddi ar yr Ail Ryfel Byd i roi hunaniaeth i'r genedl drwy amrywiol ddulliau o ddatganoli grym. Er i lywodraethau'r cyfnod ganiatáu rhoi consesiynau – ac yn fwy na chonsesiynau anfoddog – nid oedd Huw T a'i debyg wedi llwyddo i ennill fawr ddim dros y blynyddoedd. Mae'n wir i Gyngor Cymru adlewyrchu Cymru fel uned ddaearyddol am y tro cyntaf ers canrifoedd, ond dim ond dylanwadu ar benderfyniadau a gymerwyd yn Llundain a wnâi.. Nid oedd i'r Cyngor – nac i Huw T ei hun, o ran hynny – unrhyw fath o rym; arhosai'r holl benderfyniadau o bwys yn ddiogel yn San Steffan ac, ym marn Huw T, yng nghoridorau dirgel Whitehall. Cafodd Huw T ei alw'n 'Brif Weinidog answyddogol Cymru' yn ystod y cyfnod hwn ond, yn ddiamau, 'prif weinidog' heb rym ydoedd. Gallai ymateb cadarnhaol gan y llywodraeth i adroddiad y Cyngor newid y sefyllfa'n gyfan gwbl.

Y teulu, tua 1897: Huw T yw'r bachgen bach sy'n dal llaw ei fam.

Gyda'i ful ar lethrau Tal-y-fan, tua 1900

Ym Mhontypridd, yn ei siwt newydd, 1909

Yr Huw T ifanc a golygus

Ar 'leave' o'r rhyfel, gyda'i frawd
Bob, 1915

Bonc 4, chwarel Penmaenbach, 1927: Huw T yn y cefn ar y dde yn dal gordd

Ymgyrchwyr Llafur ym Mwrdeistrefi Caernarfon, etholiad cyffredinol 1929; Huw
T yn eistedd ar bwys yr ymgeisydd dall, Tomos ap Rhys (gyda'r ffon)

Y gwerinwr ar y grîn

Gyda Sam Ithell yn ystod
cynhadledd yr undeb yn
Bridlington, 1939

Swyddogion y *T&G* yng ngogledd Cymru, gydag Arthur Deakin yn eu canol, a Huw T ar ei law chwith, 1940

Wrth ei waith, gyda'i hen gyfaill, ei getyn

Cyngor Rhanbarthol Cymru o'r Blaid Lafur, 1947: Huw T ar bwys Cliff
Prothero; hefyd yn y llun mae Goronwy Roberts, George Thomas, Elizabeth
Andrews, Douglas Hughes a Huw Morris Jones

Llafurwyr yn rali'r blaid yn y Drenewydd, Gorffennaf 1949; Huw T
yn y rhes flaen yn eistedd rhwng Aelod Seneddol Pont-y-pŵl, Daniel
Granville-West, a'r dirprwy Brif Weinidog, Herbert Morrison; Cliff
Prothero ar y dde

Y Prif Weinidog Clement Attlee yn
annerch yn Llandudno, 24 Medi 1949;
Huw T ar y chwith

Cartŵn o Huw T yng nghynhadledd y
Blaid Lafur yn Blackpool, 1947

Canfasio dros Eirene White yn sir y Fflint, 1950; o'r chwith: Sam Ithell, Huw T,
Hubert Morgan, John White, Eirene White a Jack Thomas

Huw T yn cyflwyno rhodd i Aneurin Bevan, mewn cyfarfod cyhoeddus yng
Nghorwen, Mawrth 1951

Cinio ymddeol Huw T o'r *T&G*, 1953; o'r chwith: Walter Stewart, Margaret
Edwards, Huw T, Arthur Deakin, Rosa Jones, Tom Jones, Haydn Williams

Yn cael ei dderbyn i Orsedd y Beirdd gan yr Archdderwydd Dyfnallt, Eisteddfod Genedlaethol Ystradgynlais, 1954

Dadorchuddio cofeb i filwyr Cymreig y Rhyfel Byd Cyntaf yn Ypres, Ebrill 1960.

Gyda'r actor a'r dramodyd o sir y Fflint, Emlyn Williams (canol y rhes flaen), yn ystod Eisteddfod Gendlaethol y Rhyl, 1953; hefyd yn y llun mae rhai o gyfeillion pennaf Huw T: Ceiriog Williams (rhes gefn ar y chwith eithaf), Moses Jones (rhes gefn pedwerydd o'r chwith) a Haydn Williams (rhes flaen ar y chwith eithaf)

Noson anrhegu Huw T am ei wasanaeth i Gyngor Cymru, Ionawr 1959; o'r chwith: Syr Clayton Russon, Huw T, yr Athro Henry Lewis a Henry Brooke

Dau undebwr llafur mawr yn cwrdd yn Washington D.C., 1958: Huw T a John L Lewis, Llywydd Undeb Mwynwyr yr Unol Daleithiau

Y dyn teulu: gyda'i wraig a'u hwyresau, Sioned (yn ei freichiau) ac
Eleri, tua 1954

Ymhlith teulu a ffrindiau, tua 1960, gan gynnwys Huw T a'i wraig, Beti a
Nath Williams, Norman a Hazel Beckett, Ceiriog a Men Williams, Sam Jones,
Norman Stewart, Dr a Mrs Haydn Williams, Mr a Mrs Moses Jones.

Gydag Ivor E Davies, yng nghinio jiwbili y Mutual, Penmaen-mawr, 1960

Yn cynorthwyo Mrs Men Williams, yr Wyddgrug, i newid olwyn car

Yn ei hwyliau ar lwyfan ymgyrch
Plaid Cymru, 1959

Gyda Keidrych Rhys a 'Miss Wales',
1958

Cartŵn o'r *South Wales Echo*, 1959

Yn cynorthwyo staff y Bwrdd Croeso, 1960

Staff y Bwrdd Croeso, 1965; Lyn Howell yn sefyll y tu ôl i Huw T

Ym mar y beirdd, y Ceffyl Gwyn, Llanfair Dyffryn Clwyd, gyda'i
gyfeillion llengar Rhydwen Williams a Gwilym R Jones

Yng ngwesty'r Dragon yn ystod Eisteddfod Genedlaethol Abertawe, Awst 1964;
o'r chwith i'r dde: Frank Brown (TWW), Huw T, John Baxter (TWW), Syr
Grismond Philipps, yr archdderwydd Cynan, R Bryn Williams (enillydd y gadair)
a Rhydwen Williams (enillydd y goron)

Yn cymryd ei ddyletswydd gyda'r Bwrdd Ysbytai o ddifrif!

Ymfalchïai Huw T yn y Gwasanaeth Iechyd, a'i nyrsus.

Ger ei hen gartref Pen-y-ffridd, Ro-wen, ddiwedd yr 1960au

VII

'CADW LAN Â'R MACS'

Yr heriwr, 1956–58

B LWYDDYN GYTHRYBLUS OEDD 1956. Chwalwyd ymgais Hwngari i ennill rhyddid o reolaeth dwrn dur yr Undeb Sofietaidd, a chynyddodd y pryderon am ganlyniadau'r 'Rhyfel Oer' rhwng y Dwyrain a'r Gorllewin. Cynhaliwyd yr orymdaith gyntaf i Aldermaston i brotestio yn erbyn rhaglen arfau niwclear Prydain, a maes o law fe roddai Huw T gefnogaeth i fudiad newydd CND (*the Campaign for Nuclear Disarmament*).[1] Gwelwyd hefyd ddirywiad pellach yng ngrym yr Ymerodraeth Brydeinig wrth i gamlas Suez gael ei gwladoli gan arweinydd yr Aifft, Nasser – gweithred a arweiniodd at ffiasco rhyfel Suez ac ymddiswyddiad y Prif Weinidog, Anthony Eden.

Roedd yn flwyddyn gythryblus yng Nghymru hefyd. Gwelwyd y gair 'Tryweryn' yn cael ei ychwanegu at lecsicon yr iaith am y tro cyntaf, wrth i Gyngor Dinas Lerpwl ddechrau'r broses a arweiniodd at foddi Cwm Celyn yn Sir Feirionnydd er mwyn cyflenwi dŵr i'r ddinas. Deuai'r achos hwn, a'r gwrthwynebiad chwyrn a gafwyd iddo yng Nghymru, yn *cause célèbre*, gan godi ymchwydd cenedlaethol yn ei sgil. Honna cofiannydd Gwynfor Evans mai Huw T, yn ddiarwybod iddo, a brysurodd dranc Capel Celyn.[2] Rhoddodd gyngor i'r gweision sifil yn 1955 y byddai boddi Dolanog yn sir Drefaldwyn – dewis arall dan ystyriaeth gan Lerpwl – yn debygol o godi storm o brotest yng Nghymru, gan mai yno oedd cartref yr emynyddes Ann Griffiths. Mae'n debygol mai tacteg tynnu sylw gan Lerpwl oedd y sôn am Ddolanog – 'dichellwaith' ym marn un hanesydd – gan mai Tryweryn oedd prif darged y ddinas o'r cychwyn cyntaf.[3] Beth bynnag, ni ellir rhoi'r bai ar Huw T am amddiffyn Dolanog, a byddai'n cymryd rhan flaenllaw yn erbyn cynllun Tryweryn yn ystod y misoedd dilynol. Roedd Cyngor Cymru ei hun wedi dod i'r casgliad, yn gam neu'n gymwys, nad oedd modd iddo ymwneud ag achosion unigol parthed y diwydiant dŵr yng Nghymru – a beth bynnag, ni fyddai ganddo'r grym i atal cynlluniau Lerpwl. Serch hynny, argymhellwyd y dylid sefydlu pwyllgor ymgynghorol ar y diwydiant dŵr yng Nghymru a daeth yr 'Advisory Water Committee for Wales' i fodolaeth, wedi cryn oedi, yn 1958.[4]

Roedd 1956 yn flwyddyn brysur i Huw T hefyd. Daeth yn aelod o fwrdd y cwmni teledu annibynnol TWW ac, yn rhinwedd ei swydd fel cadeirydd Bwrdd Twristiaeth Cymru, roedd ynghlwm â'r paratoadau ar gyfer Gŵyl Cymru a oedd i'w chynnal yn 1958, gan ddefnyddio'r anfodlonrwydd yng Nghymru i bwyso ar y llywodraeth i ariannu'r fenter.[5] Dros gyfnod o dri mis yn ystod yr haf bu hefyd wrthi'n ysgrifennu cyfrol hunangofiannol.[6] Cyhoeddwyd *Tros y Tresi* yn hydref 1956, a'r flwyddyn ganlynol ymddangosodd cyfrol arall o'i eiddo, *It was My Privilege*, sef hanes datblygiad undebaeth llafur yng ngogledd Cymru.[7] Yn ogystal ag adrodd hanes difyr ei fywyd ei hun, yr hyn a geir yw'r awdur yn talu teyrnged i gyd-weithwyr a chyfeillion niferus, fel petai'n ffarwelio â chyfnod hir o weithredu dros ei gyd-weithwyr yn y mudiad llafur. Bellach, roedd Huw T yn symud mewn cylchoedd gwahanol. Byddai'n parhau i ymweld â Tom Jones a'i wraig Rosa, a chadwai mewn cysylltiad ag Eirene White, ond roedd erbyn hyn yn magu cyfeillgarwch fwyfwy â'i gyd-aelodau ar Gyngor Cymru a phwysigion diwylliannol y genedl fel T H Parry-Williams a Cynan.[8] Y flwyddyn ganlynol, 1957, derbyniodd ddoethuriaeth er anrhydedd gan Brifysgol Cymru, a hynny'n agor drysau eraill iddo ymhlith pobl amlyca'r byd academaidd. Daethai hefyd yn ffrindiau agos â'r awdures llyfrau i blant, Dyddgu Owen. Roedd hi'n brifathrawes ar ysgol breswyl i blant dan anfantais yng Nghyfronnydd, gogledd sir Drefaldwyn, a byddai Huw T yn galw yno'n gyson. Hi oedd yn gyfrifol am y gwaith golygyddol gwreiddiol ar *Tros y Tresi*, a chan ei bod yn genedlaetholwraig o argyhoeddiad roedd yn sicr o fod yn ddylanwad ar safbwyntiau gwleidyddol Huw T yn y cyfnod hyd nes iddi gael ei phenodi'n ddarlithydd yng Ngholeg y Drindod, Caerfyrddin, yn 1959.

Yn y cyfnod hwn hefyd y daeth Huw T yn gefnogwr brwd i'r *Faner*, y papur wythnosol a gyhoeddid gan Wasg Gee, Dinbych, gan achub y papur o drafferthion ariannol dybryd.[9] Drwy hynny daeth yn gyfaill agos i'r golygydd a'r is-olygydd, Gwilym R Jones a Mathonwy Hughes. Yn ogystal â'i ymwneud â'r *Faner*, cafodd Huw T gyfle i ddatblygu ei sgiliau barddonol wrth draed y prifeirdd blaenllaw hyn; pan ddaeth Rhydwen Williams yn weinidog ar gapel y Tabernacl, Y Rhyl, ym Mai 1957 treuliodd Huw T lawer o'i amser hamdden yng nghwmni'r tri llenor. Ar ben hyn oll, yn haf 1957, symudodd Huw T gyda'i deulu o Shotton i dŷ sylweddol yn Sychdyn, rhyw ddwy filltir o'r Wyddgrug, a enwodd yn Crud-yr-awel. Y rheswm pennaf am y symudiad oedd awydd y teulu i hwyluso taith Eleri a Sioned i ysgolion Cymraeg yr Wyddgrug, ond roedd arwyddocâd pellach i'r symudiad hwn i yrfa Huw T gan iddo dorri'r cysylltiad â Glannau Dyfrdwy Seisnigaidd ac ymgartrefu mewn ardal llawer mwy Cymreig ei naws. Treuliai Huw T fwy o'i amser bellach yng nghwmni cyfeillion o Gymry pybyr – rhai ohonynt yn byw yn yr Wyddgrug, fel Ceiriog Williams, prifathro Ysgol Daniel Owen yn y dre, Haydn Williams a Moses Jones. Ar wahân i'w hymlyniad at Gymreictod a'r 'pethe', roedd un ffaith yn gyffredin yn y cylch hwn o gyfeillion – roeddent i gyd yn aelodau o Blaid Cymru.

★ ★ ★

Tra rhoddid yr holl sylw cyhoeddus i achos Tryweryn, roedd Cyngor Cymru wrthi'n paratoi ei Drydydd Memorandwm a oedd yn cynnwys galwad am sefydlu Swyddfa Gymreig ac Ysgrifennydd Gwladol yn ben arni. Cwblhawyd y memorandwm ym mis Hydref 1956 a'i gyhoeddi yn Ionawr 1957. Nid oes amheuaeth bod yr achos a roddwyd gerbron y llywodraeth yn un cryf. Roedd yn seiliedig ar ymchwil fanwl i beirianwaith llywodraethu Cymru gan brofi – petai modd gwneud hynny – y byddai trefn newydd o weithredu'n debygol o fod yn fwy effeithiol o safbwynt gweinyddu Cymru. Cafodd yr achos gymeradwyaeth gyffredinol yng Nghymru. Ni fyddai'r argymhellion yn bodloni cenedlaetholwyr a alwai am senedd, ond o weithredu'r drefn byddai'n gam ymlaen i gydnabod Cymru fel endid cenedlaethol.

Serch hynny, claear oedd ymateb y llywodraeth a'i Phrif Weinidog newydd, y tadol Harold Macmillan. Penderfynodd y Cabinet, yn ei gyfarfod ar 29 Ionawr 1957, wrthod y syniad o Ysgrifennydd Gwladol, ond am fisoedd lawer ni chafwyd ymateb swyddogol gan y llywodraeth i'r memorandwm; yn y cyfamser, amlygwyd agwedd negyddol i'r argymhellion gan weision sifil Whitehall.[10] Eu barn hwy oedd y byddai sefydlu adran weinyddol Gymreig yng Nghaerdydd yn golygu dymchwel y trefniant adrannol gweinyddol canolog yn Llundain.[11] Dadleuent nad oedd y Cyngor yn gymwys i adrodd ar y mater gan nad oedd gan aelodau'r Cyngor ddigon o brofiad o gymhlethdodau cyfrifoldebau gweinidog y llywodraeth, nac unrhyw brofiad o fodel yr Alban, ac nid oedd yr un ohonynt wedi bod yn was sifil yn Llundain. Yn wir, gwelir yng nghofnodion y llywodraeth yn y cyfnod hwn agwedd nawddoglyd – a ymylai ar fod yn sarhaus – at Gymru a'r Cyngor. Bron y gellid ei disgrifio fel agwedd yr Ymerodraeth Brydeinig at ryw drefedigaeth fach anystywallt ym mhen draw'r byd.

Roedd gan lywodraeth newydd Macmillan, a ffurfiwyd yn

Ionawr 1957, esgus da dros beidio ag ymateb yn syth i femorandwm y Cyngor. Penderfynwyd y byddai'r portffolio Cymreig yn symud o'r Swyddfa Gartref i'r Weinyddiaeth Dai a Llywodraeth Leol ac o dan ofal y gweinidog yno, Henry Brooke. Maes o law, deuai Brooke yn destun gwawd yng Nghymru ac, yn ddiweddarach yn ei yrfa, yn darged cyson i ddychanwyr yr 1960au. Fodd bynnag roedd yn wleidydd hynaws a phraff, yn drylwyr yn ei waith ac, ym marn un gwas sifil, yn rhy onest ar adegau.[12] Cymraes oedd ei wraig, ac roedd yn amlwg ei fod yn bur hoff o Gymru.[13] Nid oedd arno ofn amhoblogrwydd ac ni fyddai chwaith yn chwerwi o dderbyn beirniadaeth gan dderbyn digon o hynny am ei fethiant i wneud safiad dros fuddiannau Cymru, fel yn achos Tryweryn. Yn naturiol, roedd y llywodraeth am weld a fyddai'r drefn newydd yn effeithiol cyn ystyried argymhellion y Cyngor. Croesawodd Huw T y newid hwn gan roi 'cyfle i chwi [Brooke] ddangos eich metel', ond nid oedd chwaith am golli unrhyw gyfle i hyrwyddo'i achos.[14] Ysgrifennodd at brif was sifil y Weinyddiaeth Dai a Llywodraeth Leol, Dame Evelyn Sharpe, yn cynnig y dylid sefydlu isadran materion Cymreig o fewn y Weinyddiaeth Dai a Llywodraeth Leol yng Nghaerdydd, gan ysgrifennu:

> One of the main charges against the Home Office was that Welsh Affairs was mixed up with lunacy and all sorts of other matters, and the danger as I see it now is that the same charge will be levelled against your Ministry for mixing Welsh Affairs with something probably slightly less dangerous than lunacy. Frankly, unless Welsh Affairs are going to be segregated, then we shall not feel as effectively as I thought we might the change over from the Home Office.[15]

Ni ddaeth unrhyw beth o'r cais hwn ar y pryd. Roedd misoedd y gwanwyn a haf 1957 yn rhai rhwystredig i Huw T a'i debyg, a chafodd Huw T ei feirniadu am beidio â chollfarnu'r llywodraeth. Tra oedd y frwydr i achub Tryweryn yn cael ei cholli, a Brooke ei hun yn gadarn ei farn o blaid Lerpwl, roedd Cyngor Cymru yn dal i ddisgwyl ymateb gan y llywodraeth. Ymgynghorai'r llywodraeth gyda'r Blaid Geidwadol yng Nghymru yn y cyfnod hwn hefyd, gyda Brooke yn bresennol mewn cyfarfod o Geidwadwyr Cymru a gynhaliwyd ar ddiwedd Mai. Trafodwyd canlyniad arolwg o'r etholaethau, a dangoswyd bod y Ceidwadwyr yn gwbl ranedig yn eu safbwynt ar gynigion Cyngor Cymru. Roedd deg etholaeth, y mwyafrif o'r ardaloedd mwyaf Cymraeg, o blaid creu swydd Ysgrifennydd Gwladol, ond deuddeg yn gwrthwynebu.[16]

Ar yr un pryd, codwyd nyth cacwn gan y Gweinidog Addysg, yr Arglwydd Hailsham, a hynny mewn araith i'r Cyd-bwyllgor Addysg ym Mae Colwyn ar 14 Mehefin.[17] Un o argymhellion y Cyngor oedd y dylid symud y swyddfa addysg, gan gynnwys y prif was sifil Cymreig yno, i Gaerdydd, ond honnai Hailsham nad oedd y Cyngor yn gymwys i drafod y mater. Mynegwyd y farn hon yn gyson gan Hailsham mewn cyfarfodydd o'r Cabinet, gan honni: 'The pressure for these officials to be stationed in Wales was primarily political.'[18] Yn wir, cafwyd sawl ymgais yn ystod y 1950au i symud y swyddfa o Curzon Street, Mayfair, Llundain. Y drwg yn y caws yn yr achos hwn oedd yr ysgrifennydd parhaol ei hun, Syr Ben Bowen Thomas. Nid oedd ef am symud o Lundain gan ei fod yn treulio rhan o'i amser yn gweithredu gydag UNESCO, corff a hyrwyddai gydweithrediad rhyngwladol. Roedd y teithiau cyson i Baris, pencadlys UNESCO, yn rhwyddach iddo o Lundain nag o Gaerdydd, a barnai un gwas sifil y byddai'n rhwyddach ei berswadio i fynd i Ulan Bator na gwahardd ei dripiau i Baris.[19] Yn 1953 roedd gweision sifil eraill wedi sylweddoli nad oedd dadl Syr Ben yn dal dŵr, gan y gallai weithio am bedwar diwrnod allan o bump yng Nghaerdydd, a honnodd un yn bigog: 'The plain truth is of course that there is not a proper job as Welsh Secretary to occupy him full time: that is why he is able to concern himself with UNESCO.'[20]

Pan ddaethai Syr Ben gerbron Cyngor Cymru i drafod y peirianwaith ar gyfer gweinyddu addysg yng Nghymru, gwelwyd Huw T ar ei fwyaf miniog. Cofia John Clement yr achlysur hwn yn dda.[21] Wrth i Syr Ben gael ei groesholi gan aelodau eraill y Cyngor, gan gynnwys Syr William Jones a oedd wedi paratoi rhestr faith o gwestiynau, roedd Huw T yn dawel. Byrdwn tystiolaeth Syr Ben oedd mai ei waith ef oedd cynghori'r gweinidog ar faterion yn ymwneud ag addysg yng Nghymru, ac roedd yn amlwg fod y gweinidog yn derbyn ei gyngor gan ei fod yn arbenigwr yn y maes. Roedd ei ddylanwad ar benderfyniadau, felly, yn fawr. Wrth i'r cyfarfod ddirwyn i ben diolchodd Huw T i Syr Ben am ei sylwadau gan roi gwên ar wyneb y gwas sifil hunanfodlon. Ond roedd gan Huw T un cwestiwn arall, sef a oedd Syr Ben yn rhoi cyngor i'r gweinidog ar y cwestiwn o adleoli'i swyddfa yng Nghaerdydd? Ymatebodd Syr Ben gan ddweud bod gan y gweinidog ei farn ei hun ar y cwestiwn hwnnw ac nad oedd ef ei hun yn cynghori'r gweinidog ar y mater. Rhoddodd yr ateb hwn gyfle i Huw T wneud sylw deifiol. Dywedodd ei fod yn ddiolchgar o glywed bod gan y gweinidog ei feddwl ei hun ar yr un mater hwnnw. Drwy un cwestiwn clyfar roedd Huw T wedi llorio'r gwas sifil; diflannodd gwên Syr Ben a gadawodd y cyfarfod gyda'i gynffon rhwng ei goesau.

Roedd Huw T, felly, yn ymwybodol o gefndir araith Hailsham ac ymosododd yn chwyrn arno am feiddio rhoi sylw'n gyhoeddus i argymhellion y Cyngor tra oeddent yn dal i gael eu hystyried gan y llywodraeth. Haerodd Huw T fod Syr Ben yn fwy pwerus na'i weinidog yn yr achos hwn a bod datganiadau Hailsham yn 'improper' ac yn 'insult to the Minister for Welsh Affairs'.[22] Fodd bynnag, arhosodd Syr Ben yn Mayfair tan ei ymddeoliad yn 1963 a dim ond wedi hynny y trosglwyddwyd y drefn weinyddol o Lundain i Gaerdydd.

Ar 18 Mehefin aeth Huw T i'r Carlton Club yn Llundain i giniawa gyda Brooke a dau was sifil, Dame Evelyn Sharpe a Blaise Gillie. Nid oes cofnod o'r hyn a drafodwyd, ond cyn y cinio roedd Brooke wedi ysgrifennu at Huw T gan ddweud ei fod am weld partneriaeth go iawn rhwng y llywodraeth a'r Cyngor.[23] Mae'n debyg y byddai Huw T wedi defnyddio ffordd enillgar y 'consumate actor', chwedl Eirene White, ac yn sicr byddai wedi rhoi pwyslais ar y cwestiwn cenedlaethol yng Nghymru.[24] Yn ddiweddarach, anfonodd Brooke femorandwm at y Prif Weinidog yn pwysleisio bod 'relations between the Government and the Council for Wales are crucial in Wales'.[25]

Ym mis Gorffennaf, cafodd mesur Lerpwl i foddi Cwm Celyn ei ail ddarlleniad yn y Senedd, ond er i'r holl Aelodau Seneddol Cymreig a oedd yn bresennol wrthwynebu'r mesur cafwyd mwyafrif digonol i ganiatáu i'r ddinas fwrw ymlaen â'i chynllun. Er mai mesur preifat oedd hwn, cafodd gefnogaeth ddiamwys y Gweinidog dros Faterion Cymreig, ac o hynny ymlaen câi Brooke ei ystyried yn elyn pennaf gan genedlatholwyr. Yn gynharach yn 1957 roedd Huw T wedi awgrymu y dylai Brooke ymweld â'r Eisteddfod Genedlaethol, a oedd i'w chynnal yn Llangefni ddechrau Awst. Nododd Brooke ar y pryd: 'Excellent. But I feel certain that I shall be kept dumb, English not being permitted.' Awgrymodd Huw T y gallai siarad yn Saesneg yn ystod y te a drefnwyd ar gyfer y Cymry ar Wasgar, ac aed ati i baratoi ei araith.[26] Fodd bynnag, erbyn mis Gorffennaf roedd amhoblogrwydd Brooke yn debygol o arwain at brotestio ar faes yr Eisteddfod. Ofnai Gwynfor Evans 'derbyniad terfysgol' petai Brooke yn cael ei groesawu i'r pafiliwn ac y byddai'n edrych fel petai Cyngor yr Eisteddfod yn rhoi 'bendith' ar weithgareddau'r Gweinidog.[27] Penderfynodd Cyngor yr Eisteddfod, mewn ymgais i osgoi ffrwgwd, wahodd Brooke i eistedd yn y gynulleidfa ond iddo beidio â rhoi araith. Er bod Brooke yn awyddus i osgoi cael ei weld yn rhedeg i ffwrdd, nid oedd y cyfaddawd hwn yn dderbyniol i weinidog y Goron a phenderfynodd beidio â mynychu'r Eisteddfod o gwbl.

Tra oedd amhoblogrwydd Brooke yn cynyddu, roedd aelodau Cyngor Cymru yn mynd yn fwyfwy rhwystredig. Mynegodd prif bensaer yr adroddiad ar weinyddiaeth Cymru, Syr William Jones, a oedd yn dioddef o afiechyd ar y pryd, ei safbwynt yn ddigyfaddawd mewn llythyr at John Clement: 'I have no intention of assisting any further in the accumulation of Reports in London Government Offices upon which no action is taken but whatever step it may be necessary for me to take I want to make it quite clear that I am not taking it on the grounds of health so we will wait.'[28] Yn ddiweddarach mynegodd Syr William ei farn yn gyhoeddus: 'Y mae gweithrediadau'r llywodraeth yng Nghymru yn debyg iawn i waith rhywun yn cneifio mochyn – cawn ddigon o sŵn ond ychydig ar y naw o wlân!'[29]

Wrth aros am ymateb y llywodraeth, nid oedd Huw T am oedi yn ei gynllun i sefydlu cyw-Swyddfa Gymreig oddi mewn i'r Weinyddiaeth Dai a Llywodraeth Leol yng Nghaerdydd. Nid oedd unrhyw beth wedi deillio o'i gais am hyn ym mis Ionawr, ond codwyd y mater unwaith yn rhagor yng nghyfarfod y Cyngor ym mis Gorffennaf; credai Huw T i Dame Evelyn Sharpe gytuno i ad-drefnu'r swyddfa yng Nghaerdydd fel y byddai grŵp o staff arbenigol yno yn canolbwyntio'n llwyr ar faterion Cymreig. Erbyn mis Hydref, cwynodd Huw T i Brooke nad oedd dim wedi'i wneud i wireddu hyn. Y tu ôl i'r llenni anfonwyd negeseuon rhwng Evelyn Sharpe, Blaise Gillie a Brooke wrth iddynt geisio llunio ymateb i Huw T. Honnai Sharpe mai Huw T oedd yn gyfrifol am gamddeall y sefyllfa. Anfonwyd gwas sifil ychwanegol i Gaerdydd er mwyn rhyddhau Gillie a gwas sifil arall, H N Jerman, fel y gallent neilltuo mwy o amser i ymdrin â materion Cymreig. Serch hynny, gwyddent fod Huw T yn rhoi cryn bwyslais ar 'the public recognition of a separate Welsh Affairs Department' ac ofnai Brooke na fyddai'r trefniant a wnaed yn ei fodloni. Oherwydd hynny, penderfynwyd ymateb i lythyr Huw T drwy ddweud nad oedd modd gwneud sylw hyd nes y byddai'r llywodraeth yn ymateb yn llawn i'r Trydydd Memorandwm. Fodd bynnag, roedd yn amlwg beth fyddai agwedd y llywodraeth yn y mater – sef celu'r ffaith nad oedd y gweision sifil yn canolbwyntio'n llwyr ar faterion Cymreig, er yn dweud: 'the recognition of its [Welsh

Affairs Section] seperateness and prestige should be laid on as thick as possible'.[30]

Nid oedd modd i'r llywodraeth oedi ymhellach cyn ymateb i'r Trydydd Memorandwm. Yn ystod wythnosau olaf 1957 bu Huw T wrthi'n trafod a dadlau gyda'r llywodraeth gan ddefnyddio'r holl sgiliau negodi a ddysgodd dros y blynyddoedd. Ddiwedd Hydref paratôdd Brooke femorandwm hir ar gyfer sylw'r Prif Weinidog yn esbonio'i safbwynt. Barnai fod angen 'imaginative handling' wrth ymdrin â chyhoeddiad y llywodraeth, ac nid oedd am weld 'a blankly negative announcement'. Honnai:

> Feeling is running high in Wales just now, and therefore Welsh Affairs need particularly sensitive handling if we are not to stir up trouble there... It is imperative to avoid creating a situation where the large body of sensible and thoughtful people in Wales start – albeit reluctantly – to support the aims, though not the methods, of the Welsh Nationalists, through the spread of the feeling that Wales is merely used by the English for their convenience, and not treated a nation of its own, whose problems need special attention on their own merits.[31]

Cyfeiriodd at achos Tryweryn a'i farn nad oedd ganddo ddim dewis ond cefnogi Lerpwl gan mai dyma oedd yr unig 'rational solution to Merseyside's water needs'. Ei brif ystyriaeth oedd gwella'r berthynas â Chymru ac nid caniatáu iddi ddod '...as in truth it might become if we took no trouble, another Ireland'. Aeth ymlaen i sôn am Huw T gan fynegi ei barch a'i hoffter ohono:

> ... [Huw T Edwards] an elderly trade unionist of the best type and nationally respected figure, who welcomed my appointment at the outset as a definite improvement on the Home Office arrangement, has now turned sour. My personal relationship with him is of the friendliest, but he has been much criticised in Wales for welcoming the appointment, and unfortunately there has been nothing so far to prove that he was right. On the contrary, Tryweryn is widely thought to have proved him wrong.[32]

Aeth Brooke ymlaen i grybwyll syniad a gyflwynwyd iddo gan Huw T lle y gellid galw'r Gweinidog dros Faterion Cymreig yn Ysgrifennydd Gwladol i Gymru heb o angenrheidrwydd newid ei bwerau. Ystryw oedd hon gan Huw T, gan y gwyddai y byddai ennill y teitl yn siŵr o arwain at alwadau am ychwanegu at rym y swydd yn y pen draw. Ysgrifennodd Huw T at Brooke o gartref mawreddog Clayton Russon – Glan Mawddach, ger y Bermo – lle roedd yn aros gyda John Clement. Prif fyrdwn y llythyr oedd pwyso i gael y teitl Ysgrifennydd Gwladol: 'We all feel that probably it would be impossible in one bite to concede all that the Council has spelt out in its Third Memorandum and we are conscious of the fact that probably some compromise has to be arrived at.' Ei obaith oedd y byddai'r cyfaddawd yn cynnwys teitl, os nad pwerau, Ysgrifennydd Gwladol. Er ei anfodlonrwydd â'r sefyllfa, roedd yn parhau i fod yn ddigon cyfrwys i swcro Brooke: '...in spite of all the froth and controversy over Tryweryn, the Welsh people have a very warm regard for you and Mrs Brooke'.[33] Gwyddai y byddai'r cynnig hwn yn creu problemau i'r llywodraeth, a dyna a ddigwyddodd.

Mewn memorandwm arall at y Prif Weinidog, dyddiedig 25 Tachwedd 1957, mynegodd Brooke ei gefnogaeth i syniad Huw T ynghyd â'i barodrwydd i dderbyn beirniadaeth gan yr 'intelligentsia' a fyddai'n gweld trwy'r cynllun. Barnai y byddai peidio â chreu'r swydd mewn enw yn siomi dau fath o Gymro: y Cymro cyffredin nad oedd yn gwybod dim am weinyddiaeth y llywodraeth ond a oedd yn genfigennus o'r Alban, a chefnogwyr y Ceidwadwyr yng Nghymru a oedd wedi'u hargyhoeddi y byddai'r Sosialwyr yn cynnig hyn erbyn yr etholiad nesaf.[34]

Cyngor y gweision sifil oedd gwrthod yr awgrym. Trafodwyd y syniad gan Dame Evelyn Sharpe a Syr Norman Brook (Arglwydd Normanbrook wedi hynny), Ysgrifennydd y Cabinet a gwas sifil oedd â phŵer aruthrol. Mynegodd ei farn ddiamwys mewn memorandwm at y Prif Weinidog. Dywedodd fod Henry Brooke yn cyd-fynd nad oedd modd cytuno i'r syniad ar sail ystyriaethau ymarferol a gweinyddol, ond y credai '... as we are dealing with Wales, he cannot be guided solely by logic'. Byddai caniatáu defnyddio'r teitl Ysgrifennydd Gwladol yn rhoi 'emotional satisfaction' i Gymru, ond cyngor Syr Norman a Dame Evelyn oedd y dylai'r Prif Weinidog wrthod y syniad.[35]

Cynhaliwyd cyfarfod o'r Cabinet ar 3 Rhagfyr pryd y cytunwyd ar raglen a fyddai'n cynnwys rhai newidiadau yn y dull o weinyddu Cymru, ond ni ddaeth i benderfyniad ar y cwestiwn o roi'r teitl Ysgrifennydd Gwladol i'r gweinidog. Roedd y Prif Weinidog i ystyried y mater ymhellach. Nid oedd y gweision sifil yn segur yn y cyfnod hwn; anfonwyd neges ar 5 Rhagfyr at y Prif Weinidog, yr Ysgrifennydd Cartref, R A Butler, a Henry Brooke, a oedd yn mynychu parti 'cocktail' ar y pryd, yn honni, petai swydd Ysgrifennydd Gwladol yn cael ei chreu byddai angen i'r deilydd fod yn gyfrifol am wasanaethau fel y gwasanaeth sifil, y gwasanaeth tân, cyfraith a threfn, a hyd yn oed yr hawl i ddangos trugaredd mewn achosion o'r gosb eithaf yng Nghymru.[36] Ar yr un diwrnod cyfarfu Huw T â'r Prif Weinidog ynghyd â Henry Brooke yn Nhŷ'r Cyffredin am bedwar y prynhawn.

Barnai Huw T, yn ei gyfrol hunangofiannol *Troi'r Drol*, mai gwastraff amser oedd yr awr o gyfarfod – 'awr o nonsens' oedd hi iddo ef. Credai nad oedd gan Macmillan '... yr amgyffred lleiaf o ddyheadau cenedl' ac iddo dreulio'r awr yn malu awyr am ei gefndir syml, Albanaidd. Ni roddodd reswm dros wrthod argymhellion y Cyngor, ac aeth Huw T o'r cyfarfod yn gwbl rwystredig.[37] Credai John Clement, a oedd wedi teithio i Lundain gyda Huw T ond nad oedd yn bresennol yn y cyfarfod, ei bod yn bosibl bod Huw T wedi methu â chyfleu neges y Cyngor mor gadarn ag y gallai. Tybiai i Huw T dreulio amser yn trafod cwestiynau eraill, gan gynnwys yr iaith a'r economi, ac i hynny roi cyfle i Macmillan droi'r sgwrs oddi wrth brif bwnc dadleuol y cyfarfod.[38] Beth bynnag oedd y gwirionedd, nid oedd y ffrwydr wedi'i cholli ar 5 Rhagfyr. Roedd llythyron wedi'u drafftio yn cadarnhau bod swydd Ysgrifennydd Gwladol i'w chreu, er nad oeddent wedi'u harwyddo. Yn ei ddyddiadur am y diwrnod hwnnw, nododd Macmillan:

> Wales to be settled – S. of State or not? A great many formal and constitutional arguments are now being addressed by the Home Office (who are persistently opposed to this change). Meanwhile, the Chief Whip suggests the title 'Chancellor of the Principality of Wales'. But this would require legislation?[39]

Roedd y cyfeiriad at y Swyddfa Gartref yn arwyddocaol. Byddai Macmillan yn cyfeirio'n aml at y ffaith fod ganddo ormod o beli yn yr awyr ar yr un pryd ac nad oedd ganddo ddiddordeb mewn materion cartref. 'I left that side all to Rab [R A Butler] and Henry Brooke,' meddai.[40] Yn yr achos hwn Butler, yr Ysgrifennydd Cartref, oedd yn gyfrifol am danio'r ergyd a laddodd syniad Huw T. Ar 6 Rhagfyr, wedi cyfarfod â Sir Norman Brooke, Dame Evelyn Sharpe a Chwnsler Seneddol, anfonodd femorandwm at y Prif Weinidog:

> The principal conclusion is that, constitutionally, a Secretary of State for Wales need not exercise any administrative functions. But the real issue is one of practical politics. Can we resist pressure to give the new Secretary of State, from the moment of his creation, the functions at present exercised in Wales by the Home Secretary…? The Welsh will certainly not leave their new Secretary of State powerless and unoccupied for long.
>
> I myself feel that a paper change of name, unaccompanied by a transfer of functions, would be unlikely to appease Welsh sentiment. Would it not be more likely to inflame it? Even if we felt able to resist the pressure for transfer of functions which would build up, I do not think our successors would be able to do so.[41]

Ar 9 Rhagfyr anfonwyd brysneges (sydd wedi goroesi) at Huw T yn ei hysbysu y byddai oedi tan 11 Rhagfyr cyn y byddai'r llywodraeth yn cyhoeddi ei Phapur Gwyn ar Gymru.[42] Erbyn 10 Rhagfyr roedd Macmillan wedi dod i benderfyniad. 'I have wavered a good deal about this,' meddai wrth Brooke, ond roedd wedi dod i'r casgliad y byddai ei benodi'n Ysgrifennydd Gwladol yn '… a rather bogus plan the purpose of which is psychological and to some extent political'. Credai hefyd: '... there are possibilities for the future which should not be jeopardised'. Yn ei ymateb, awgrymodd Brooke y byddai Cymru'n siomedig: 'I expect it will rekindle the rather distracting agitation for the title as a symbol of national status. The Joneses want so much to keep up with the Macs.'[43]

Yn ei lythyr at y Cyngor, a gyhoeddwyd mewn Papur Gwyn yn dwyn y teitl 'Government Administration in Wales', honnodd y Prif Weinidog fod buddiannau Cymru'n debycach o gael eu datblygu drwy eu cysylltiad â Lloegr a phobl Lloegr: 'What Wales needs is not isolation from the rest of Britain but concentration of ability and wise understanding upon Welsh problems.' Nid oedd y llywodraeth yn derbyn bod angen creu gweinyddiaeth yng Nghymru, ond cyhoeddwyd rhai newidiadau yng nghyfrifoldebau swyddfeydd y llywodraeth yng Nghymru. Nid oedd y llywodraeth chwaith wedi'i hargyhoeddi bod angen Ysgrifennydd Gwladol, gan na fyddai gan y math o weinidog a argymhellid gan y Cyngor ddigon o bŵer gweithredol. Yn lle hynny, penderfynwyd penodi Gweinidog Gwladol ar Faterion Cymreig i gynorthwyo'r Gweinidog Materion Cymreig, a weithredai'n rhan amser yn y maes, yn ei waith. Byddai'r gweinidog newydd yn gweithio'n llawn amser o Gaerdydd ac yn treulio'i holl amser yn delio â materion Cymreig. Byddai'n cadeirio'r Gynhadledd o Benaethiaid Adrannau'r Llywodraeth yng Nghymru ac yn cadw cysylltiad agos â Chyngor Cymru, a fyddai'n parhau fel corff annibynnol gyda'i swyddogaeth o gynghori'r llywodraeth.[44]

Ar yr un pryd cyhoeddwyd mai'r Cynghorydd D V P Lewis, perchennog cwmni cloddio cerrig yn sir Frycheiniog a chadeirydd y Ceidwadwyr yng Nghymru, fyddai'r gweinidog newydd. Byddai'n cael ei ddyrchafu i Dŷ'r Arglwyddi gyda'r enw Arglwydd Brecon. Dewiswyd ef yn hytrach nag un o'r arglwyddi a oedd eisoes yn y Tŷ gan y bernid nad oedd yr un arglwydd 'of pure Welsh blood' yn gymwys.[45] Nid oedd Arglwydd Brecon yn ddewis gwael o bell ffordd, ond roedd yn rhwydd i'r wasg a gwleidyddion eraill wawdio'r penderfyniad. Yn anarferol daeth y sylw mwyaf deifiol ar y penodiad gan y cylchgrawn *The Economist*: '... an obscure Brecon county councillor, visiting London (in his tweed suit) for the University Rugger match, was called to Downing Street to be made a Baron and a Minister of State, represents one of the most curious political appointments since Caligula made his horse a consul'.[46] Cafodd Arglwydd Brecon drafferth i wrthsefyll y feirniadaeth ei fod yn rhy ansylweddol i gynrychioli Cymru ac mewn gwirionedd mai negeswas di-rym ydoedd.

Adwaenai Huw T y gweinidog newydd gan fod y ddau ar fwrdd y cwmni teledu TWW, ond mae'n siŵr y gwelai hefyd y byddai'r gweinidog hwn yn debygol o dynnu sylw oddi ar y Cyngor a'i gadeirydd. Mewn gwirionedd roedd Huw T, drwy ei gadeiryddiaeth o'r Cyngor, wedi creu sefyllfa lle y byddai'n anorfod i'r llywodraeth droi ato am gyngor ar bob math o gwestiynau'n ymwneud â Chymru. Bellach byddai presenoldeb gwleidydd llawn amser yng Nghymru yn delio â materion Cymreig ac â'r briff o gadw'i glust at y ddaear, yn rhoi ffynhonnell arall o wybodaeth a chyngor – ffynhonnell fwy derbyniol i'r llywodraeth Geidwadol na llais sosialydd cenedlaetholgar fel Huw T.

Cyfarfu Cyngor Cymru ar 20 Rhagfyr i drafod ymateb y llywodraeth i'r Trydydd Memorandwm. Mynegwyd anfodlonrwydd gan yr aelodau o'i gynnwys a'r methiant i roi ateb cyflawn i'r pwyntiau a godwyd gan y Cyngor. Roedd Syr William Jones eisoes wedi bygwth ymddiswyddo a chredai John Clement fod y dyddiau o 'tact and diplomatic language' ar ben. Cynigiodd y Cynghorydd Dafydd Williams na ddylai'r Cyngor drafod gyda'r gweinidog hyd oni ellid setlo statws y Cyngor.[47] Serch hynny, cytunwyd i beidio â chymryd agwedd ymosodol am y tro ac na fyddai'r aelodau'n ymddiswyddo. Yn hytrach, penderfynwyd paratoi ymateb ffurfiol gan y Cyngor o fewn y deufis dilynol. Ond bu tân y Cyngor yn mudlosgi am rai misoedd wedi hynny cyn iddo ailgynnau'n wenfflam unwaith yn rhagor yn hydref 1958.

★   ★   ★

Yn y cyfamser, bu Huw T yn cymryd rhan flaenllaw yng Ngŵyl Cymru a gyrhaeddodd ei hanterth gyda diwrnod o ddathlu yng Nghaerdydd yn haf 1958. Ym mis Chwefror, er mwyn hybu twristiaeth i Gymru, teithiodd i'r Unol Daleithiau a Chanada lle y cyfarfu â Chymry alltud, gan gynnwys yr actorion Hugh Griffith a Richard Burton, Meredydd Evans yn Efrog Newydd, a'r undebwr llafur pwerus o dras Gymreig, John L Lewis, yn Washington.[48] O fewn ychydig ddiwrnodau i ddychwelyd o Ogledd America bu ar daith arall, y tro hwn i Ddwyrain yr Almaen, gyda Dyddgu Owen, Haydn Williams, Ceiriog Williams a Moses Jones, er mwyn dysgu o brofiad cenedl fach y Sorbiaid a oedd, ar ôl chwalfa Hitler, wedi llwyddo i adfer ei hiaith o fewn gwladwriaeth ormesol arall y tu ôl i'r Llen Haearn.[49] Ym mis Chwefror hefyd prynodd Huw T, fel cynrychiolydd ymddiriedolaeth, *Y Faner* am bunt, gan dorri cysylltiad y papur am dros ganrif gyda Gwasg Gee.[50]

Tra oedd Huw T yn teithio'r byd, roedd y panel dan gadeiryddiaeth Syr William Jones yn paratoi ymateb i'r llywodraeth, sef y ddogfen a elwid wedi hynny yn Bedwerydd Memorandwm.[51] Yn y Pedwerydd Memorandwm, a anfonwyd i'r llywodraeth ar 15 Mai 1958, beirniadwyd y llywodraeth yn hallt am ei hymateb tila i'r Trydydd Memorandwm, am ei methiant i roi rhesymau llawn dros wrthod yr argymhellion, ac am greu swydd newydd o Weinidog Gwladol a oedd yn ddiwerth i Gymru. Roedd y ddogfen yn cynnwys sylwadau manwl iawn, gan gynnwys honiadau gwallus a wnaed gan y gweinidog a'i weision sifil. Yn eu plith oedd sylw anghywir a wnaed gan y gweinidog mewn cyfarfod o'r Cyngor a gynhaliwyd yng Ngorffennaf 1957. Cofiai John Clement yr achlysur yn dda gan ei fod yn enghraifft o Huw T ar ei fwyaf cyfrwys.[52] Un o'r dadleuon yn erbyn creu Ysgrifennydd Gwladol a gweinyddiaeth ar wahân i Gymru oedd y byddai'r ganran o bwrs y wlad a ddosrannwyd i Gymru yn llai, gan y byddai wedi'i hamcangyfrif ar sail *pro rata*. Yn y cyfarfod, cyfeiriodd Brooke, ar gyngor ei weision sifil, at 'fformiwla Goschen' yn yr Alban, sef dull o ddosrannu'r gyllideb addysg, gan honni bod yr Alban ar ei cholled gyda threfniant o'r fath. Ond roedd John Clement wedi ymchwilio i natur 'fformiwla Goschen'; gwyddai nad oedd yr honiad yn wir a'i bod mewn gwirionedd yn fanteisiol i'r Alban. Pasiodd nodyn i Huw T a ddangosai i'r gwas sifil a gynghorai'r gweinidog wneud camgymeriad. Disgwyliai i Huw T ddymchwel dadl y gweinidog yn y fan a'r lle ond ni wnaeth hynny, er mawr syndod i John Clement. Ymateb Huw T iddo oedd: 'Bydd llawer gwell cyfle nes mla'n, John.'

Wedi'r cyfarfod gofynnodd Huw T i John Clement lunio cofnodion manwl o'r cyfarfod, a'r rheiny'n cynnwys sylwadau anghywir y gweinidog. Nid oedd yn arferiad i gofnodion fel hyn gyfeirio'n uniongyrchol at sylwadau manwl gan unigolion, ond roedd Huw T wedi gweld ei gyfle. Dosbarthwyd y cofnodion i'r gweision sifil i'w gwirio ac fe'u dychwelyd heb eu newid. Roedd Huw T, yng ngeiriau John Clement, '...wedi dala nhw'. Pan anfonwyd ymateb beirniadol y Cyngor i Bapur Gwyn y llywodraeth yn y Pedwerydd Memorandwm, cynhwyswyd cyfeiriad at y cofnodion a ddangosai gamsyniad y gweinidog. Yn hyn o beth roedd Huw T wedi ennill brwydr fechan.

I Brooke, roedd y Pedwerydd Memorandwm yn 'most disappointing document...the tone is...carping', a chwynai un gwas sifil fod cynnwys sylwadau preifat yn 'intolerable'.[53] Yn dawel bach, ceisiodd Brooke berswadio Huw T i newid cynnwys y Pedwerydd Memorandwm, ond yn ofer.[54] Derbyniodd Huw T ymateb Macmillan ddechrau Gorffennaf – gwrthodai Macmillan honiadau'r Cyngor. Yn ei farn ef nid oedd swydd y Gweinidog Gwladol yn ddiwerth ac ni fyddai newid y drefn o reoli Cymru mewn dull radical yn fuddiol i Gymru; fel gwleidydd cyfrwys cynigiai, fel abwyd, drafodaethau pellach ar y mater maes o law.[55] Serch hynny, nid oedd y llywodraeth am gyhoeddi'r Pedwerydd Memorandwm hyd nes y byddai'r camsyniadau a briodolwyd i Brooke yn cael eu dileu.

Ym mis Medi 1958, cyfarfu Brooke â'r Cyngor i geisio dod i ddealltwriaeth ynglŷn â'r ddogfen ddadleuol ac i drafod y dyfodol.[56] Cafwyd datganiad grymus gan Syr William Jones; teimlai ef fod ensyniadau'r gweinidog ar ei hygrededd ef – fel cadeirydd y panel a luniodd y Pedwerydd Memorandwm – yn gwbl annerbyniol. Ymatebodd Brooke drwy haeru mai dymuniad y Prif Weinidog oedd osgoi 'a lasting public quarrel' rhwng y Cyngor a'r llywodraeth. Fodd bynnag, ni allai ganiatáu i'r Pedwerydd Memorandwm gael ei gyhoeddi yn ei ffurf bresennol gan ei fod yn cynnwys sylwadau a wnaed mewn cyfarfodydd preifat; wedi'r cyfan, un o reolau'r Cyngor oedd bod ei drafodaethau'n cael eu cynnal yn breifat ac nad oedd modd datgelu cyfraniadau unigolion. Yn y pen draw, ni chyhoeddwyd y ddogfen tan Ionawr 1959, a hynny wedi i'r Cyngor a'r llywodraeth ddod i gyfaddawd gan ganiatáu i'r cyfan gael ei olygu'n fanwl a thynnu allan y cofnod a roddai'r gweinidog mewn golau gwael. Yn y cyfarfod ym mis Medi, cadarnhaodd Brooke hefyd nad oedd y Prif Weinidog o blaid sefydlu swydd Ysgrifennydd Gwladol, gan ategu safbwynt y llywodraeth ar y sefyllfa.

Er bod Huw T wedi dweud ar goedd na fyddai aelodau'r Cyngor yn gwneud safiad drwy ymddiswyddo, ac mai'r bwriad oedd parhau i ddwyn pwysau ar y llywodraeth, yn bersonol teimlai'n gwbl rwystredig.[57] Roedd, yng ngeiriau John Clement, yn 'fed up with the whole thing' a bod 'general air of depression and disappointment' ymhlith yr aelodau.[58] Sylwodd Clayton Russon hefyd ar yr 'occasional strange attitude' gan Huw T, gan bryderu bod y 'role of a mystic does not fit or suit him – he is at his best as a polite & convincing statesman & this is the role in which he can best help Wales'.[59]

Rai diwrnodau cyn cyfarfod y Cyngor a drefnwyd ar gyfer 24 Hydref, cyfarfu Huw T a John Clement yn yr Elan Valley Hotel ger Rhaeadr, sir Faesyfed.[60] Erbyn hynny roedd Huw T wedi penderfynu y byddai'n ymddiswyddo o'r Cyngor, a bwriad y cyfarfod oedd llunio'r llythyr ymddiswyddo. Un o'i hoff eiriau oedd 'impact', ac yn hollbwysig iddo ef oedd y gobaith y byddai ei ymddiswyddiad yn cael effaith sylweddol ar y llywodraeth ac ar ei gyd-Gymry. Ddechrau'r mis roedd Huw T wedi gwneud datganiadau ymfflamychol ynglŷn â Thryweryn, a'r angen am i'r Cymry wneud safiad – safiad a allai olygu carchar. Er na fyddai ei ymddiswyddiad ef yn arwain at garchar, mae'n debygol iddo weld ei safiad yn yr un llinach â gweithred herfeiddiol Penyberth ugain mlynedd ynghynt. Mewn llythyr at D J Williams, a anfonwyd yn syth ar ôl yr ymddiswyddiad, dywed Huw T: 'Atoch chwi y cyfeiriaf yr ateb cyntaf i'r llu o Gymry sydd wedi ysgrifennu wedi fy ymddiswyddiad. Mae'r cymhelliad i wneud hynny yn glir – y chwi, Saunders a Valentine a "gynhyrfodd y dŵr" [ac] er i mi wrthod dod yn llwyr i'r ffynnon rwyf er hynny wedi fy nhrochi yn ei dyfroedd yn bur aml.'[61]

John Clement a luniodd ran helaeth o'r llythyr ymddiswyddo, ond Huw T oedd â'r fflach i ychwanegu ambell ymadrodd trawiadol. Ni ddatgelwyd bwriad Huw T i ymddiswyddo i aelodau'r Cyngor, er i un neu ddau ohonynt glywed sïon ddiwrnod neu ddau cyn y cyfarfod. Roedd awyrgylch y cyfarfod ar 24 Hydref yn un cynnes ac adeiladol, a dim ond ar ei ddiwedd y cyhoeddodd Huw T ei ymddiswyddiad. Roedd y cyfan yn sioc i'r rhan fwyaf o'r aelodau, ac yn ôl John Clement roeddent 'in a daze'.[62] Teimlai rhai ohonynt yn grac, ond diben Huw T wrth gyhoeddi ei ymddiswyddiad ar ddiwedd y cyfarfod oedd osgoi rhoi'r cyfle i eraill ei ddilyn.[63] Ofnai, petai wedi cyhoeddi ei fwriad yn gynharach, y byddai hanner y Cyngor wedi ymddiswyddo fel adwaith cadwynol, ac nid oedd am i hynny ddigwydd. Adroddodd John Clement mewn nodyn wedi'r cyfarfod: 'He felt that if by resigning he could be instrumental in bringing about a better relationship between the two sides and better recognition of the Welsh case then it was essential that there should be a Council in being to play its part in the "better world" – as he put it.'[64]

Cyhoeddwyd llythyr Huw T yn y wasg ar 25 Hydref, yn ogystal ag ymateb Henry Brooke.[65] Roedd llythyr Brooke yn un cynnes er iddo ddweud i'r ymddiswyddiad ddod fel 'bombshell to me'. Er y daranfollt, nid oedd Brooke mor siomedig â hynny. Derbyniodd yr ymddiswyddiad yn ddigynnwrf – 'equanimity' oedd y term a ddefnyddiai un gwleidydd Ceidwadol amlwg.[66] Ysgrifennodd Brooke at y Prif Weinidog ar 7 Tachwedd:

> I had no knowledge that he intended resignation. I cannot say that I regret it, although my personal relations with him have always been friendly, and remain so. He has done valuable work, but he has dominated the Council for too long, and in recent times he has done little except criticise the Government.[67]

Nid oedd safbwynt Brooke yn annisgwyl. Er i Huw T a Brooke fod ar delerau da yn bersonol, bu Huw T yn ddraenen yn ystlys y llywodraeth yn y cyfnod hwn ac, o safbwynt Brooke, braf fyddai ei weld yn cilio o'r llwyfan. Rhoddodd gyfle hefyd i Brooke ei hun ymgymryd â chadeiryddiaeth y Cyngor, gan achosi penbleth ymhlith yr aelodau. Agwedd eithaf ddi-hid oedd gan Brooke wrth gymryd y gadair. Disgwyliai y byddai Syr William Jones yn ymddiswyddo ond, yn ei farn ef, ni fyddai hynny'n beth drwg. Roedd yn barod hefyd i gymryd risg y byddai'r holl Gyngor yn ymddiswyddo: 'I should be very sorry if it did, but the whole Conservative Party throughout Wales would rejoice, because they hate the Council, which they regard as an anti-Government clique of not very important people.'[68]

Oherwydd penderfyniad Brooke i fynd i'r gadair, ymddiswyddodd pedwar aelod – Syr William Jones, Trevor Vaughan, Dafydd Williams a Richard Davies – ond nid y gweddill. Wrth iddo ymddiswyddo, taranodd Syr William bod y penderfyniad hwn yn 'insult to Wales'. Yn ei lythyr ymddiswyddo dywedodd: 'Personally I can only come to the conclusion that the appointment [o Brooke yn gadeirydd] is made with the object of thwarting the independence of the Council and to ensure its silence so far as the people of Wales are concerned.'[69] Fel yn achos Huw T, nid oedd Brooke yn anfodlon wrth weld Syr

William yn ildio'i le ar y Cyngor. Barnai mai ef fu, ers tro byd, yn un o 'evil geniuses' y Cyngor.[70]

Un arall a ymddiswyddodd oedd y Cynghorydd Trevor Vaughan o Gasnewydd. Beiodd yntau Huw T am ymddiswyddo'n ddirybudd gan greu gwagle sydyn a rhoi cyfle i'r llywodraeth wthio Brooke i'r gadeiryddiaeth. Yn ei farn ef, petai Huw T wedi rhybuddio'i gyd-aelodau, gellid bod wedi ethol cadeirydd newydd – mwy na thebyg Syr William Jones – a hynny'n ddiymdroi.[71] Credai aelod praff arall o'r Cyngor i Huw T wneud camgymeriad tactegol wrth ymddiswyddo, ond ym marn Brinley Thomas roedd agwedd y llywodraeth yn 'nothing but hollow mockery of a situation which is steadily worsening'.[72] Ceisiodd rhai aelodau gynllwynio i atal Brooke rhag cymryd y gadeiryddiaeth, ond credai'r llywodraeth mai'r Prif Weinidog oedd â'r hawl i ddewis y cadeirydd, ac yng nghyfarfod nesaf y Cyngor roedd Brooke eisoes yn eistedd yn y gadair pan gyrhaeddodd yr aelodau.

Erbyn hynny roedd digon o aelodau o'r Cyngor wedi penderfynu aros ac er, ym marn Syr William Jones, bod llawer ohonynt yn rhoi mwy o ystyriaeth i'w 'personal prestige as members of the Council that [*sic*, than] of the future benefit of Wales',[73] credai rhai aelodau'n ddidwyll bod cael y gweinidog yn gadeirydd yn rhoi mwy o rym i'r Cyngor. Yn eu plith oedd Syr Thomas Williams a Nesta C Hext Lewis, Ceidwadwraig bybyr, a farnai fod ei chyd-aelodau ar y cyfan yn teimlo '... annoyance with the late chairman, & feeling that he had let us down'. Credai fod yr aelodau'n ofni y byddai Syr William Jones yn cael ei ethol i'r gadair '... because of his ability to argue' ac nid oherwydd bod y mwyafrif yn ei gefnogi.[74]

Er mawr foddhad i Brooke, ar ddechrau mis Tachwedd ailymunodd Syr Ifan ab Owen Edwards â'r Cyngor, a hynny ond ychydig ddiwrnodau ar ôl iddo feirniadu'r Cyngor yn hallt yn y wasg. Cafodd Syr Ifan ei gollfarnu gan y wasg a rhai o'i gyd-aelodau ar y Cyngor am ei dro pedol. Ymosodwyd arno gan Trevor

Vaughan ac Ernie Hickery a ysgrifennodd at Huw T gan ddweud: 'The opportunism of so many people whom I considered good Welshmen was positively nauseating. Probably the worst example was Sir Ifan, who I thought had come back to the Council to fight, but who made it quite evident that he had come back to crawl.'[75] Roedd yr ymosodiadau ar Syr Ifan yn y wasg yn ddigon i wneud i'w wraig ysgrifennu at Huw T yn ymbil arno i geisio atal y *Faner* rhag parhau i ymosod ar ei gŵr.[76] Ofnai y byddai hyn oll hefyd yn niweidiol i'r Urdd. Ar yr un pryd, ysgrifennodd Syr Ifan at Elwyn Roberts gan ddweud: 'Yr ydym wedi ein hollti yn fudiadau a phleidiau yng Nghymru nes mynd yn gaethion iddynt a cholli golwg, weithiau, ar Gymru ei hun. Yr ydym yn anfodlon dod ynghyd i gyd-drafod Cymru fel uned unol.'[77] Ceisiodd Syr Ifan ddenu Huw T yn ôl i'r Cyngor, ond yn ofer, ond cafodd gefnogaeth Huw T i'w benderfyniad i ailymuno â'r Cyngor – enghraifft o Huw T yn gweld y gallai cefnogaeth o'r fath fod yn ddefnyddiol iddo yn y dyfodol.[78]

Yn ogystal â Syr Ifan, llwyddodd y llywodraeth i recriwtio aelodau eraill hefyd, ond gwrthododd Saunders Lewis y cynnig gan ddatgan ei gefnogaeth i safiad Huw T.[79] Cafodd John Clement ei dynnu o'i ddyletswyddau fel ysgrifennydd Cyngor Cymru a'i symud i Lundain gan ennyn dicter yn Huw T a gredai ei fod yn cael ei gosbi gan Dame Evelyn am ochri'n ormodol â chorff mor feirniadol o'r llywodraeth.[80] Ym mis Ionawr 1959 cynhaliwyd cinio yng Nghaerdydd pryd y cyflwynwyd teyrnged i Huw T gan Brooke a'r Cyngor i gydnabod ei gyfraniad dros y blynyddoedd. Gyda hyn oll, roedd pennod yn hanes y Cyngor wedi dod i ben.

Ni chafodd ymddiswyddiad Huw T fawr o effaith ar y Cyngor ei hun, felly. Nid oedd bwriad ganddo i ladd y Cyngor; serch hynny, gobeithiai y byddai'n troi yn gorff mwy grymus ac effeithiol, er y gwyddai yn ei galon nad oedd hynny'n debygol o ddigwydd. Disgwyliai hefyd y byddai ei ymddiswyddiad yn cyflymu proses ddatganoli, ond credai John Clement y dylai fod wedi aros gan fod momentwm y tu ôl i'r achos erbyn hynny.[81] Arhosodd Brooke yn y gadair am gyfnod cyn ildio'r awenau i'r Athro R I Aaron o Brifysgol Cymru, Aberystwyth. Er i'r Cyngor barhau yn ei waith yn gydwybodol, nid oedd yn syndod iddo gael ei ddiddymu yn 1966. Yn gyffredinol, er i'r Cyngor ymdrechu'n galed i wasanaethu Cymru a dylanwadu ar benderfyniadau'r llywodraeth yn Llundain, roedd yn ddarostyngedig i benderfyniadau llywodraeth y dydd. Ni fu'n gorff cwbl ddiwerth oherwydd, yn y pen draw, ei Drydydd Memorandwm a roddodd yr hwb a arweiniodd at sefydlu'r Swyddfa Gymreig a swydd yr Ysgrifennydd Gwladol a ddaeth i fodolaeth yn 1964. Nid oes amheuaeth chwaith mai yn ystod cyfnod Huw T yn y gadair y gwelwyd y Cyngor ar ei fwyaf effeithiol.

★　★　★

Roedd ymateb y wasg a'r cyhoedd i ymddiswyddiad Huw T yn fwy cadarnhaol na'r hyn a gafwyd gan y llywodraeth a rhai o aelodau'r Cyngor. Manteisiodd Huw T yn llawn ar y cyfle i dynnu'r camerâu teledu, a'r newyddiadurwyr radio a phrint, i gynhadledd i'r wasg yn syth iddo ymadael gan sicrhau mai ei gyfarfod olaf, a hanes ei ymddiswyddiad, oedd ar brif dudalennau'r wasg yng Nghymru y diwrnod canlynol. Ysgrifennodd un newyddiadurwr: 'At this moment Mr Edwards's bulky figure, angry and brooding, personifies Wales, which is extremely irritated by all the frustrations with which it is confronted'[82] tra barnai Gwilym Roberts yn y *Liverpool Daily Post*: ' … this resignation will do good, and the repercussions could be far more deep and widespread than officialdom may be inclined to believe'.[83] Serch hynny, yn yr *Empire News,* haerodd y Ceidwadwr David Llewellyn mai gwraidd yr ymddiswyddiad oedd methiant Huw T i droi datganoli gweinyddol yn ddatganoli deddfwriaethol. Iddo ef roedd Huw T yn ' … a man who could not get his own way – a nice man, a good man, and perhaps a great one. He tried to turn Herbert Morrison's pet lamb into a festival Dragon, a council into a parliament and failed.'[84]

Cymysg hefyd oedd barn y wasg Gymreig i ddyfodol y Cyngor ac i benodiad Brooke yn gadeirydd arno. Gwelai rhai fantais o gael y gweinidog i wrando'n uniongyrchol ar farn yr aelodau, ond barnai'r *Cymro* a'r *Wrexham Leader* y byddai'n well petai'r Cyngor yn cael ei ddiddymu.[85] Beth bynnag am agwedd y wasg, rhoddodd yr ymddiswyddiad hwb i'r Aelodau Seneddol hynny yn y Blaid Lafur a geisiai gyflwyno polisïau Cymreig mwy uchelgeisiol erbyn yr etholiad cyffredinol nesaf o'i gymharu â'r polisi a gytunwyd yn 1954.[86]

Roedd yn bropaganda da i Blaid Cymru hefyd. Ar ymweliad â Gogledd America oedd Gwynfor Evans ar y pryd, ac ysgrifennodd at Huw T gan ddweud: 'Parodd eich ymddiswyddiad gyffro ac ail-feddwl ymhlith y Cymry yma sy'n dilyn pethau yng Nghymru, ac y mae diolchgarwch cyffredinol am yr arweiniad a roddwch tuag at ryddid gwleidyddol i Gymru.'[87] Serch hynny, roedd Kate Roberts yn llygad ei lle yn ei cholofn yn y *Ddraig Goch*. Wrth ganmol 'gweithred ddewr' Huw T, barnai: 'Ond yn aml iawn ffrwtian fel cannwyll a diffodd y mae llawer gweithred ddewr ar ei phen ei hun.'[88] Ategai hynny farn Gwilym Prys Davies mewn llythyr at Goronwy Roberts:

> Rwy'n dal i gredu ym mhosibiliadau Cyngor Cymru er gwaethaf tystiolaeth H.T.E. Mewn gwirionedd teimlaf taw 'protest' oedd ei ymddiswyddiad. A gwendid protest yw ei bod hi'n ddechre ac yn ddiwedd ynddi hi ei hun. Yr hyn sydd eisiau ar Gymru yw nid protestiadau, ond proses hir a dygn o wrthwynebiad creadigol.[89]

Un weithred oedd yr ymddiswyddiad hwn, felly, ymhlith nifer o brotestiadau a gweithrediadau herfeiddiol gan Gymry rhwystredig y cyfnod. Ynddo'i hun methodd ymddiswyddiad Huw T â newid dim, ond bu'n hwb i'r ymchwydd cenedlaethol a oedd i gynyddu yn ystod y blynyddoedd canlynol. Mae tystiolaeth hefyd bod y llywodraeth Dorïaidd wedi hynny yn rhoi mwy o sylw i faterion Cymreig ac yn chwilio am bolisïau a chynlluniau fyddai'n cael eu croesawu yng Nghymru.[90]

* * *

Erys un cwestiwn. Yn ei lythyr ymddiswyddo, rhoddodd Huw T lawer o'r bai am ei rwystredigaeth ar y drefn o lywodraethu canolog o Lundain ac yn arbennig yr hyn a alwai yn 'Whitehalliaeth'. Cwynodd i'r llywodraeth ddangos 'ddiffyg ymddiriedaeth llwyr yn y Cyngor, ac ni chawsid dim "trafnidiaeth ddwyffordd" o gwbl, na dim arlliw o'r trafod llawn ac agored yr honasid ar y cychwyn ei fod mor bwysig er mwyn i'r Cyngor lwyddo'. Taranodd yn erbyn ymateb tila'r llywodraeth i'r Trydydd Memorandwm, gan gyfeirio at fanteision y drefn yn yr Alban. Iddo ef, 'Ysgrifennydd Gwladol yw'r hyn lleiaf y gellir ei roddi i Gymru'. Cwynodd nad oedd y gweision sifil a leolwyd yng Nghymru yn cael chwarae teg ac, o ddefnyddio ymadrodd a luniwyd ganddo ef ei hun, dywedodd: 'Nid oes llygedyn o obaith i Whitehalliaeth fyth ddeall dyheadau'r Cymry...'[91] Yn y gynhadledd i'r wasg wedi'i ymddiswyddiad, dywedodd: 'I think Whitehall is snubbing Wales...Ministers are weak-kneed in the presence of the gods and goddesses of the Civil Service.'[92]

Tra gellid cyfeirio at wleidyddion penodol fel y rheswm dros rwystredigaeth y Cyngor, roedd cyfeirio at rym y drefn weinyddol yn codi cwestiynau ynglŷn â natur llywodraethu. Yn y dyddiau hynny, ymhell cyn i'r llywodraeth ddechrau cyflogi llu o ymgynghorwyr proffesiynol, gweinyddid Prydain gan fyddin o weision sifil, a llawer ohonynt yn parhau i ddilyn traddodiad yr het fowler. Yn ôl egwyddorion y dydd, gweinyddu ar orchymyn gweinidogion oeddent, a barnai un gwas sifil o'r cyfnod i Huw T syrthio i'r fagl o 'attributing to civil servants the views and stance of their current political masters'.[93] Er bod peth gwirionedd yn

hyn, nid oes amheuaeth nad oedd gan fandariniaid Whitehall bŵer
aruthrol. Cyfeiriwyd eisoes at rym Syr Ben Bowen Thomas ac at
ddylanwad Syr Norman Brook a Dame Evelyn Sharpe ar eu meistri
gwleidyddol. Ystyrid nad oedd Brook yn 'neutral' ac na fyddai'n
ymatal rhag '… pressing his own opinions in the steering briefs he
penned for the prime minister'. Yng ngolwg Macmillan roedd Brook
yn '… always right. Pure inborn judgement…' ac yn ystod cyfnod
prif weinidogaeth Winston Churchill iddo ddod yn '… influential
beyond a point that traditionalists would think proper'.[94] Roedd
Evelyn Sharpe hefyd yn ffigur o bŵer sylweddol. Barn Syr Keith
Joseph, y gweinidog Ceidwadol, oedd ei bod yn 'formidably strong'
tra i Richard Crossman, gweinidog yn llywodraeth Harold Wilson,
roedd hi'n '…tremendous patrician and utterly contemptuous and
arrogant, regarding local authorities as children which she has to
examine and rebuke for their failures. She sees ordinary human
beings as incapable of making a sensible decision.'[95] Nid oes syndod,
felly, nad oedd Huw T yn ei chael yn rhwydd cydweithio â phobl
o'r anian hon.

O safbwynt y gweision sifil, creu trafferth iddynt a wnâi Huw T
a'i debyg. Ystyriai un gwas sifil iddo fod yn '… charmless, truculent
and a poor negotiator. He expected the walls of Jericho to fall at the
first blast of the trumpet – and sulked when they did not do so.'[96]
Fodd bynnag, mae'n bosibl mai tacteg gan Huw T fyddai cymryd
y fath agwedd – yn sicr, nid oedd yn brin o driciau. Byddai hefyd
yn medru cydweithio'n fwy hwylus â gweision sifil Caerdydd, fel y
gwnâi gyda John Clement, na chyda mandariniaid Llundain.

O ddarllen cofnodion y llywodraeth o'r cyfnod hwn, ceir awgrym
fod gan Huw T bwynt dilys ynglŷn ag agwedd Whitehall at Gymru.[97]
Yno roedd traddodiad cryf o reoli'r Ymerodraeth Brydeinig, a hynny
mewn dull uchelwrol; yn ogystal, nid oedd gan y gweision sifil a
weithiai yng Nghymru ryddid i weithredu: 'policy was handed down
from above', meddai un ohonynt.[98] Roedd gwirionedd yn yr hyn a
fynegwyd gan Huw T yn ei lythyr ymddiswyddo, a defnyddiwyd

ei ymadrodd 'Nid oes llygedyn o obaith i Whitehalliaeth fyth ddeall dyheadau'r Cymry' gan wleidyddion fyth wedi hynny.

Er y gwirionedd yn ei ddatganiad, gwyddai Huw T mai'r gwleidyddion, yn y pen draw, oedd yn penderfynu ar natur llywodraethu Cymru. Byddai'r llywodraeth Geidwadol yn barod i wneud ambell newid i'r drefn weinyddol, ac addo newidiadau pellach maes o law – fel y gwnâi Macmillan – ond nid oedd unrhyw fwriad i gynnig diwygiadau sylfaenol. Gwyddent hefyd nad oedd unfrydiaeth yng Nghymru ac mai rhwydd oedd dilyn polisi o 'rannu a rheoli' yn yr achos hwn, yn arbennig mewn cyfnod pan oedd safon byw poblogaeth Prydain yn gyffredinol yn gwella. 'You've never had it so good' oedd slogan bachog Macmillan, ac nid oedd pobl Cymru yn llai byddar i'r apêl i'r pwrs a'r boced nag oedd gweddill poblogaeth Prydain.

VIII

'Y MAE CYMRU'N RHYDD EISOES YNDDO EF'

Y gwrthgiliwr, 1959

PAN YMDDISWYDDODD HUW T o gadeiryddiaeth Cyngor Cymru, cyfansoddodd ei gyfaill Rhydwen Williams gerdd yn clodfori ei safiad. Cymharai agwedd y Cymry alltud yn Llundain ag ymlyniad Huw T i'w wlad a'i phobl, gan orffen ei gerdd fel hyn:

> Cymru yw ei gariad. Dangosodd inni oll sut i garu.
> Ffordd o fyw yw ei wladgarwch; ffordd o farw, os Duw a'i myn.
> Heddiw, ei air ef sydd fel tywydd i'n tir;
> Y mae Cymru'n rhydd eisoes ynddo ef.[1]

Yn ystod y misoedd canlynol byddai Huw T yn ceisio mynegi ei wladgarwch ar draul popeth arall. Os 'ffrwtian fel cannwyll a diffodd y mae llawer gweithred ddewr ar ei phen ei hun', rhaid oedd chwilio am ddulliau eraill i greu 'impact'.[2] Yn Rhagfyr 1958 ysgrifennodd ei gyfaill, Gwilym R Jones, yn ei golofn yn *Y Faner* fod Huw T yn ormod o genedlaetholwr i fod yn gyfforddus yn y Blaid Lafur ac yn ormod o sosialydd i fod yn hollol hapus ym Mhlaid Cymru: '... Fe gerdd H.T. ryw dir canol rhwng y ddwy blaid yn awr, ac ni wyddom ni pa wedd a fydd iddo pan ddaw o'r anialwch hwn... Fe fu hon yn flwyddyn dyngedfennol i Huw T. Edwards, a geill 1959 fod yn fwy pwysig byth yn ei hanes ef a Chymru.'[3]

Amlygwyd rhwystredigaeth Huw T yn y cyfnod hwn nid yn unig o ganlyniad i ymateb llugoer y llywodraeth i argymhellion Cyngor Cymru, ond hefyd yn y frwydr i achub Cwm Celyn o grafangau dinas Lerpwl. Wedi i'r ddeddf a roddodd ganiatâd i ddinas Lerpwl foddi cwm Tryweryn gael ei phasio yng Ngorffennaf 1957, chwiliai Huw T ac eraill am ffyrdd amgenach i achub y sefyllfa. Ddiwedd Hydref cynhaliwyd cynhadledd genedlaethol yng Nghaerdydd, drwy wahoddiad maer y ddinas, gyda Huw T yn y gadair.[4] Roedd dros 300 o gynrychiolwyr o bob lliw a llun yn bresennol, gan gynnwys deg Aelod Seneddol a chynrychiolwyr o awdurdodau lleol o bob rhan o Gymru. Serch hynny, fe gadwodd rhai draw o'r cyfarfod am nad oeddent yn awyddus i gyfaddawdu o gwbl, gan mai amcan y gynhadledd oedd chwilio am gymod gyda dinas Lerpwl yn seiliedig ar gynlluniau a gyflwynwyd gan Gyngor Gwledig Penllyn. Byddai'r cynlluniau hyn yn golygu boddi rhan o'r cwm yn unig, gan achub pentref Capel Celyn. Roedd Huw T ymhlith y ddirprwyaeth o chwech a gyfarfu â chynrychiolwyr o Gyngor Dinas Lerpwl yn Rhagfyr 1957 i drafod cyfaddawdu, ond siwrnai seithug oedd hon a chyhoeddwyd ateb negyddol disgwyliedig Lerpwl ganol Ionawr 1958.[5] Serch hynny, er bod y rhyfel wedi'i cholli, byddai'r brwydro'n parhau.

Nid yw Huw T yn sôn yn *Troi'r Drol* am ei ymwneud ag achos Tryweryn wedi methiant y ddirprwyaeth yn Rhagfyr 1957, efallai oherwydd i'w ddatganiadau rhwng Awst a Hydref 1958 godi nyth cacwn. Ym mis Awst cynhaliwyd cynhadledd arall i drafod sut y gallai Cymru ymateb i sefyllfaoedd fel un Tryweryn, ac yn dilyn hynny anfonodd Huw T lythyr agored at Gyngor Lerpwl yn disgrifio'r bwriad i foddi Cwm Tryweryn fel 'y trychineb mwyaf' gan ofyn iddo roi'r cynllun o'r neilltu.[6] Yna, mewn cyfweliad ar y rhaglen deledu *People and Places,* a ddarlledwyd yng ngogledd-orllewin Lloegr gan gwmni teledu Granada, dywedodd fod gweithred Lerpwl yn Nhryweryn yn sarhad ar bobl Cymru. Pan ofynnwyd iddo a oedd 'sabotage' yn debygol, ymatebodd drwy ddweud bod hynny'n bosibl, gan ychwanegu: 'Y mae'n rhaid dangos i Lerpwl mor anghyfiawn yw ei thrais ar gymdeithas fach ddiwylliedig, Gymreig.'[7]

Achosodd hyn gryn stŵr, ond nid oedd Huw T wedi gorffen eto. Rhoddodd gyfweliad i'r *Western Mail* tua chanol Hydref, a phennawd stori flaen *Y Faner* ar 23 Hydref, diwrnod cyn ymddiswyddiad Huw T o Gyngor Cymru, oedd 'Lerpwl wedi gofyn amdani'. Ymhlith sylwadau herfeiddiol Huw T oedd: 'Yr wyf yn gwbl argyhoeddiedig bod miloedd o Gymry yn barod i aberthu i rwystro i Lerpwl gael ei ffordd ei hun yng Nghwm Tryweryn.' Pan bwyswyd arno i esbonio pa weithrediadau y byddai'n eu cymeradwyo, gwrthododd ateb gan nad oedd am gael ei gyhuddo '... o beri cynhyrfu pobl'. Pan gyfeiriwyd at ei sylwadau ar y rhaglen deledu, mynnodd na wnaeth gymell unrhyw un i fynd i'r carchar dros yr achos, er y gwyddai '... fod yng Nghymru filoedd o bobl a fyddai'n fodlon' i wneud hynny. Beth bynnag fydd yn digwydd bydd Lerpwl wedi gofyn amdani hi. Clywyd bygwth Twnnel Mersi. Dyma'r math o beth a allai ddigwydd. Ni fydd i bobl Cymru anghofio Lerpwl,' meddai.[8]

Gyda'i ymddiswyddiad o Gyngor Cymru yn dilyn cyn diwedd y mis, roedd Huw T yn prysur godi'r tymheredd yng Nghymru, felly. Agorodd ddrws hefyd i feirniadaeth ohono am awgrymu torcyfraith fel dull dilys o weithredu ac, mewn dyddiau pan oedd dulliau protest ymosodol yn llai cyffredin, câi ei eiriau eu hystyried fel rhai annoeth ac anghyfrifol gan rai. Mewn llythyr at Henry Brooke, honnodd Syr Geoffrey Summers nad oedd gwrthwynebiad lleol i foddi Tryweryn: 'I am sorry "HT" spoke in terms such as the paper suggests. I have always had a personal liking for him, having dealt with him on trade union matters for a great many years, but I am afraid that now my feelings are somewhat altered.'[9]

Creodd yr alwad i faes y gad anhawster i arweinydd Plaid Cymru hefyd. Roedd yn gwanhau achos Gwynfor Evans a oedd wedi ymdrechu'n ddygn i gadw'r Blaid rhag dilyn llwybr torcyfraith yn y frwydr i achub Capel Celyn. Credai llawer o genedlaetholwyr fod Gwynfor Evans yn dangos diffyg asgwrn cefn, ac y byddai geiriau ymfflamychol Huw T yn cael eu croesawu gan y cenedlaetholwyr hyn. Yn wir awgrymwyd bod Huw T yn '... a kind of hero to some extremists'.[10] Honna cofiannydd Gwynfor Evans fod Huw T yn cael ei weld yn y cyfnod hwn '... fel gwleidydd llawer mwy carismatig a thanbaid na Gwynfor ar y pwnc a oedd yn prysur ddatblygu'n obsesiwn i genedlaetholwyr'.[11] Bellach, go brin y gellid peidio â disgrifio Huw T fel gwir arweinydd y genedl.

Nid yw'n glir a achosodd galwadau Huw T yn uniongyrchol at newid polisi cyfansoddiadol Plaid Cymru, ond o fewn ychydig wythnosau pasiodd pwyllgor gwaith y Blaid, gyda chydsyniad Gwynfor Evans, gynnig i gynnal 'gweithred goddefol yn Nhryweryn pan fo'n bryd' a sefydlwyd is-bwyllgor ar dorcyfraith i baratoi cynllun. Serch hynny, erbyn diwedd Ionawr 1959, wedi derbyn cyngor gan y gwŷr doeth a'i cynghorai yn y cyfnod hwn, newidiodd Gwynfor Evans ei feddwl a gwyrdroi'n gwbl unbenaethol y penderfyniad a wnaed ond ychydig wythnosau ynghynt.[12] Ni fyddai torcyfraith yn digwydd yn Nhryweryn yn enw Plaid Cymru, felly, a rhaid dweud mai eithaf tawedog fu Huw T yn gyhoeddus wedi hynny hefyd, gan y gwyddai fod y rhyfel ar ben. Yn bersonol, roedd yn parhau'n ddig ynghylch y mater ac o dro i dro deuai'i ddicter i'r amlwg. Gwnaeth ei orau i gynorthwyo Owain Williams a John Albert Jones, a gosbwyd am eu rhan yn y difrod a wnaed ar safle gwaith Tryweryn.[13] Y mae'n arwyddocaol hefyd iddo gyflwyno'i ail gyfrol hunangofiannol i un arall a garcharwyd, gyda'r deyrnged: 'Cyflwynir "Troi'r Drol" i Emyr Llywelyn Jones, arwr Tryweryn, ac i'r genhedlaeth orau o Gymry a welsom hyd yn hyn.'[14] Ond, mewn gwirionedd, gwyddai erbyn dechrau 1959 nad oedd modd achub Capel Celyn ac fe gyfansoddodd gerdd – marwnad, efallai – dan y teitl 'Tryweryn' a gyhoeddwyd yn *Y Faner*.

Cronnir dy ddyfroedd i droi olwynion dy drai,
Olwynion fydd yn disychedu dy dreiswyr,
A bydd yn aros ddarn olwyn injan-falu-gwair
Yn hongian yn feddw ar lidiart y mynydd
I hiraethu yn ei rwd am droad y rhod.

Roedd dy lais i'w glywed yn San Steffan
Yn erfyn am gael mwynhau cyfoeth dy dlodi,
Ond llef ddistaw fain oeddit, heb obaith
Y byddai y rhai a fyddarwyd gan y band
Yn gwrthod dawnsio i'w diwn.

Cefaist dy awr ym mhrif stori'r Dydd Gwener
Martsiodd dy gyfeillion ar heolydd Lerpwl
I ddwyn i sylw'i dinasyddion
Hawl bro i wrthsefyll brad.
Derbyniwyd eraill o'th gyfeillion yn sŵn
Ein hanthem genedlaethol   .
I uchel lys dy drawsfeddianwyr.

Yno i glywed iddynt ymddiried eu ffydd
Yn synnwyr eu niferus seneddwyr,
Ac iddynt dramwy heol aur democratiaeth,
Sef codi llaw cyn boddi lle.

Edliwiant, wrth hanner chwarae, y cyfan inni,
Fod gormod o ddŵr yn ein gwaed
I'w dywallt ar allor Tryweryn,
Ac y bodlonem ar gynadleddau
I chwydu stêm a chadw stŵr.

O! Dduw, tro ein dyfroedd yn win
Fel y byddom yn rhy chwil
I sylweddoli maint ein gwendid
Ac mai dŵr sydd yn ein gwythiennau.[15]

★   ★   ★

Tra oedd Huw T yn gadeirydd Cyngor Cymru, roedd yn rhan o drefniadaeth 'y sefydliad' yng Nghymru – ac er y byddai'n parhau i berthyn i'r elfen honno a elwir 'the great and the good' ar ôl ei ymddiswyddiad, roedd yn prysur weithredu fel maferic. Roedd yn fwy rhydd i feirniadu pawb a phobun, gan gynnwys y llywodraeth Doriaidd a'r Blaid Lafur. Gallai grwydro o brif ffrydiau gwleidyddiaeth plaid, fel y gwnâi yn achos Tryweryn, a gwthio'i syniadau personol ef ei hun. Y broblem a wynebai oedd na fyddai gwleidyddion o angenrheidrwydd yn barod i wrando arno bellach, a phylu fyddai ei ddylanwad wedi iddo adael cadeiryddiaeth Cyngor Cymru. Gallai barhau i'w ystyried ei hun yn 'geffyl blaen', ond nid oedd bellach yn tynnu'r gert.

Yn ystod y gynhadledd ar Dryweryn a gynhaliwyd yn Awst 1958, roedd Huw T wedi galw am sefydlu 'pwyllgor parhaol i wylio buddiannau'r genedl'[16]: 'Yr hyn a awgrymaf yn awr yw eich bod yn sefydlu rhyw gyngor gweithredol i'r genedl Gymreig. Sefydlwch ef fel y mynnoch, ond er mwyn Duw, sefydlwch un.'[17] Nid dyma'r tro cyntaf i Huw T awgrymu'r fath syniad, ac ailgydiodd ynddo fel ei ddull ef o achub Cymru – yn enwedig ar ôl ei ymddiswyddiad o Gyngor Cymru.

Yn y gynhadledd i'r wasg wedi ei ymddiswyddiad, dywedodd fod Cymru'n haeddu datganoli deddfwriaethol yn ogystal â gweinyddol, a bod arni angen y datganoli hwn. Bwriadai – gan nad oedd ganddo bellach rôl swyddogol – ymgyrchu dros senedd i Gymru. Dywedodd wrth newyddiadurwr y *Manchester Guardian* mai 'political power' yr oedd ei angen ar Gymru,[18] a phan awgrymodd Cymdeithas Awdurdodau Lleol Cymru ddiwedd Tachwedd y dylid cynnal ymdrech arall i wthio am Ysgrifennydd Gwladol, ei ymateb oedd: 'As far as I am personally concerned I feel that I must now go all out in an effort to convince Wales that Political Power is necessary, a Parliament an urgent need. I therefore cannot now be linked with further efforts to secure a Secretary of State.'[19]

Esboniodd ei feddylfryd ar y pryd mewn llythyr dadlennol at D J
Williams, un o'r 'Tri' a weithredodd ym Mhenyberth: 'Bwriadaf...
gynnig ar Gynhadledd Genedlaethol (dwyieithog) o'r rhai sydd yn
argyhoeddedig fod Senedd, a dim llai yn angenrheidiol, yna gofyn i'r
Gynhadledd benodi criw bach o arbenigwyr i dynnu allan gynllun a
dulliau o weithredu. Rhaid fydd ymladd o ddifrif beth bynnag y gost
ac ni fydd lle i'r gwan galon.'[20]

Yn rhyfeddol, daeth cefnogaeth anuniongyrchol i agwedd
Huw T o gyfeiriad cwbl annisgwyl. Mewn cyfarfod o Aelodau
Seneddol Llafur Cymru ddechrau Rhagfyr, awgrymodd Aneurin
Bevan y dylid creu senedd neu gynulliad ar gyfer Cymru a'r Alban
gan hefyd sefydlu Comisiwn Brenhinol i ystyried sut y byddai
cyrff o'r fath yn gweithredu. Datgelwyd hyn mewn erthygl yn
y *Daily Post* gan newyddiadurwr a oedd yn amlwg â'i glust at y
ddaear. Rhoddodd gig ar yr asgwrn drwy awgrymu mai syniad
Bevan oedd creu cynulliad Cymreig a fyddai'n '...empowered to
decide precisely how exchequer money should be spent on Welsh
development' – cynulliad nid annhebyg, felly, i'r hyn a grëwyd
yng Nghymru ddeugain mlynedd yn ddiweddarach. Roedd gan
Bevan enw am wrthwynebu unrhyw fesur o ddatganoli ac am
ddirmygu cenedlaetholwyr Cymreig; oherwydd hyn, achosodd y
cynnig hwn gryn syndod. Serch hynny, nid oedd ei safbwynt ar
genedlaetholdeb wedi newid mewn gwirionedd, ond credai fod
San Steffan wedi'i orlwytho â materion pwysig fel yr economi a
phroblemau rhyngwladol ac y byddai'n gwneud synnwyr i ganiatáu
i senedd-dai yn yr Alban a Chymru wneud penderfyniadau a
oedd yn berthnasol i'r gwledydd hynny.[21] Croesawodd Huw T
syniadau ei hen gyfaill gan gamliwio safbwynt Bevan drwy gyfeirio
at '...this effort to restore to Wales her ancient dignity and self-
respect'. Anfonodd ddatganiad at y *Daily Post* yn cefnogi syniad
Bevan, ond nid oedd yn cytuno bod angen Comisiwn Brenhinol
gan y byddai hynny'n golygu oedi diangen.[22]

Yn ystod y misoedd canlynol bu'r Blaid Lafur yn ceisio dod o hyd i bolisïau ar Gymru a fyddai'n dderbyniol i'w haelodau seneddol – a oedd yn rhanedig eu barn – ac i'r etholwyr, ond ni ddaeth dim o syniad Bevan.[23] Fodd bynnag, rhoddwyd hwb i Huw T ac aeth ati i ddatblygu ei syniadau ef. Datgelwyd y rhain mewn erthygl o'i eiddo a gyhoeddwyd ar 1 Chwefror 1959 yn y papur dydd Sul, yr *Empire News*. Galwodd am gynnal cynhadledd o '… bobl Cymru sydd yn credu fod yr amser yn addas i sefydlu Senedd yng Nghymru heb ganiatâd San Steffan'. Byddai'r gynhadledd yn ethol arbenigwyr i baratoi adroddiad ar gyfansoddiad i'w gyflwyno i gynhadledd arall '…a hefyd i argymell pa gamrau a ddylid eu cymryd er mwyn sylweddoli yn yr amser byrraf posib rai o ddyheadau'r genedl'.[24]

Parhau i rygnu 'mlaen â'r syniad hwn a wnaeth Huw T yn ystod misoedd cynnar 1959, ac er ei feirniadaeth o'r Blaid Lafur nid oedd arwydd y byddai'n gadael y blaid honno. Gohebai ag Eirene White ynglŷn â'r rhagolygon yn sir y Fflint, ac mewn cyfweliad â'r awdur Paul Ferris ar gyfer erthygl ar genedlaetholdeb Cymreig a gyhoeddwyd yn yr *Observer* ddechrau Mehefin, dywedodd na fyddai fyth yn gadael y Blaid Lafur.[25] Fodd bynnag, ddeufis yn ddiweddarach, mewn cyfarfod yn ystod Eisteddfod Caernarfon, cyhoeddodd ei fod yn wir yn bwriadu gadael y Blaid Lafur ac o fewn ychydig amser roedd wedi ymuno â Phlaid Cymru. Mae hanes y dröedigaeth hon yn un cymhleth ac iddo elfennau anesboniadwy. Yn sicr nid yw'r disgrifiad a geir yn *Troi'r Drol* yn dweud y cyfan o'r hyn a ddigwyddodd o bell ffordd.

Yn ei esboniad yn *Troi'r Drol* (a gyhoeddwyd yn 1963) amlinellodd Huw T hanes y Blaid Lafur dros y cyfnod y bu'n aelod ohoni, gan gyfeirio at weledigaeth a rhamant y dyddiau cynnar, cyfraniad aruthrol llywodraeth Lafur 1945–51 at sicrhau gwell safon byw i bawb, ac yna at ddiffyg gweledigaeth y blaid yn yr 1950au o dan arweinyddiaeth Hugh Gaitskell. Cyfeiriodd at ei feirniadaethau o'r blaid ddiwedd yr 1950au, yn benodol ar y sefyllfa yng Nghymru. Yna dywed:

Yr hyn a ddaeth â'm gyrfa wleidyddol i ben gyda Llafur oedd geiriau a lefarwyd mewn dadl frwd rhyngof a James Idwal Jones, A.S. Llafur dwyrain Dinbych, yng Ngwesty'r Harlingford yn Llundain. Roedd ei frawd, T.W., George Thomas a Tudor Watkins, hefyd yn y ddadl. Dyma beth a ddywedodd James Idwal: 'Mi fyddet yn fwy onest pe baet yn gorffen dy aelodaeth gyda'r Blaid Lafur, na pharhau i fod yn aelod ohoni a cheisio ei gwanychu yn dy areithiau i fyny ac i lawr Cymru'. Perffaith wir, a'r bore wedyn anfonais fy ymddiswyddiad o fod yn aelod i'r Pencadlys.[26]

Mae'n debygol i'r sgwrs hon ddigwydd fel y disgrifia Huw T hi, ond mae'n annhebygol iddi ddigwydd ar ôl mis Gorffennaf 1959. Daeth tymor y senedd i ben ar 30 Gorffennaf, ac mae'n debygol i'r drafodaeth ddigwydd cyn hynny – o bosibl rhwng 21 a 24 Gorffennaf pan fynychodd Huw T gyfarfodydd y Bwrdd Cymorth Cenedlaethol yn Llundain.[27] Os oedd Huw T wedi ymddiswyddo y 'diwrnod wedyn', nid yw hynny'n cyd-fynd â'r llythyru a wnaeth ym mis Gorffennaf na chwaith y ffaith nad oedd neb, hyd y gwelir (gan gynnwys Cliff Prothero, ysgrifennydd y Blaid Lafur yng Nghymru), yn gwybod am yr ymddiswyddiad tan 6 Awst. Mae stori'r ymddiswyddiad yn amlwg yn fwy cymhleth na hynny.

Mae'n wir bod Huw T wedi mynegi ei anfodlonrwydd â'r Blaid Lafur droeon yn ystod y cyfnod hwn. Credai i'r weledigaeth sosialaidd a'i hysbrydolodd ef dros y blynyddoedd gael ei sathru dan draed elfennau adain dde'r undebau llafur a chan genhedlaeth newydd o wleidyddion dosbarth canol a welai wleidyddiaeth fel gyrfa yn hytrach nag fel cenhadaeth. Rhannwyd y Blaid Lafur yn yr 1950au rhwng y sosialwyr traddodiadol a gredai mai Aneurin Bevan ddylai arwain y blaid, a chefnogwyr Hugh Gaitskell a ddaeth yn arweinydd wedi ymddeoliad Clement Attlee yn 1955. Gwelwyd achosion dirifedi o gecru mewnol a brwydrau personol. Ar y naill law ceisiai rhai foderneiddio'r blaid, tra brwydrai eraill dros gadw'r polisïau sosialaidd traddodiadol. Ochrai Huw T gyda'r 'Bevanites' a ffromai at bolisïau ceidwadol Gaitskell a'i debyg. Byddai'n ysgrifennu wedi marwolaeth ddisymwth Bevan yn 1960 mai ef ddylai fod wedi arwain y blaid ar ôl Attlee, gan honni i Bevan ddioddef dan law 'crachod yn cynllwynio i gadw i lawr wir gawr a'r seren ddisgleiriaf a fflachiodd drwy ffurfafen y mudiad sosialaidd yn ein byd heddiw'.[28]

Ar yr un pryd roedd Huw T yn gwbl rwystredig gydag agwedd y blaid at Gymru. Tra oedd rhai Aelodau Seneddol Cymreig, yn arbennig o'r gogledd, yn ffafrio mesurau o ddatganoli, roedd eraill yn ffyrnig yn erbyn cydnabod cenedligrwydd Cymreig. Iddynt hwy roedd sosialaeth yn syniadaeth ryngwladol, a chenedlaetholdeb yn ffurf ar ffasgiaeth, ond yn aml nid oedd ei rhyngwladoliaeth yn ymestyn ymhellach na Llundain, a byddai rhai ohonynt yn ddigon bodlon chwifio baner jac yr undeb. Roedd eraill yn cydnabod hawliau cenedlaethol trefedigaethau ym mhob rhan o'r byd heblaw yn eu cenedl eu hunain. Serch hynny, yn 1959, aed ati o ddifri i geisio creu polisi Cymreig mwy cadarn na'r un tila a fabwysiadwyd yn 1954. Wedi cyfres o gyfarfodydd tanllyd, penderfynwyd mabwysiadu argymhellion Cyngor Cymru, fwy neu lai, ac yn y cyfarfod allweddol yng Ngorffennaf 1959 syfrdanwyd Cliff Prothero, Ness Edwards a rhai eraill oedd wedi gwrthwynebu polisïau datganoli blaengar pan drodd Aneurin Bevan yn eu herbyn ac o blaid cynigion Jim Griffiths.[29] Erbyn etholiad cyffredinol Hydref 1959, felly, roedd y Blaid Lafur yn galw am Ysgrifennydd Gwladol i Gymru gyda sedd yn y Cabinet a chyfrifoldeb dros feysydd penodol, gan gynnwys iechyd, addysg a llywodraeth leol. Er nad oedd Huw T yn rhan o'r trafodaethau a arweiniodd at hyn, nid oes amheuaeth i'w frwydro cyson ef a Chyngor Cymru fod yn ddylanwad aruthrol ar feddylfryd gwleidyddion Llafur Cymru.[30] Yn eironig, wrth i'r polisïau hyn gael eu ffurfio, roedd Huw T yn troi ei gefn ar ddatganoli gweinyddol gan ffafrio senedd yn hytrach nag Ysgrifennydd Gwladol.

Tra oedd Huw T yn colli ffydd yn y Blaid Lafur, daeth pwysau cynyddol o gyfeiriad Plaid Cymru iddo ymuno â'r Blaid. Rai blynyddoedd ynghynt, yn 1953, roedd wedi ysgrifennu "Wrth gicio a brathu mae cariad yn magu", medd yr hen air. Rwyf wedi cicio a brathu cymaint ar y Blaid fel yr wyf mewn perygl o wireddu'r hen ddywediad.'[31] Chwe blynedd yn ddiweddarach roedd wedi cynhesu at y Blaid ac wedi dadlau achos ei hawl i ledaenu ei neges drwy ddarllediadau gwleidyddol, a hynny'n groes i safbwynt y Blaid Lafur.[32] Cyfeiriwyd eisoes at ei gylch o gyfeillion cenedlaetholgar a oedd yn ddylanwad mawr arno. Bu'n gohebu â chenedlaetholwyr hefyd. Ar droad y flwyddyn bu'n llythyru â'r Pleidiwr ifanc blaengar Emrys Roberts. Roedd yntau am weld blaenoriaethu polisïau sosialaidd a chydweithredol Plaid Cymru a chredai fod y Blaid Lafur 'wedi cefnu gymaint ar bolisi cydweithredol ac wedi mynd i gredu mewn grym y wladwriaeth a chanoli awdurdod'.[33] Yn ei lythyr at Emrys Roberts, cwynai Huw T am dactegau'r Blaid yn ymosod yn bersonol ar ddynion fel Jim Griffiths, a sefyll mewn etholaethau lle roedd yr ymgeisydd Llafur o blaid senedd i Gymru. Awgrymodd hefyd y dylai'r Blaid geisio manteisio ar y rhwyg a oedd yn y Blaid Lafur ar y pryd gan ychwanegu: 'Pe bawn yn credu y byddai o les i Gymru i mi ymuno â'r Blaid, gwnawn hynny y munud hwn, ond rhywfodd credaf fy mod o fwy gwerth i'r Blaid fel aelod o'r Blaid Lafur.'[34] Serch hynny, roedd Pleidwyr sir y Fflint yn grediniol y gallent berswadio Huw T i sefyll yn enw Plaid Cymru yn yr etholiad cyffredinol a ddisgwylid yn 1959, ond fe'u perswadiwyd hwy i beidio ag anfon dirprwyaeth i'w weld gan fod trefniadau ar gyfer ymweliad gan ddirprwyaeth arall, lawer mwy pwerus, ar y gweill.[35]

Roedd arweinyddion Plaid Cymru wedi'u cyffroi gan y syniad y gallai Huw T ymuno â'r Blaid ac, ar ddechrau Chwefror 1959, anfonwyd cais drwy law J E Jones, i Huw T gwrdd â Gwynfor Evans, R Tudur Jones ac yntau '…i drafod pethau'.[36] Trefnwyd y cyfarfod mewn tafarn yn Llanbedr Dyffryn Clwyd ar fore Sadwrn 14 Chwefror. Nid oes cofnod o'r cyfarfod wedi goroesi, ond adroddwyd yn ddiweddarach i Huw T esbonio ei gynlluniau ac '… yn ystod y drafodaeth gwahoddwyd Mr Edwards i ymuno â'r Blaid'.[37] Y diwrnod canlynol ysgrifennodd Gwynfor Evans a Tudur Jones ato yn diolch iddo am y cyfarfod gan gymryd y cyfle i bwysleisio y byddai ei '... ddyfodiad i Blaid Cymru'n ergyd cadarn tros y pethau gorau'.[38] Yn ei lythyr ef, maentumiodd Gwynfor Evans mai'r rheswm pam y daeth y ddirprwyaeth o Blaid Cymru i'w weld oedd gan eu bod wedi'u hargyhoeddi :

> ... mai cam rhesymegol un a enillodd ymddiriedaeth gwlatgarwyr Cymru fel arweinydd yw ymuno â Phlaid Cymru. Ni ellir amau nad yw'r rhan fwyaf o'r egnion sy'n gweithio dros barhad y genedl yn y Blaid hon, a byddai ychwanegu atynt mewn ffordd mor drawiadol ynddo'i hun yn prysuro proses yr aeddfedu sydd mor amlwg yng Nghymru y misoedd hyn. Byddai'r gost i chwi yn drwm, ond byddai'n ddatblygiad naturiol a geidw impetus eich arweiniad, ac a grynhoa i bwynt amcan mawr eich bywyd gan roi lês newydd iddo. Yn y mudiad hwn mae'r ieuenctid (fi yw'r hynaf o'i ymgeiswyr); ynddo mae bywyd a gobaith yn blaguro. Wrth ymdaflu iddo byddwch ar ochr bywyd a gobaith i Gymru. Yma bellach y cyflawnir amcan eich bywyd.[39]

Rai dyddiau'n ddiweddarach, ysgrifennodd Elwyn Roberts at un o swyddogion y Blaid yn sir y Fflint gan ddweud nad oedd 'y ffordd yn rhwydd' i Huw T ac mai 'prin y bydd yn bwrw ei goelbren efo'r Blaid. Fel y dwedais, mae hyn oll yn gyfrinachol iawn. Nid yw'n dda ei iechyd a byddai hynny yn rhwystr iddo dderbyn ymgeisyddiaeth dros Orllewin Fflint, ar wahân i unrhyw ystyriaethau eraill.'[40]

Ni fu'r ymgais hon i 'droi' Huw T yn llwyddiannus yn y tymor byr, ond mae'n sicr iddo gael ei ddylanwadu gan y drafodaeth a'r llythyron a anfonwyd ato. Ymatebodd Huw T drwy ddweud ei fod yn cynllunio i gynnal cynhadledd, efallai ym Machynlleth ym mis Mai, ac mai 'Statws dominiwn, ac nid dim llai fyddai y nod... Credaf fod posibilrwydd di-ben-draw yn y syniad'.[41]

Roedd yn parhau, felly, i chwilio am achubiaeth drwy gynnal cynhadledd genedlaethol gan siarad yn gyhoeddus yn ystod y gwanwyn am ei gynlluniau. Ym mis Mawrth cafodd rybudd call ac amserol gan gyfaill, y Rhyddfrydwr Syr Wynn Wheldon.

Mewn llythyr at Huw T, dywedodd ei fod yn amheus o'r syniad o ymgynnull 'frodyr da eu gair' i alw am senedd i Gymru. Tybiai y byddai gwrthwynebiad mawr o fewn y Blaid Lafur: 'A ydych o ddifri yn credu y cymer Morgannwg a Mynwy o ddifri unrhyw gam o'r fath... Maddeuwch i mi am ymyrryd fel hyn, ond yr wyf i fel llawer eraill yn gwerthfawrogi y sêl parhaol sydd yn eich cymell, ac yn pryderu rhag i chwi chwalu yr awdurdod feddwch heddiw, ac iddo golli ei rym a'i werth yn ein mysg.'[42]

Ni wrandawodd Huw T ar y rhybudd, ac erbyn mis Mehefin roedd mewn cysylltiad â J E Jones ynglŷn â'r trefniadau ar gyfer y gynhadledd. Erbyn hyn, bwriad Huw T oedd cynnal y gynhadledd ym mis Medi; barnai J E Jones mai Dolgellau fyddai'r lleoliad gorau ar ei chyfer ac mai'r Sadwrn cyntaf fyddai'r dyddiad mwyaf addas.[43] Ond erbyn canol Gorffennaf, ac yn eironig braidd o ystyried cefndir Huw T, amharwyd ar ei gynlluniau gan streic gan argraffwyr. Oherwydd hynny, nid oedd modd hysbysebu'r gynhadledd arfaethedig mewn da bryd. Ar 19 Gorffennaf hysbysodd J E Jones o hyn gan ddweud fod cynllun arall yn ei feddwl a fyddai'n 'canolbwyntio sylw'r wlad ar y priodoldeb i ni ennill yn yr amser byrraf posibl yr un hawliau â gwledydd y Gymanwlad'.[44] Roedd yn fwy agored mewn llythyr at Gwynfor Evans a bostiwyd yr un diwrnod. Y cynllun newydd oedd mudiad yn ymdebygu i'r ILP '... nid i redeg ymgeiswyr am Senedd Prydain, ond i greu Senedd ar dir Cymru, ac i gefnogi'n llwyr ymgeisiaeth y rhai fydd yn ymladd am Seddau i Senedd Prydain, a fydd ar yr un pryd yn gosod ger bron eu h'etholwyr yn eu polisi mai Statws Dominiwn yw y nod... Y Blaid yw'r unig fudiad gwleidyddol yng Nghymru a all fod ar ei hennill o'r symudiad yma, os y tyf fel y gobeithiaf fe ddylasai ysgwyd dipyn ar bethau!'[45] Ceir nodyn ar frig y llythyr hwn yn llaw Gwynfor Evans: 'Golyga y gall H.T. siarad ar lwyfan y Blaid yn yr etholiad heb ymuno â hi.' Ysgrifennodd at Huw T ar 29 Gorffennaf yn croesawu'r syniad:

Gwelaf bosibiliadau da yn eich syniad o fudiad (nid Plaid) i hyrwyddo'r gwaith dros safle Dominiwn i Gymru. Mae'n fformiwla effeithiol i chwi yn bersonol, gan roi ichwi gyfrwng i weithio dros y pethau y credwch mor ddwfn ynddynt a hynny heb ymddiswyddo o'r Blaid Lafur (beth bynnag wnaiff y Blaid honno â chwi! – os enillwch gefnogaeth gall benderfynu mai gwell fydd iddi eich diswyddo na'ch anwybyddu). Gall roi cyfle hefyd i rai nad ydynt yn rhydd, o achos eu swydd, i gymryd rhan mewn gwleidyddiaeth plaid.[46]

Mae'n arwyddocaol nad oedd Gwynfor yn ceisio atal cynlluniau Huw T, ac na pharhaodd chwaith, ar yr wyneb o leiaf, â'r ymgais i'w berswadio i ymuno â'r Blaid. Mae'n debygol y gwelai mai Plaid Cymru fyddai'n elwa petai'r mudiad newydd yn llwyddo. Mae'n amlwg hefyd fod Huw T yn barod i gefnogi'r Blaid yn yr etholiad cyffredinol a oedd i'w ddisgwyl yn yr hydref. Ysgrifennodd Gwilym R Jones o swyddfa'r *Faner* at Gwynfor Evans ar 30 Gorffennaf gan ddweud: 'Mae H.T.E. a minnau'n awyddus i wneud cymaint ag a allwn yn ystod yr ymgyrch i'ch helpu trwy gyfrwng y papur hwn.'[47]

Ddiwedd Gorffennaf cafodd Huw T ychydig ddiwrnodau o wyliau yn ei hen gynefin, Ro-wen, gan ymweld â hen gyfeillion a pherthnasau. Ar un achlysur holodd berthynas iddo beth oedd hi'n ei feddwl o'r Blaid Lafur a derbyn yr ateb 'hotch potch', ond ni ddatgelodd iddi ei fwriad i adael Llafur.[48] Yr wythnos ganlynol, cynhaliwyd yr Eisteddfod Genedlaethol yng Nghaernarfon ac roedd Huw T wedi derbyn gwahoddiad i annerch Cymdeithas Gymraeg Prifysgol Llundain ar brynhawn Iau 6 Awst. Yn y cyfarfod hwnnw cyhoeddodd ei fod am adael y Blaid Lafur, a oedd yn ei farn ef wedi colli'i gweledigaeth, er mwyn sefydlu mudiad a fyddai'n brwydro dros senedd i Gymru. Dywedodd ei fod am gyflymu'r broses o gyrraedd nod Plaid Cymru o ennill statws Dominiwn i Gymru ac y byddai'n pleidleisio i'r Blaid pan ddeuai'r etholiad, ond na fyddai'n ymuno â hi.

Roedd hwn yn gyhoeddiad syfrdanol, gan ennill penawdau yn y wasg y diwrnod canlynol fel 'Top Welsh socialist quits to back

Plaid Cymru'.[49] Nid oedd Huw T wedi dweud wrth neb am ei benderfyniad, ac mae yna le i gredu nad oedd wedi paratoi ei araith yn ddigon manwl. Yn ôl ei arferiad, roedd am ddweud rhywbeth dramatig ac mae rhywfaint o dystiolaeth sy'n awgrymu bod elfen o fyrbwylledd yn y penderfyniad. Y noson cynt bu'n siarad â John Clement, un a fu'n llaw dde iddo am flynyddoedd, gan ddweud nad oedd yn gwybod beth i'w ddweud yn y cyfarfod. Ni soniodd air wrtho am unrhyw fwriad i adael y Blaid Lafur. Barnai John Clement y byddai Huw T wedi dweud wrtho petai wedi penderfynu gwneud cyhoeddiad o'r fath a chredai ei fod yn awyddus i wneud datganiad dramatig er mwyn tynnu sylw ato, gan fethu ag ystyried yr holl oblygiadau.[50] Ar fore 6 Awst treuliodd Huw T amser gyda Cliff Prothero a oedd, er eu hanghytuno cyson, yn hen gyfaill iddo, ond ni chafodd Prothero chwaith unrhyw ragrybudd gan Huw T a dim ond ar y radio y noson honno y clywodd y newyddion syfrdanol. Nid oedd Gwynfor Evans chwaith yn disgwyl y cyhoeddiad.[51] Mae yna un ffactor arall sy'n awgrymu nad oedd Huw T wedi bwriadu hyd at y funud olaf un y byddai'n gwneud y fath gyhoeddiad. Pan ymddiswyddodd Huw T o gadeiryddiaeth Cyngor Cymru roedd wedi trefnu i'r wasg a'r cyfryngau fod yn bresennol, ond nid oes awgrym iddo wneud unrhyw ymdrech i reoli'r cyhoeddiad pwysig hwn er mwyn tynnu'r sylw mwyaf posibl ato. Er bod gadael y Blaid Lafur a chefnogi Plaid Cymru ym mlaen ei feddwl, mae'n bosibl nad oedd wedi bwriadu i hynny ddigwydd mewn cyfarfod di-nod o Gymdeithas Gymraeg Prifysgol Llundain.

Mae'n werth nodi nad oedd Huw T chwaith wedi cyhoeddi yn y cyfarfod ei hun ei fod am ymuno â Phlaid Cymru, ond yn hytrach y byddai'n ei chefnogi. Roedd ei bwyslais ar y nod o sefydlu 'senedd ar ddaear Cymru'; byddai'n cyhoeddi 'blueprint' ar gyfer senedd a mudiad a fyddai'n gweithredu i Blaid Cymru yn yr un modd ag y gwnaeth yr ILP i'r Blaid Lafur yn y gorffennol: 'if I can be a doorkeeper in the house of my nation I shall be happy,' meddai wrth y *Western Mail*.[52]

Mae'r holl arwyddion, felly, yn awgrymu nad oedd Huw T yn bwriadu dod yn *aelod* o Blaid Cymru pan gododd ar ei draed yn y cyfarfod tyngedfennol hwnnw ar 6 Awst, ond wedi i'r cyfarfod ddod i ben – yn ôl un llygad-dyst – siaradodd Huw T â J E Jones yn breifat gan ddweud ei fod am ymuno â'r Blaid yn y man. Y diwrnod canlynol, mewn cyfweliad radio, cadarnhaodd Huw T ei fod yn wir am ymuno â'r Blaid.[53] Beth bynnag oedd yn meddwl Huw T ar y pryd, yr oedd bellach wedi bwrw'i goelbren ac nid oedd modd troi 'nol –nid yn y tymor byr, o leiaf.

Ddechrau'r 1960au cyhoeddodd y Blaid bamffled Saesneg *Why Nationalist?* yn cynnwys cyfraniadau gan amryw o Bleidwyr amlwg a Huw T yn eu plith. Yn ei lith ef, dywed Huw T nad oedd ei benderfyniad i adael y Blaid Lafur yn un a wnaeth 'hastily, or without many qualms of conscience. Socialism has been my religion for well over 40 years, and the Labour Party the political instrument by and through which socialism was to be achieved'. Cyfeiriodd at ragoriaethau Llafur yn y gorffennol a'i siom ym methiant ei hen blaid i gydnabod Cymru fel cenedl ond yn hytrach ei gweld yn 'submerged for ever under the grotesque title of the "British Nation".' Er y boen o adael y Blaid Lafur, a'r swyddi a gawsai yn rhinwedd ei aelodaeth ohoni, credai fod: 'Freedom for all other Nations, leaving my own without the slightest right to express itself, offends my socialist vision.'[54]

Mae'n siŵr ei fod wedi meddwl yn hir am ei ddyfodol ym misoedd cynnar 1959, ond roedd elfen frysiog yn ei benderfyniad ddechrau Awst. Yn ôl un newyddiadurwr, nid oedd Huw T yn gwbl sicr iddo wneud y peth iawn o'r diwrnod cyntaf un: 'He was never one to work things out coldly and impassively. He lived by way his heart told him.'[55] Serch hynny, rhoddodd ei dröedigaeth ail wynt i yrfa a oedd yn colli momentwm wedi ei ymddiswyddiad o Gyngor Cymru. Gostegodd yr ail wynt yn lled fuan wedi hynny ond, am gyfnod, roedd Huw T yn geffyl blaen unwaith yn rhagor.

IX

'NID YW BELLACH YN RYM YN Y TIR'

Y cenedlaetholwr, 1960–64

G AN EI FOD wedi ymddiswyddo o'r Blaid Lafur, credai Huw T na
allai bellach aros yn aelod o Gyngor Sir y Fflint gan mai trwy'r
blaid honno y cafodd ei ethol yn henadur. Roedd ei ymddiswyddiad
o'r Cyngor Sir yn gryn aberth iddo ef yn bersonol, ac er i rai ceisio
ei berswadio i aros nid oedd am sathru ar ei egwyddorion. Roedd
gadael plaid rymus, ac ar yr un pryd yr awdurdod a'r dylanwad a
berthynai i swyddogaethau cynghorydd sir, yn gwanhau sefyllfa
wleidyddol Huw T yn ddirfawr. Ni fyddai'n debygol o adennill yr
un awdurdod yn ei blaid newydd.

At ei gilydd, roedd y croeso o fewn Plaid Cymru i'w recríwt
newydd yn un cynnes. Gwelwyd cyfle euraid i ddenu mwy o aelodau
dylanwadol y Blaid Lafur at yr achos, a miloedd o bleidleisiau yn
eu sgil. Derbyniodd Huw T negeseuon di-rif yn ei groesawu, gan
gynnwys llythyr a grisialai'r cyfan gan un o aelodau ifanc disgleiriaf y
Blaid, Elystan Morgan, a honnai 'mai dyma'r digwyddiad pwysicaf yn
ein hanes yn ystod yr ugain mlynedd diwethaf. Mae'n dangos fod yr
apêl at ein cyd-wladwyr i roddi cenedl o flaen plaid yn llwyddo'.[1]

Roedd Gwynfor Evans hefyd wrth ei fodd. Ysgrifennodd at
Huw T drannoeth y cyhoeddiad gan ddymuno '… nerth am lawer
o flynyddoedd eto, fel y bydd y bennod newydd a agorwyd yn

eich hanes neithiwr yr un mwyaf gogoneddus yn y gyfrol oll'. [2] Ysgrifennodd Gwynfor hefyd at J E Jones yn ei gymell i gyhoeddi hanes bywyd Huw T ym mhapurau'r Blaid gan gyfeirio '... at yr hyn a wnaeth yn awr fel y climacs rhesymegol i'w bererindod fel Cymro onest, gwlatgar'.[3] Ymateb Huw T i hyn oll oedd: 'Dylaswn fod wedi gwneud hyn flynyddoedd lawer yn ôl, ond dyna ni.'[4]

Yn ogystal â'r croeso, cafwyd arian hefyd. Daeth cyfraniad o £500 i'r coffrau gan y 'rancher' cyfoethog o dde America, Hywel Hughes, Bogota. Anfonodd J E Jones ddyfyniad o lythyr Hywel Hughes at Huw T: 'Y mae £500 i groesawu H.T. oddi wrth y Barwn Cymreig; ar ôl 500 mlynedd o frad gan Gymry cyfoethog, y mae cyfiawnder yn cyrraedd.'[5] Ond nid oedd pawb yn fodlon. Er yn croesawu penderfyniad Huw T, mynegodd un o Bleidwyr Pont-y-pŵl ei bryder o glywed 'disquieting rumours' bod Huw T wedi'i wahodd i ymuno â phwyllgor gwaith y Blaid. 'Is this true? If so, to whom should one protest?' meddai.[6] Nid oedd un o hen dô'r Blaid yn groesawgar chwaith. Cwynodd Mrs Griffith John Williams fod J E Jones a Gwynfor Evans '... am wneud ffýs o rai...' a bod Huw T 'yn chwarae â Chymru dros y blynyddoedd'.[7]

Yn y pen draw, y prawf o effaith dyfodiad Huw T i'r Blaid oedd nid cynhesrwydd y croeso iddo ef yn bersonol, ond yn hytrach y nifer o aelodau newydd a ddenwyd, yn arbennig o blith Llafurwyr blaenllaw, a chanlyniad yr etholiad cyffredinol hirddisgwyliedig. Mae'n debyg i'r Blaid, yn y diwrnodau wedi cyhoeddiad Huw T, dderbyn sawl cais i ymaelodi, ac atgyfnerthwyd y neges drwy ymddangosiad Gwynfor Evans ar raglen deledu TWW, *Viewpoint*.[8] Ymunodd H W J Edwards, Trealaw, y cenedlaetholwr adain dde ecsentrig, a daeth rhai cyn-Bleidwyr, fel yr eratig John Legonna, yn ôl i'r praidd.[9] Ond ni ddaeth y llif o Lafurwyr draw fel y gobeithid. Roedd gweithred Huw T yn gymorth i ddenu arweinydd glowyr Cwmllynfell, Isaac Stephens, i ymuno, ond roedd perthynas dda wedi datblygu rhyngddo ef a'r Blaid ers rhai misoedd beth bynnag.[10] Nid yw'n glir chwaith mai dylanwad Huw T a roddodd yr hwb i

Rolant o Fôn, un o gyfeillion Cledwyn Hughes, droi at y Blaid ym mis Medi 1959. Yn ei lythyr ef at Cledwyn Hughes ni chyfeiriodd at Huw T yn uniongyrchol, ond roedd y safbwyntiau a fynegodd yn debyg iawn.[11] Siomedig ar y cyfan, fodd bynnag, oedd ymateb y sosialwyr cenedlaetholgar i alwad Huw T i'r gad wrth iddynt aros yn driw i'r Blaid Lafur.

Yn y cyfnod hwn, derbyniodd Huw T ugeiniau o lythyron personol, gan gynnwys rhai oddi wrth ei hen gyfeillion yn y Blaid Lafur, fel Hubert Morgan, a awgrymai na fyddai ei weithred yn tanseilio'i edmygedd ohono nac yn chwalu eu cyfeillgarwch.[12] Serch hynny, yn gyhoeddus, ymosodwyd arno yn y wasg gan hynafgwyr Llafur fel John Jones-Roberts o Flaenau Ffestiniog a sosialwyr ifanc fel D Ben Rees, ac roedd sylw ei hen gyfaill Tom Jones yn ddeifiol: 'Individuals as well as parties can sometimes lose vision.'[13] I Goronwy Roberts roedd penderfyniad Huw T yn 'gyllell yn ei gefn' tra mai 'Iscariot' ydoedd i un hen Lafurwr.[14] Serch hynny, nid oedd teyrngarwch Huw T at ei hen blaid wedi diflannu'n llwyr. Yn ddiweddarach, honnodd Huw T iddo berswadio Plaid Cymru i beidio â sefyll yn erbyn Eirene White yn etholaeth Dwyrain Fflint; os oedd hynny'n wir, gallai hynny fod wedi bod yn dyngedfennol i'w llwyddiant yn cadw'r sedd gan iddi ennill o fwyafrif o 75 pleidlais yn unig yn wyneb ymgyrch nerthol gan y Ceidwadwyr.[15] Pryderai J E Jones hefyd bod y Blaid Lafur yn defnyddio 'whispering propaganda' i danseilio'r Blaid gan ledaenu'r neges y byddai Huw T yn ceisio rhoi Gwynfor Evans yn y cysgod.[16]

Gyda'r etholiad cyffredinol yn nesáu, ysgrifennodd Huw T at Gwynfor yn gosod allan ei 'gynllun', ond nid oedd am ei ddadlennu tan ar ôl yr etholiad gan yr ofnai y byddai hynny'n tynnu sylw ymgyrchwyr Plaid Cymru oddi ar anghenion yr ymgyrch.[17] O ran tactegau etholiadol, ni fyddai'n siarad yn gyhoeddus tan yn agosach at ddyddiad yr etholiad gan ei fod am ganiatáu amser i'w hen gyd-aelodau ymosod arno ef. Credai na fyddai'r brodyr T W a James Idwal Jones yn cadw'n dawel yn hir.

Pan ddechreuodd yr ymgyrch o ddifrif, siaradodd Huw T ar hyd a lled Cymru – ym Methesda ac Aberystwyth, yn y Bala a sir Benfro. Barnai 'Daniel' yn *Y Faner* ei fod yn amlwg bod '… dylanwad aruthrol gan y Dr Huw T Edwards. Eisoes cafwyd cyfarfodydd mawr a dylanwadol trwy ardaloedd diwydiannol Gwynedd'.[18] Adroddodd ei ferch, Beti: 'Mae fy nhad ar hyd a lled y wlad y dyddiau yma ac i weled yn cael derbyniad da iawn ym mhob man. Rydym yn poeni lawer ofn iddo orflino ond y mae wrth ei fodd ac yn mwynhau ei hun yn rhagorol.'[19] Darlledodd Huw T hefyd ar 'Y Ceiliog', y gwasanaeth radio anghyfreithlon a ddefnyddiwyd gan y Blaid i ledaenu ei neges. [20]

Rhoddodd Huw T gymorth i'r ymgeisydd yng Ngorllewin Fflint, Nefyl Williams, gan siarad yn yr Wyddgrug, Trelawnyd a Phrestatyn a chyfrannu'n hael at goffrau'r ymgyrch.[21] Ond tir diffaith i'r Blaid oedd sir y Fflint, fel y tystiai'r Pleidiwr ifanc John Davies a fu'n ymgyrchu yno yn haf 1959: '… Roedd anwybodaeth am y Blaid yn eang, ac yr oedd yn amlwg fod ymreolaeth i Gymru yn syniad newydd i lawer'.[22] Serch hynny, codwyd gobeithion y Blaid yn gyffredinol a thybiwyd y gellid ennill etholaeth Meirion, yn enwedig o ystyried effaith achos Tryweryn. Nid yw'n glir a oedd Huw T mor obeithiol â'i gyd-Bleidwyr, ond mae'n siŵr y credai y byddai ei weithrediadau ef yn ddylanwad ar y canlyniad yng Nghymru yn gyffredinol. Ond nid felly y bu.

Ni welwyd y cynnydd mawr a ddisgwylid ym mhleidlais Plaid Cymru yn 1959 ac, er mawr siom i genedlaetholwyr o bedwar ban, methwyd â chipio Meirion. Yn wir, daeth Gwynfor Evans yn drydydd y tu ôl i'r buddugwr T W Jones, yr Aelod Seneddol Llafur, ac er mawr syndod, i'r Rhyddfrydwr, Ben Jones, a ddaeth yn ail parchus. Nid oedd T W Jones yn araf yn rhoi cic i'w hen gyfaill: 'I was also glad of the entry of Alderman H T Edwards who did much harm to Plaid Cymru and he helped me very much by coming here.'[23] Roedd y Rhyddfrydwyr hefyd yn fodlon eu byd. Ysgrifennodd Syr Wynn P Wheldon at Ben Jones: '… yr ydych wedi rhoi taw ar Gwynfor a Huw T, dau ŵr da ar gyfeiliorn a Huw T gyda lawer mwy o brofiad, yn fwy ar gyfeiliorn na Gwynfor, hwn sydd yn eitha diniwed...' [24]

Nid oedd tröedigaeth Huw T, felly, wedi denu pleidleisiau newydd yn eu miloedd, ac er efallai iddi chwarae ei rhan yn yr ysbryd cenedlaetholgar a gydiodd yn nychymyg yr ifanc yn yr 1960au, prin y gellid dweud iddi gael 'impact' cyffredinol. Er i'r arweinyddiaeth feio'r canlyniad siomedig ar yr annhegwch o beidio â derbyn amser darlledu ar y radio a'r teledu, credai Huw T ei hun i'r Blaid fethu yn 1959 oherwydd 'diffyg arweiniad a threfniant lleol'.[25] Amaturaidd oedd y Blaid o'i chymharu â'r pleidiau mawr; gwelai Huw T, yn achos y Blaid Lafur, y fantais o gael swyddogion undeb proffesiynol wrth law i drefnu ymgyrchoedd. Wedi'r etholiad cynigiodd sawl dull o wella'r drefniadaeth a mabwysiadwyd rhai o'i syniadau yn haf 1960; gelwid hwy yn 'gynllun HTE', cynllun Hyrwyddo Trefniadaeth Effeithiol sef, yng ngeiriau J E Jones '... perffeithio trefniadaeth pob etholaeth, ac i ni weithio ar y penaethiaid'.[26]

Er yr ymdrech i wella peirianwaith y Blaid, talwyd mwy o sylw yn y cyfnod wedi etholiad 1959 i fethiannau honedig arweinyddiaeth y Blaid. Wedi siom etholiad 1959, wynebai Plaid Cymru a'i harweinydd gyfnod anodd tu hwnt. Cynyddodd y feirniadaeth o'r arweinyddiaeth ymhlith sawl carfan o genedlaetholwyr. Credai criw o Babyddion, a hanner-addolai Saunders Lewis, nad oedd Gwynfor Evans yn dangos arweiniad digon cadarn, yn arbennig yn achos Tryweryn. Credent y dylid dilyn esiampl Penyberth. Dyma hefyd oedd barn rhai aelodau ifanc tanbaid, yn arbennig felly fyfyrwyr o golegau Bangor ac Aberystwyth, a aeth ati maes o law i sefydlu Cymdeithas yr Iaith Gymraeg. Ar yr un pryd roedd llawer o aelodau o gymoedd de Cymru yn awyddus i'r Blaid ddilyn safbwyntiau mwy gweriniaethol a sosialaidd. Yn eu plith yr oedd Emrys Roberts, dirprwy ysgrifennydd y Blaid, a oedd hefyd yn anfodlon â threfniadaeth ganolog y Blaid. Ar ben hyn oll roedd rhai aelodau blaenllaw yn corddi'r dyfroedd, gan gynnwys Huw T a Phleidwyr y gogledd–ddwyrain. Câi Gwynfor gryn drafferth yn y cyfnod hwn wrth geisio cadw'r ddysgl yn wastad; gwelai Huw T fel un a siglai'r ddysgl honno'n rhy aml, yn arbennig am fod gan Huw T ffordd hwylus o ledaenu ei farn a'i gynlluniau drwy'r *Faner*.

★   ★   ★

Er iddo gael ei gyfethol i bwyllgor gwaith y Blaid yn 1960, parhau i ddilyn ei gwys ei hunan a wnâi Huw T ar ddechrau'r 1960au. 'Senedd ar dir Cymru' oedd ei nod o hyd, ond ni chafwyd croeso i'w ddulliau o gyrraedd y nod. Byddai'n dadlau y dylid sefydlu senedd wedi'i hethol gan bobl a fyddai wedi arwyddo eu bod yn cefnogi'r egwyddor o Statws Dominiwn i Gymru. Gwaith y senedd fyddai – nid deddfu – ond cynllunio: 'A: Cynllunio sut i ennill mwyafrif o Gymry i gefnogi'r egwyddor a B: Cynllunio'r fframwaith o "gyfnewid drosodd".'[27]

Wedi ei dröedigaeth, beirniadwyd syniadau Huw T gan lawer, ac efallai'n fwyaf deifiol yn *Y Faner* ei hun gan y colofnydd 'Daniel': '...pan mae Huw T Edwards yn gallu sôn am "enwi'r Senedd" ar gyfer Cymru, y mae'r ysgrifen ar y mur. Ac er imi allu dweud hyn hyd yma, yn ei ḅapur ef ei hun, nid yw'r sŵn bygythiol yng ngeiriau Mr Edwards yr un gronyn yn llai'.[28] Cafodd ei syniadau eu dirmygu yn y *Liverpool Daily Post* a ddadleuai nad oedd '... short cut to democracy in Wales' ac yn y *Western Mail* a haerodd y byddai '... unrepresentative "Parliament" with neither administrative nor political authority' yn lle i '... blowhards, and not for self-respecting Welshmen who desire to achieve real progress for their country'. Honnai hefyd fod Huw T yn '...deceiving himself into believing that he can accomplish what he desires by setting up his own political apparatus'.[29]

Nid oedd syniadau Huw T chwaith yn cyd-fynd â pholisi ei blaid newydd. Mewn gwirionedd, ffurf arall oeddent o'r 'Ymgyrch Senedd i Gymru', lle y tynnwyd gwleidyddion cenedlaetholgar o bob plaid at ei gilydd i ymgyrchu dros senedd, neu 'siop siarad' ddiddannedd na fyddai'r llywodraeth yn cymryd fawr o sylw o'i datganiadau. Yn y pen draw, tueddai teyrngarwch at blaid yng ngwleidyddiaeth Cymru oresgyn syniadau fel hyn ac nid oedd awydd cyffredinol i weithredu drwy ymgyrch a deiseb ac ailadrodd methiannau'r 1950au. Parhau a wnaeth Huw T i gyfeirio at y syniad hwn yn y blynyddoedd dilynol, ond breuddwyd gwrach ydoedd mewn gwirionedd.[30]

Nid oedd prinder syniadau eraill o fewn Plaid Cymru, wrth i unigolion a charfanau amrywiol geisio chwilio am ffordd ymlaen. Roedd Huw T ei hun wedi datgan hyn yn rali'r Blaid yn Aberystwyth yn Hydref 1960: 'Golyga'r ffordd ymlaen, fynd ymlaen. Golyga ein bod yn dyfeisio ac yn darganfod dulliau newydd o orchfygu rhwystrau. Ddaw hi ddim drwy fod yn ddiymadferth a thawedog.'[31] Roedd e wedi ymateb eisoes, mewn erthygl yn *Y Faner* yn dwyn y pennawd 'Sŵn deffro sy'n y gwynt', i rai syniadau a wyntyllwyd ar y pryd. Ni ffafriai'r awgrym o greu 'byddin gudd' a fyddai, mae'n debyg, yn trefnu gweithrediadau yn erbyn eiddo, fel yn achos Penyberth, ond heb ildio i'r awdurdodau wedi hynny. Yn hytrach, ochrai gyda'r rhai a gredai mewn 'pasiffistiaeth ymosodol', gan ddefnyddio dulliau Gandhi '… o ddymchwel trais a gorthrwm'. Haerodd '… ni fydd lle yn y mudiad hwnnw i'r gwangalon, oherwydd fe ofynnir oddi ar ei aelodau am y math o arwriaeth sydd yn deillio o wir aberth'.[32] Ymhen amser, dilynwyd y naill lwybr gan y fyddin gudd dreisgar, Mudiad Amddiffyn Cymru, a'r llall gan yr ymgyrchwyr iaith a ffurfiodd Gymdeithas yr Iaith Gymraeg.[33] Daeth Huw T yn llywydd cyntaf Cymdeithas yr Iaith yn 1962, ond ni fu'n ymwneud â'i threfniadaeth na'i gweithrediadau; ac yntau wedi cyrraedd oed yr addewid, a'i iechyd yn fregus, roedd yn rhy hen i eistedd ar bont Trefechan yn yr oerfel.

Serch hynny, llwyddai Huw T i barhau i gorddi'r dyfroedd. Ddechrau 1961 ymddangosodd colofn newydd yn *Y Faner* dan yr enw 'Glyn-dŵr'. Cyflwynodd Huw T y colofnydd newydd yn bersonol ar dudalen flaen y papur gan ddweud: '… gallaf addo i chwi ei fod yn ŵr y mae ei glust yn dynn wrth galon y genedl' ac yn ystod y misoedd dilynol bu'r colofnydd anhysbys yn beirniadu'n hallt unigolion a sefydliadau o bob lliw a llun.[34] Nid oedd neb yn ddiogel rhag ei eiriau miniog, a chafwyd cwynion cyson gan rai a deimlai fod yr ymosodiadau arnynt yn annheg. Cwynodd Alun Oldfield-Davies, rheolwr y BBC yng Nghymru, yn uniongyrchol wrth Huw T mewn llythyr personol am yr awgrym yn y golofn fod gan y BBC restr ddu o'r rhai na fyddai'n cael eu gwahodd i ymddangos ar ei raglenni.[35] Ond parhawyd y ffrae am rai wythnosau wrth i 'Glyn-dŵr' gyhuddo'r BBC o fod yn 'chwydlyd o wasaidd'.[36] Cwynai'r colofnydd beiddgar hefyd am y drefn ar gyfer teledu masnachol am y cysylltwyd de Cymru â Bryste yn hytrach na chysylltu'r gogledd a'r de.

Ym mis Ebrill, ymosododd Glyn-dŵr yn chwyrn ac yn or-bersonol ar Gwynfor Evans a beirniadwyd Y Faner gan lawer o Bleidwyr am gynnwys erthygl a oedd, yn ôl un, yn 'ysgrif anhygoel o dwp'.[37] Ymddangosodd erthygl ar dudalen flaen y Liverpool Daily Post yn cyfeirio at yr ymosodiad eithriadol ar arweinydd y Blaid mewn papur a gâi ei ystyried yn llais answyddogol y Blaid. Awgrymwyd bod mudiad o fewn y Blaid yn ceisio disodli'r arweinydd a bod sibrydion bod Gwynfor am ymddiswyddo.[38] Ymatebodd Huw T a Gwilym R drwy anfon llythyr at y Liverpool Daily Post gan ddatgan nad papur answyddogol y Blaid oedd Y Faner ac nad oedd yn gysylltiedig ag unrhyw blaid wleidyddol. Dadleuent fod rhyddid dilyffethair i newyddiadurwyr, gan gynnwys Glyn-dŵr, i ddatgan eu barn yn y papur. Nid oeddent yn cytuno â safbwynt Glyn-dŵr, a phe bai ymgais i gael gwared â Gwynfor byddent yn rhwym o gefnogi'r arweinydd.[39]

Roedd yr ymateb hwn, yn ôl J E Jones, 'wedi clirio llawer o'r awyr', ond cafodd Gwynfor Evans ei frifo'n arw gan yr ymosodiadau arno mewn papur a gâi ei ystyried fel un oedd yn gefnogol i'r Blaid.[40] Cyfeiria'i gofiannydd at ymgyrch fewnol o blith arweinwyr y Blaid i'w berswadio i aros wrth y llyw.[41] Ysgrifennodd Elwyn Roberts ato yn mynegi ei anfodlonrwydd at y '… rhai sy'n ceisio eich baeddu, a hynny mor annheg, ac anhaeddiannol… Y mae ein dyled ichwi yn ddifesur, a'n hedmygedd ohonoch, a'n ffyddlondeb ichwi mor fawr fel y gallwch ddibynnu arnynt'.[42] Yn ddiweddarach ysgrifennodd J E Jones at Huw T ynglŷn â cholofn Glyn-dŵr gan ddweud: '… mawr obeithiaf nad yw wedi dechrau cancr yn yr ysbryd cydweithredol a fu'n achos undod y Blaid er y dyddiau cyntaf'.[43]

Nid yw'n hysbys pwy oedd Glyn-dŵr, ond credai un o gyfeillion agosaf Huw T mai ef ydoedd gan iddo sylwi bod straeon a ddywedai wrth Huw T yn ymddangos yn y golofn.[44] O ddadansoddi cynnwys y golofn yn gwbl arwynebol, ceir tystiolaeth nad Huw T oedd wrthi. Yn rhifyn 2 Chwefror 1961, er enghraifft, cyfeirir at y Cymry hynny na chawsant eu hanrhydeddu gan y frenhines. Roedd llawer o'r enwau a grybwyllwyd yn gyfeillion i Huw T, ond ceir cyfeiriad hefyd at anwybodaeth y colofnydd am undebaeth ac undebwyr llafur. Ar y naill law gellir gweld hyn fel tystiolaeth nad Huw T oedd Glyn-dŵr, ond mae'n llawn mor debygol mai dyma oedd dull y colofnydd o'i gelu ei hun.

Posibilrwydd arall yw bod Huw T yn bwydo straeon i'r colofnydd ac nad Huw T ei hun oedd Glyn-dŵr. Yn sicr, nid oedd yn debygol y gallai Huw T gyfrannu colofn yn wythnosol. Ym mis Mawrth 1961, er enghraifft, gorweddai Huw T yn ysbyty Alexandra y Rhyl ar ôl cael ei daro'n wael ac yn ddiweddarach, ym mis Mai, bu am gyfnod yn ysbyty Llandochau, Penarth.[45] Nid oedd Huw T mewn cyflwr i lunio erthyglau yn y cyfnodau hynny, felly. Un ddamcaniaeth arall yw bod mwy nag un Glyn-dŵr, neu o leiaf mai colofn gyfansawdd ydoedd a gâi ei thynnu at ei gilydd gan y golygydd. Yn bendant, mae elfennau rhyfedd iawn yn y golofn ddadleuol ar Gwynfor Evans. Tra ceid iaith y gogledd yng ngholofn arferol Glyn-dŵr, nid felly yn y golofn ar Gwynfor Evans. Iaith y de yw iaith y golofn, a defnyddiwyd geiriau fel 'mas' a 'pallu' – termau dieithr i ogleddwyr. Mae'n bosibl, felly, i'r *Faner* dderbyn yr erthygl ddadleuol hon gan un o elynion Gwynfor a'i phrintio dan enw Glyn-dŵr. Beth bynnag oedd y gwirionedd, ar y naill law enynnodd colofn Glyn-dŵr ddiddordeb mewn papur a oedd yn prysur golli darllenwyr, ond ar yr un pryd collodd barch ymhlith Pleidwyr, sef y rhai oedd fwyaf tebygol o brynu'r *Faner*.[46]

* * *

Dirywio a wnaeth perthynas Huw T ag arweinyddiaeth y Blaid yn ystod 1962–64. Ddechrau Mehefin 1962, serch hynny, ysgrifennodd lythyr maith at Gwynfor Evans yn gofyn am sgwrs ar dactegau gwleidyddol. Gosododd chwe phwynt gerbron yr arweinydd yn ymwneud â threfniadaeth y Blaid ac ar yr angen '… i gael gafael ar rhywbeth sydd o fewn amgyffred y dyn cyffredin, a ddaw â fe i rengoedd y Blaid'. Ond yn bennaf oll cododd y cwestiwn o bolisi'r Blaid o sefyll mewn etholiadau seneddol: 'A all y Blaid fod yn gocyn hitio ar waelod y Pol lawer hwy?' gofynnodd. Dyma fyddai byrdwn dadl Huw T yn ystod y blynyddoedd dilynol.

Cafodd ateb sydyn a manwl gan Gwynfor Evans. Mewn llythyr boneddigaidd, ond awdurdodol, cyfeiriodd at ei brysurdeb ac at ei ddymuniad i gael sgwrs hir â Huw T. Serch hynny, aeth ati i ateb pwyntiau Huw T, gan ganolbwyntio ar fater sefyll mewn etholiadau seneddol: 'Wrth ymladd, cariwn ein neges i filoedd o gartrefi ar adeg pan yw'r bobl yn fwy byw yn wleidyddol; crëwn genedlaetholwyr lawer; cryfhawn ein peirianwaith, a daw'r Blaid yn rhywfaint o rym lle y gellid yn gynt ei hanwybyddu'n llwyr.' Cyfeiriodd at y cynnydd yn yr aelodaeth mewn etholaethau lle bu'r Blaid yn ymladd etholiad, a hefyd at ba mor ddiymadferth oedd yr Aelodau Seneddol a gâi eu hystyried yn Gymry da o fewn y pleidiau mawr. Honnai fod cyfanswm pleidlais y Blaid yn ddylanwad ar agweddau 'Whitehall' a phe '… peidiem ag ymladd yn wleidyddol, yn lleol ac yn seneddol, hyd eithaf ein gallu, byddem yn llithro'n ôl yn hytrach na symud ymlaen; ac er arafed ein symud, yr ydym wedi symud ymlaen yn gyson…' Dangosodd hefyd ei awydd i ddod o hyd i bolisïau newydd, gan ystyried y dylai'r Blaid gael, ar flaen ei rhaglen, senedd yn debyg i gantonau'r Swistir. Fodd bynnag, gwyddai am yr angen i droedio'n ofalus gan y byddai rhai yn y Blaid yn gweld hyn fel 'cymrodeddu gwan'. [47]

Ni fodlonwyd Huw T gan ymateb yr arweinydd, ac mewn llythyr at un o weithwyr y Blaid, Ray Smith, rai diwrnodau'n ddiweddarach mynegodd ei safbwynt unwaith yn rhagor: 'I have a great admiration for the Leadership but quite frankly I feel we might with advantage examine more closely the questions of tactics and policy. The Blaid has a terrifically strong weapon in Welsh Self-Government, but one is driven to weeping almost by this slavish idea of seeking this through contesting for seats at Westminster.'[48]

Ni chafodd ei syniadau fawr o groeso gan y Blaid yn y cyfnod hwn ond roedd Saunders Lewis – un arall a feirniadai'r arweinyddiaeth – yn fwy parod i gytuno â safbwynt Huw T. Bu'r ddau yn gohebu ym Medi 1962, gyda Saunders Lewis yn cystwyo arweinyddiaeth y Blaid: 'Nid oes gan y Blaid unrhyw *flair*, unrhyw drwyn, am wleidydda effeithiol,' meddai. Ni chredai mai trwy sefyll etholiadau yr enillid hunanlywodraeth, ac mai 'Pobl yn twyllo'u hunain yw Plaid Cymru heddiw'.[49] Cytunai Huw T: 'Mae'r nonsens o ymladd pob etholaeth yng Nghymru, a'r siarad am wneud hynny yn ffwlbri noeth… Mae'r datganiadau mynych ar bolisi yn llyffetheirio'r Blaid hefyd. Digon yw hawlio Urddas Cenedl a dangos parodrwydd i aberthu dros hynny, yn hytrach na hidlo gwybed, fel y gweir yn rhy fynych.'[50] Dyma ddau hynafgwr, felly, yn saethu bwledi o'r cyrion ond, mewn gwirionedd, prin y byddai cytundeb rhwng y ddau ar ddyfodol gwleidyddol Cymru na'r Blaid gan fod athroniaeth y naill mor wahanol i'r llall.

Brigodd yr anghytundeb rhwng Huw T a Gwynfor Evans i'r wyneb unwaith eto ddechrau Hydref. Ysgrifennodd Gwynfor at Huw T ar 1 Hydref yn cwyno am y diffyg sylw a gâi'r Blaid gan y wasg, y radio a'r teledu. Gofynnodd i Huw T gael gair â phrif weithredwr y

Western Mail, David Cole, am hyn ac am y ffaith na roddwyd sylw yn y papur i rali'r Blaid yn Llanymddyfri – rali a ddenodd fil o gefnogwyr y dydd Sadwrn blaenorol – er i gynadleddau'r pleidiau Prydeinig gael digon o sylw. Cyfeiriodd hefyd at sefyllfa Huw T ei hun: 'Barn rhai sy'n cynghori'r llywodraeth ar y pethau hyn, gyda llaw, yw eich bod chi'n arwain mudiad o weithredwyr "uniongyrchol" ac y gall y mudiad hwn gymryd y Blaid drosodd.'[51]

Ymatebodd Huw T yn chwyrn mewn llythyr maith a dadlennol. Nid oedd yn deall pam fod y Blaid yn cael anhawster i gael sylw gan y wasg. Nid oedd ef ei hun erioed wedi methu cael sylw gan ei fod, yn ei farn ef ei hun, yn gwybod y gwahaniaeth rhwng 'news' a rhywbeth nad oedd yn 'news'. Byddai'n barod i ddwed pethau amhoblogaidd pan oedd yn aelod o'r Blaid Lafur: 'Yr wyf yn credu'n gryf na waeth beth ddwed newyddiaduron am ŵr cyhoeddus mai'r peth pwysig yw eu bod yn sôn amdano, boed dda neu ddrwg.' Ni fyddai'n pwdu â'r wasg gan dderbyn mai gwneud eu gwaith oedd newyddiadurwyr. Credai i'r Blaid wneud cam gwag trwy gwyno am y *Western Mail* wrth y perchennog, Roy Thompson, heb sylweddoli y byddai'r llythyr yn siŵr o gyrraedd desg y golygydd a chreu drwgdeimlad. Cyfeiriodd hefyd at duedd y Blaid i ymosod ar unigolion gan gynddeiriogi pobl o ewyllys da. I Huw T, 'plentyneiddiwch' oedd yr awgrym ei fod ef yn arwain mudiad i gymryd y Blaid drosodd. Pwysleisiodd ei fod yn deyrngar i bolisïau'r Blaid a gytunwyd yn y gynhadledd yn Llangollen y flwyddyn cynt, ond roedd wedi penderfynu ymddiswyddo o bwyllgor gwaith y Blaid. Teimlai iddo ddod i'r Blaid yn rhy ddiweddar a'i fod yn 'methu'n lân â dygymod â'r diffyg trefnusrwydd... Nid yw ymddiswyddo o'r Pwyllgor Gwaith yn golygu y bydd 'na laesu dwylo yn fy nheyrngarwch, oherwydd y Blaid yw'r unig obaith – os y bydd hi'n ddoeth – y sylweddolir ein breuddwydion.' Serch hynny, dadleuai na ddylai'r Blaid wneud datganiadau ar bopeth. 'Gwaith y Blaid yw ceisio rhyddid i'r genedl ac fe ddylasai, mi gredaf, fod â'i holl lafur yn anelu at (a) senedd a (b) paratoi'r farn gyhoeddus ar gyfer y chwyldro... A dyna pam yr ymunais â hi… Sosialydd ydw i, ac mae hynny yn fy ngwaed; ond yr wyf yn barod i adael fy Sosialaeth am fy mod yn credu fel Cymro mai fy nghyfrifoldeb cynta ydyw i'm cenedl, gan obeithio pan gaiff hi ryddid y gwêl hi'r pryd hwnnw y goleuni iawn.' Er y beirniadu, haerodd Huw T mai llythyr 'gan gyfaill at gyfaill' oedd hwn gan ddiweddu drwy gyfeirio at weithgaredd Gwynfor Evans: 'gwn fod eich aberth a'u haberth hwy [ei deulu] tu hwnt i fesur'.[52]

Rai dyddiau'n ddiweddarach daeth ateb gan Gwynfor Evans, a oedd yn awyddus i gwrdd â Huw T i drafod y polisi etholiadol a materion eraill: 'Mae eich angen yn nes atom, nid ymhellach oddiwrthym.' Eglurodd fod y *Western Mail* wedi colli'r adroddiad ar y rali ac mai un aelod cyffredin, ac nid un o arweinyddion y Blaid, oedd yn gyfrifol am y llythyr anffodus ynglŷn â David Cole.[53]

★　★　★

Nid Huw T oedd yr unig Bleidiwr blaenllaw yn y cyfnod hwn a oedd yn amau doethineb sefyll mewn etholiadau seneddol. Anfonodd Islwyn Ffowc Elis, un o hoelion wyth y Blaid, lythyr hir at Gwynfor Evans yn Ebrill 1963 yn dadlau achos peidio â sefyll mewn etholiadau seneddol.[54] Nid atebodd Gwynfor, ond ar ddechrau Mai anfonodd gylchlythyr bugeiliol 'cyfrinachol' at aelodau'r Blaid yn gosod ei resymau dros bolisi'r Blaid o ymladd etholiadau seneddol. Barnai '… pe peidiem ag ymladd etholiadau seneddol, fe gollem weithwyr, fe âi ein trefniadaeth ar chwâl ac fe ymddrylliai'r Blaid. Y casgliad rhesymegol yw bod yn rhaid inni ymladd pa le bynnag a pha bryd bynnag y gallom.'[55] Y mis canlynol rhoddodd Huw T safbwynt cwbl wahanol mewn erthygl yn *Y Faner* – safbwynt a oedd yn ei ddieithrio'n fwyfwy o'r arweinyddiaeth. Galwodd ar y Blaid i beidio â sefyll mewn etholiadau gan ryddhau '… y nifer mawr sydd ym Mhlaid Cymru fel gallent sefyll fel ymgeiswyr yn eu plaid ddewisedig ymhlith y pleidiau eraill'. Dylid gollwng yr enw Plaid a defnyddio'r enw 'Mudiad Cenedlaethol Cymreig' a datgan '… mai ei hamcan ydyw ennill mwyafrif o'r genedl i'r syniad na all cenedl fyw heb holl adnoddau'r mudiad yn cael eu canolbwyntio ar hynny, pe gwneid hyn, dyna Gymru yn wynebu ar gyfnod newydd hollol, a'r rhaniadau di-fudd presennol yn suddo i mewn i un ffrydlif rymus, ymosodol'. Cyfeiriodd at weithgaredd yr ILP a oedd, ym marn Huw T y mudiad mwyaf effeithiol o safbwynt creu barn gyhoeddus a welodd democratiaeth Brydeinig erioed, cyn iddi ddechrau cystadlu â'r Blaid Lafur am seddau seneddol.[56]

Er bod cefnogaeth i'r syniad o beidio â sefyll mewn etholiadau seneddol, go brin fod cefnogaeth i syniad Huw T o droi'r Blaid yn fudiad. Er ei fod ef ei hun yn dra beirniadol o arweinyddiaeth a threfniadaeth y Blaid, nid oedd Emrys Roberts, er enghraifft, yn cytuno â safbwynt Huw T. Ysgrifennodd ato: 'Pwysau plaid wleidyddol annibynnol sy'n bygwth tynnu pleidleisiau oddi arnynt sy'n gorfodi'r pleidiau eraill i ddechrau meddwl yn nhermau Cymreig, ac hyd y gwelaf i, fe gollid hyn oll o roi'r gorau i ymladd etholiadau seneddol a lleol.'[57] Mewn erthygl yn *Y Ddraig Goch*, gwrthododd Gwynfor Evans awgrym Huw T: 'Credaf fod Dr Huw T Edwards bron ar ben ei hun pan ddywed ei fod yn credu y dylem beidio â bod yn blaid wleidyddol. Efallai mai "hedfan kite" yr oedd Dr Edwards – dweud rhywbeth eithafol er mwyn ein gorfodi i roi ystyriaeth fwy difrifol i natur ein gwaith.'[58] Go brin mai 'hedfan kite' oedd Huw T, ac nid oedd wedi anobeithio. Ym mis Tachwedd ysgrifennodd lythyr caredig ei naws at Gwynfor Evans yn canmol 'cyfraniad godidog' yr arweinydd i'r rhaglen deledu *Celtic Challenge*. Yn arwyddocaol, arwyddodd y llythyr â'r geiriau 'Huw T (afradlon)'.[59]

Roedd dylanwad Huw T yn lleol hefyd wedi peri trafferth i'r Blaid. Yn gynnar yn 1963 cynhaliwyd cyfarfodydd ar y cyd rhwng Pleidwyr sir y Fflint a sir Ddinbych gyda'r diben o geisio rhoi pwysau ar bolisïau'r arweinyddiaeth. Anfonwyd llythyr at Gwynfor Evans ar ran y grŵp answyddogol hwn, yn gofyn i'r Blaid arwain ymgyrchoedd protest 'yn erbyn anghyfiawnderau yng Nghymru' gan gynnwys 'eistedd' a bod yn rhwystr yn Nhryweryn. Cyfarfodydd 'gollwng stêm a beirniadu', lle byddai Huw T a Gwilym R Jones yn 'chwythu'r tân', oedd disgrifiad Elwyn Roberts o weithgareddau'r grŵp newydd hwn. Credai hefyd fod gwraig a fu'n flaenllaw yn nhrefniadau'r grŵp yn ysbïwr ar ran y Blaid Lafur.[60] Beth bynnag y gwirionedd am y Mata Hari hon, cytunai Gwynfor Evans ac Elwyn Roberts y dylai aelodau'r grŵp hwn wneud prynhawn da o ganfasio neu sefyll mewn etholiadau lleol yn hytrach na chorddi'r dyfroedd.[61] Gwelwyd anghytuno yn etholaeth Gorllewin Fflint hefyd ynglŷn â'r penderfyniad i sefyll yn yr etholiad seneddol.[62] Roedd mwyafrif yr etholaeth am i'r Blaid ymladd y sedd, gan gynnwys Nefyl Williams a oedd wedi sefyll yn 1959. Roedd yr arweinyddiaeth yn disgwyl iddo sefyll eto er y '... gwahoddir HTE i fod yn ymgeisydd [yng Ngorllewin Fflint], er gwybod na dderbyniai, yn ôl pob tebyg. Yna bydd Nefyl Williams yn sefyll.'[63] Yn anfoddog iawn y cytunodd Nefyl Williams i sefyll yn 1959, ond fe'i perswadiwyd gan rai fel D J Thomas, prifathro ysgol a Phleidiwr amlycaf cangen Dyserth. Erbyn 1964 roedd D J Thomas yn erbyn sefyll, a dylanwad syniadau Huw T a'r baich ariannol oedd wrth wraidd ei safbwynt newydd.[64] Yn y pen draw, safodd Nefyl Williams yn etholiad 1964 ar gost ariannol sylweddol iddo ef yn bersonol, ac ar yr un pryd chwalwyd cangen Dyserth oherwydd yr anghytundeb.[65]

★ ★ ★

Codwyd gwrychyn Gwynfor Evans unwaith yn rhagor ar ddechrau 1964 pan ailgodwyd y syniad o greu mudiad amhleidiol yn *Y Faner*. Awdur yr erthygl y tro hwn oedd y sosialydd Gwilym Prys Davies, a ddadleuai o blaid sefydlu mudiad a fyddai'n ymchwilio i bynciau o bwys cenedlaethol, paratoi adroddiadau ac ymgyrchu, gan greu llais awdurdodol a fyddai'n dylanwadu ar bolisïau'r pleidiau. Cyfeiriodd at safbwynt Huw T na ddylai'r Blaid sefyll mewn etholiadau ond yn hytrach ddatblygu'n 'ganolfan ymgyrchu amhleidiol'. Gan sylweddoli y byddai'n derbyn yr ymateb amlwg fod corff o'r fath yn bodoli eisoes, sef Undeb Cymru Fydd, maentumiodd fod y mudiad hwnnw 'heb ennill y safle angenrheidiol yn y wlad'. 'A yw'r Undeb yn rhy amhendant, diniwed a pharchus?' holodd, a gwyddai mai llwybr anodd fyddai'n wynebu mudiad newydd o'r fath.[66] Ni ellir ond tybio i Huw T bwyso ar Gwilym Prys Davies i lunio'r erthygl hon, a'r wythnos ganlynol manteisiodd ar y cyfle i wthio'i syniadau ef ar dudalen flaen *Y Faner* dan y pennawd: 'Mudiad Di-Blaid dros Gymru?'[67]

Roedd Huw T wedi rhybuddio Elwyn Roberts fod yr erthygl i ymddangos gan ddweud 'Darllen...[yr] hyn a ddywedaf, yn ofalus, yn enwedig rhwng y llinellau.'[68] Ond nid yw'r testun cudd yn amlwg, a chafodd yr erthygl ei hystyried fel enghraifft arall o Huw T yn tanseilio ymdrechion arweinwyr y Blaid.[69] Cysylltodd Gwynfor â Gwilym R Jones, golygydd *Y Faner*, ddechrau Chwefror gan fynegi ei bryder fod y drafodaeth yng ngholofnau'r *Faner* am y 'mudiad di-blaid' yn peri anhawster i Blaid Cymru cyn etholiad. Ymgynghorodd Gwilym R â Huw T ac anfonodd lythyr at Gwynfor gan ddweud '... penderfynasom beidio â chyhoeddi dim ar y cwestiwn o hyn tan yr etholiad'.[70] Ond nid oedd Huw T yn gwbl fodlon. Mewn llythyr at Elwyn Roberts ym mis Ebrill mynegodd ei 'edmygedd' o Gwynfor, ond barnai y dylai'r arweinydd weld 'peth daioni yn ei wrthwynebwyr, ac yn caniatáu iddynt safon o onestrwydd'. [71]

Roedd sibrydion yn drwch yn haf 1964 bod Huw T am ailymuno â'r Blaid Lafur. Nid oedd yr awgrym yn un newydd. Mewn adolygiad yn *Y Ddraig Goch* o'i ail gyfrol hunangofiannol, *Troi'r Drol*, a gyhoeddwyd yn 1963, ceir awgrym clir nad oedd y Blaid yn disgwyl i Huw T aros yn aelod am yn hir: 'Enw Plaid Cymru sydd ar y drol ddiweddaraf, ond mae'r hen geffyl yn strancio eisoes, a 'does wybod pa bryd y bydd hithau oddi ar ei hechelydd, ac yn ffrialwch ym môn y clawdd.'[72] Yn y cyfnod hwn hefyd bu Huw T yn gohebu ag arweinyddion y Blaid Lafur gan gynnwys Harold Wilson a George Brown. Yn gynnar ym mis Awst ysgrifennodd Gwilym Prys Davies at Jim Griffiths gan gyfeirio at sefyllfa Huw T:

> Ond beth mae dyn i'w wneud o Huw T Edwards? Mi ddaw'n
> ôl mae'n debyg. Er nad yw e'n rym yn y tir mwyach, mi fydd
> ei ddychweliad i'r gorlan yn gwanychu'r Blaid, yn hytrach na
> chryfhau Llafur. Ond annheg iawn ar ei ran oedd rhoi'r bai ar
> Gaitskell druan.[73]

Ddiwedd y mis, wedi clywed y sibrydion, ysgrifennodd J E
Jones at Huw T gan ddweud: 'Pe baech yn gwneud [ailymuno â'r
Blaid Lafur], fe gâi gryn effaith ar eich enw da yn hanes Cymru: fe
sgrifennir yr hanes hwnnw, hanes y blynyddoedd hyn, cyn bo hir
yn ddiau, ac ofnaf y byddai'n tanseilio cryn lawer ar eich enw da
chi pe baech yn troi'n ôl eto.'[74] Serch y sibrydion, arhosodd Huw T
gyda Phlaid Cymru hyd at etholiad cyffredinol Hydref 1964 gan
roi defnydd o'i gartref fel swyddfa i'r Blaid ar gyfer yr ymgyrch yng
Ngorllewin Fflint.

★   ★   ★

Erbyn diwedd 1964 roedd yn amlwg nad oedd Huw T yn fodlon
â threfniadaeth, strategaeth nac arweinyddiaeth Plaid Cymru ac
ystyriai fod canlyniad siomedig arall yn yr etholiad cyffredinol yn
cadarnhau ei ddamcaniaethau. Ddechrau Rhagfyr trefnodd i'r *Faner*
ailgyhoeddi ei erthygl, a ymddangosodd yn wreiddiol yn Ionawr
1964, ar y 'mudiad di-blaid', gan ychwanegu ei farn mai '... diffyg
wynebu ffeithiau sy'n anfon y Blaid i'w thranc... Rhaid newid
pethau y tu mewn i'r Blaid, a'u newid ar fyrder, os nad yw'r mudiad
i foddi, heb sôn am ffynnu.' Yn ddiweddarach yn y mis haerai mai
diffyg 'polisi ac arweiniad' oedd gwendid y Blaid.[75]

Tra gwelai wendidau Plaid Cymru, ar yr un pryd gallai lawn
gyfiawnhau iddo'i hun ystyried ailymuno â Llafur. Roedd
marwolaeth Gaitskell yn 1963 wedi cael gwared ar un bwgan iddo,
a chymeradwyai ei olynydd, Harold Wilson.[76] Daethai ar draws
Wilson ddiwedd y 1940au ac ystyriai ei fod yn berchen ar yr un
daliadau sosialaidd ag ef, yn enwedig wedi iddo ymddiswyddo, ar

fater o egwyddor, o'r llywodraeth gyda Bevan yn 1951. Câi Wilson ei ystyried yn 'Bevanite' yn y 1950au, ond mewn gwirionedd roedd yn wleidydd cyfrwys nad oedd yn berchen ar ideoleg gadarn fel Bevan. Yn wir, nid oedd fawr o wahaniaeth rhwng Gaitskell a Wilson, ond nid felly y gwelai Huw T y sefyllfa pan ddaeth Wilson yn arweinydd y Blaid Lafur. Cymeradwyodd Huw T y sglein oedd ar gyflwyniad y Blaid Lafur i'r cyhoedd tra bod y Ceidwadwyr yn llithro o un broblem i'r llall ac yn cael eu lambastio gan y wasg a dychanwyr y dydd. Credai Huw T fod buddugoliaeth Wilson yn etholiad cyffredinol 1964 yn arwydd o ddyfodiad dyddiau ffres, newydd a radical; pan gadwodd Wilson yr addewid ym maniffesto etholiadol Llafur i sefydlu Swyddfa Gymreig ac Ysgrifennydd Gwladol a sedd yn y Cabinet yn ben arni, roedd wrth ei fodd. Er i Huw T ddadlau dros senedd i Gymru, gwyddai fod y datblygiad hwn yn gam arwyddocaol i Gymru a'i hunaniaeth. O'r diwedd, roedd Llafur wedi gweithredu argymhellion Cyngor Cymru. Ar ben hyn oll roedd nifer o Gymry – llawer ohonynt yn hen gyfeillion i Huw T – wedi'u dyrchafu i swyddi pwysig yn y llywodraeth, gan gynnwys Cledwyn Hughes, Goronwy Roberts, Eirene White, a'r Ysgrifennydd Gwladol newydd ei hun, Jim Griffiths. Roedd yna obaith am ddatganoli pellach, gyda gwŷr fel Gwilym Prys Davies yn cynnig polisïau newydd blaengar a fyddai'n cynnwys sefydlu cyngor etholedig i Gymru. Siawns y gallai Huw T ddylanwadu ar ei hen gyfeillion ac y gallai eistedd yn gyfforddus o fewn pabell y Blaid Lafur unwaith yn rhagor.

Ond nid hawdd oedd newid lliwiau unwaith eto. Roedd Huw T yn yr un sefyllfa â Winston Churchill a adawodd y Ceidwadwyr i ymuno â'r Rhyddfrydwyr yn 1904 cyn dychwelyd at ei hen blaid ugain mlynedd yn ddiweddarach. Roedd sylw Churchill, 'Anyone can rat, but it takes a certain ingenuity to re-rat', yn berthnasol i Huw T hefyd.[77] Nid tan ddiwedd Ionawr 1965 y gwnaeth ei benderfyniad terfynol.[78] Ddechrau Ionawr roedd pwyllgor gwaith y Blaid wedi penderfynu y byddai'r Blaid yn ymladd ar raddfa genedlaethol yn yr etholiad cyffredinol nesaf, gan anwybyddu cyngor Huw T unwaith yn rhagor.[79] Rhoddodd hynny esgus i Huw T adael y Blaid, ac mewn llythyr ymddiswyddo at Elwyn Roberts cyfeiriodd at benderfyniad y pwyllgor gwaith ac at ei gred y dylai'r Blaid yn hytrach geisio 'arwain y Genedl i dir y gallasai y rhwygiadau gael eu claddu ynddo. Roedd yno obaith ond ni fanteisiwyd arno.'[80] Derbyniodd lythyr cynnes gan Elwyn Roberts, ac mewn ymateb 'cwbl gyfrinachol' esboniodd Huw T ei fwriad o barhau i gyfrannu'n ariannol at yr ymdrech i glirio dyled yr ymgyrch yng Ngorllewin Fflint.

Cafodd cyhoeddiad Huw T ei fod am ailymuno â'r Blaid Lafur groeso brwd gan ei hen gyfeillion, gan gynnwys Cledwyn Hughes, Goronwy Roberts a Cliff Prothero.[81] Serch hynny, nid felly oedd ymateb Llafurwyr yr Wyddgrug. Roedd sawl un ohonynt, gan gynnwys cadeirydd y gangen, Moelwyn Hughes, yn gwrthwynebu ei dderbyn yn ôl, yn bennaf ar y sail i Huw T ddatgan mai'r ffordd orau o gyrraedd nod Plaid Cymru oedd gweithredu o fewn y pleidiau eraill. Mewn pleidlais yn y gangen, gwrthodwyd cais Huw T i ailymaelodi o 22 pleidlais i 13.[82] Nid yn lleol, ond drwy drefniant â'r swyddfa yng Nghaerdydd – a'i hen gyfaill Cliff Prothero – y cafodd Huw T ei dderbyn yn ôl i'r Blaid Lafur.[83] Cafodd ei wahodd gan yr Ysgrifennydd Gwladol i ddod yn aelod o gorff newydd, Cyngor Economaidd Cymru, yn Chwefror 1965,[84] ond roedd awgrym Gwilym Prys Davies rai misoedd ynghynt nad oedd bellach yn 'rym yn y tir' yn ddisgrifiad cywir o'i sefyllfa wleidyddol erbyn hynny.[85]

I ryw raddau, roedd Huw T wedi methu â darllen y sefyllfa'n gywir ganol yr 1960au. Mae'n wir bod perfformiad Plaid Cymru yn etholiad cyffredinol 1964 (ac wedi hynny yn 1966) yn un hynod siomedig, gyda'r bleidlais yn disgyn a dim arwydd o ennill yr un sedd yn San Steffan, ond roedd hwn yn gyfnod o adeiladu i'r Blaid ac o ddirwyn y cecru mewnol i ben. Crëwyd gwell seiliau trefniadol a daeth nifer o wleidyddion ifanc disglair i'r blaen yn y cyfnod hwn – gan gynnwys dau a oedd i ddod yn Aelodau Seneddol maes o law. Ar yr un pryd, roedd sefydlu Cymdeithas yr Iaith Gymraeg yn golygu gwahanu'r ymgyrch iaith, a'r protestiadau uniongyrchol, o brif ffrwd ymgyrchu'r Blaid gan ei rhyddhau i weithredu fel plaid gyfansoddiadol yn unig. I'r diamynedd, nid oedd y datblygiadau hyn yn amlwg ar y pryd, ond gosodwyd y sail (er yr angen hefyd am ddogn sylweddol o lwc) i fuddugoliaeth syfrdanol Gwynfor Evans yn isetholiad Caerfyrddin yng Ngorffennaf 1966 a'r ymchwydd yn y gefnogaeth i'r Blaid a ddilynodd hynny.

Tra oedd Plaid Cymru yn gosod seiliau, ar yr wyneb roedd gwleidyddion cenedlatholgar y Blaid Lafur yng Nghymru yn ennill y dydd. Gyda Jim Griffiths, ac yna Cledwyn Hughes, yn Ysgrifenyddion Gwladol – a sawl Aelod Seneddol newydd o'r un anian yn ymuno â hwy yn San Steffan wedi buddugoliaeth ysgubol Llafur yn etholiad cyffredinol 1966 – roedd yna wir obaith y gellid gwireddu llawer o ddyheadau Huw T. Serch hynny, llwyddodd y gwrthymosodiad gan wleidyddion gwrth-ddatganoli fel George Thomas a Ness Edwards (ac yn ddiweddarach Neil Kinnock) i arafu ymdrechion y datganolwyr am flynyddoedd maith.

Un o nodweddion gwleidyddiaeth Cymru yn yr ugeinfed ganrif (ac, mae'n debyg, wedi hynny) oedd ei hanallu i briodi'n rhwydd ddaliadau sosialaidd a hawliau'r genedl Gymreig. Tra oedd Llafurwyr yn edrych i Lundain am achubiaeth, a chenedlatholwyr yn arddel cynifer o safbwyntiau adweithiol, roedd yn anodd i rai fel Huw T – a gredai mewn hunanlywodraeth ar seiliau sosialaidd – ddangos teyrngarwch at unrhyw blaid. Gallai edmygu Bevan a Gwynfor fel ei gilydd, ond nid trwyddynt hwy y câi ei ddyheadau eu gwireddu. Serch hynny, fel y tystiai Gwilym R Jones, nid oedd Huw T yn teimlo'n gartrefol o fewn Plaid Cymru ac mae'n debyg ei fod yn rhy hen i newid ei liwiau.[86] Camgymeriad personol i Huw T oedd ymuno â'r Blaid, a go brin iddo gael llawer o effaith gadarnhaol ar y Blaid ei hun. Yn wir, roedd ei gwyno cyson am bolisïau, arweinyddiaeth a threfniadaeth y Blaid yn cael ei ystyried yn fwy o rwystr nag o les. Pan enillodd Gwynfor Evans isetholiad

Caerfyrddin yn 1966, awgrymodd Huw T y dylai ymuno â'r Blaid Lafur: 'His usefulness could be better displayed in the Labour Party than anywhere,' meddai.[87]

Mewn ôl-nodyn yn *Hewn from the Rock*, y fersiwn Saesneg o'i gyfrolau hunangofiannol a gyhoeddwyd yn 1967, dadleuodd fod y Blaid Lafur, dan arweinyddiaeth y Prif Weinidog Harold Wilson, yn ad-ennill y sosialaeth a nodweddai'r blaid yn y gorffennol a'i bod yn creu polisïau blaengar a realistig ar gyfer Cymru. Serch hynny, parhaodd i ddadlau dros sefydlu senedd i Gymru er y credai erbyn hynny bod sefydlu swydd Ysgrifennydd Gwladol wedi bod o fudd mawr i Gymru.[88] Fodd bynnag, nid oedd ei ddealltwriaeth o'r sefyllfa wleidyddol yn argyhoeddi yn y cyfnod hwn; erbyn hynny hefyd roedd wedi colli hygrededd o fewn y Blaid Lafur a phrin oedd ei ddylanwad gwleidyddol mewn gwirionedd.

X

'TROS GYMRAWD, TROS EI GYMRU'

Y fficsiwr a'r cymwynaswr,
1950au–1960au

E R NAD OEDD Huw T bellach yn 'rym yn y tir', parhaodd i wasanaethu ei wlad ar amryfal bwyllgorau. Yn wir, prin nad oedd yna bwyllgor o bwys yng Nghymru na fu Huw T yn aelod ohono ar un adeg. Gallai areithio'n ddeheuig yn gyhoeddus,[1] ei ddwylo'n gadarn yn ei bocedi a'r ymadroddion yn llifo – 'gadewch i mi ddweud hyn', 'first class' ac yn y blaen; ond yn y pen draw mewn pwyllgorau – y 'smoke filled room' – yr oedd ar ei orau ac yn arbennig felly wrth feddiannu'r gadair. Gwyddai sut i holi'r cwestiwn cywir a sut i gael yr ateb y dymunai ei gael. Gallai newid holl natur cyfarfod gyda sylw ffraeth, ac yn aml byddai'n dod â'r drafodaeth i ben drwy ddweud 'we're all agreed then' pryd, mewn gwirionedd, nad oedd unfrydedd.[2]

Mae'r rhestr o'r cyrff a'r pwyllgorau y bu'n aelod ohonynt yn ddi-ben-draw. Yn y byd addysg bu'n gefn i Gymdeithas Addysg y Gweithwyr ac fe'i henwebwyd yn is-lywydd am oes ar Goleg Harlech, 'coleg yr ail gyfle', yn 1946.[3] Gwasanaethodd am gyfnod ar y Bwrdd Cymorth Gwladol (yr NAB), ac am flynyddoedd bu'n gadeirydd Bwrdd Ysbytai Clwyd a Glannau Dyfrdwy ac yn aelod o Fwrdd Ysbytai Rhanbarth Cymru. Ymwelai'n gyson ag ysbytai'r dalgylch gan ddefnyddio'i bersonoliaeth hoffus i gynnal morál nyrsys a chleifion fel ei gilydd. Ni welai ei deulu ef ar ddiwrnod Nadolig hyd at gyda'r nos, gan ei fod yn galw draw yn ysbytai'r ardal i gyfarch y cleifion a'r staff.[4] Cofia'r ffotograffydd Philip Jones Griffiths ef yn cusanu cleifion a oedd yn dioddef o glefydau heintus, a hynny'n gwbl ddi-hid o'i iechyd ei hun.[5]

Ac eithrio Cyngor Cymru, y pwyllgor pwysicaf y bu'n ei gadeirio oedd y Bwrdd Croeso i Gymru.[6] Sefydlwyd y Bwrdd yn 1948 dan yr enw 'Welsh Tourist and Holidays Board (Wales & Mon) Ltd' dan gadeiryddiaeth yr Aelod Seneddol twymgalon Dai Grenfell. Yn ddiweddarach cafodd enw Cymraeg fwy hylaw: Bwrdd Croeso i Gymru, neu ar lafar gwlad, y Bwrdd Croeso.[7] Roedd Grenfell yn gymeriad cryf na fyddai'n aml yn gweld lygad yn llygad â'r 'powers that be' yn Llundain; efallai mai dilyn y traddodiad hwnnw a wnaeth y Bwrdd wedi ymadawiad Grenfell, pan ofynnwyd i Huw T ddod yn gadeirydd yn 1952.[8]

Nid oedd, ac ni ddaeth, Huw T yn arbenigwr yn y maes twristiaeth ond roedd ei sgiliau fel cadeirydd, ei ysbrydoliaeth a'i ddylanwad yn gefn i'r Bwrdd dros y tair blynedd ar ddeg dilynol. Cydweithiai'n dda gyda Lyn Howell, a benodwyd yn ysgrifennydd y Bwrdd yn 1949, a datblygodd cyfeillgarwch agos rhwng y ddau.[9] Wrth ymweld â Chaerdydd, byddai Huw T yn aml yn aros yng nghartref Lyn Howell a'i wraig Nan yn Rhiwbeina. Lyn Howell ysgrifennodd hanes y Bwrdd, a haerai mai gwaith Huw T gyda'r Bwrdd Croeso oedd ei 'main life's work'; er y gellid dadlau fod gweithgareddau eraill cyn bwysiced iddo, roedd ei gyfraniad yn aruthrol.[10] Nid ar chwarae bach y disgrifiwyd ef fel 'Wales's No 1 salesman'.[11] Tra oedd Lyn Howell yn brysur yn gwneud llawer o'r gwaith caib a rhaw, gallai Huw T ganolbwyntio ar fod yn wyneb cyhoeddus tra effeithiol i'r Bwrdd. Ceir arlliw o safbwynt rhamantus Huw T mewn erthygl o'i eiddo – 'Tourists flock to land of promise' – yn *The Times* yn 1962: 'Here indeed is a country different and distinct from all others... preserving her own individuality with a tenacity and determination surprising to many. It is to this absorbing land that every Welshman warmly welcomes the world.'[12]

Nid oedd y Bwrdd yn gorff statudol yng nghyfnod Huw T fel cadeirydd. Câi ei ariannu gan gyfraniadau oddi wrth awdurdodau lleol a chan y 'British Holiday & Travel Association', ond nid oedd yn gorff cyfoethog o bell ffordd. Golygai hynny ei bod yn anodd iawn i'r Bwrdd Croeso gael effaith fawr ar ddiwydiant a ddeuai'n bwysicach bob blwyddyn i economi Cymru. Diben y Bwrdd oedd ceisio denu ymwelwyr i Gymru, a gwnaed hynny drwy baratoi llenyddiaeth, hysbysebu, cynnal arddangosfeydd a magu cysylltiadau tramor. Gan nad oedd ei gyllideb yn fawr, rhaid oedd bod yn ddyfeisgar. Yn ei ddyddiau cynnar, er enghraifft, penodwyd Janet Jones o Abergynolwyn – telynores ifanc, ddeniadol – yn 'National Hostess', ac anfonwyd hi i'r Unol Daleithiau i gyfareddu'r Americanwyr gan obeithio y byddent yn cael eu hudo i Gymru ar eu gwyliau.[13] Pwysai Huw T hefyd am gael enwau Cymraeg ar arwyddion gan y byddai hynny'n debygol o ddenu ymwelwyr, a chyhoeddwyd teithlyfr yn 1953, gyda Huw T yn cyfrannu rhagymadrodd iddo.[14]

Gobaith y Bwrdd oedd y byddai Huw T, yn rhinwedd ei swydd fel cadeirydd Cyngor Cymru, yn medru defnyddio'i gysylltiadau niferus i wasgu am nawdd gan y llywodraeth. Dyma oedd natur y cyfnod: rhaid oedd i bobl fel Huw T fynd i Lundain â'i gap yn ei law i ofyn am gymorth. Ceisiodd am gymhorthdal o £18,000 gan yr Ysgrifennydd Gwladol dros Fasnach Dramor yn 1953 er mwyn hybu twristiaid tramor i ymweld â Chymru, ond heb lwyddiant.[15] Rhoddwyd mynegiant i agwedd y llywodraeth ar y pryd gan was sifil: '... it is fairly obvious... that few people will visit the United Kingdom primarily to see Wales, and consequently that it would be uneconomic to publicise Wales overseas in any other way than as part of the United Kingdom'.[16]

O ganlyniad i lwyddiant y 'Festival of Britain' yn 1951, a chan fod Gêmau'r Ymerodraeth a'r Gymanwlad (Gêmau'r Gymanwlad wedi hynny) i'w cynnal yng Nghaerdydd yn 1958, penderfynodd y Bwrdd yn 1954 y dylid trefnu gŵyl arbennig yn dwyn yr enw Gŵyl Cymru a'i chynnal yn 1958. Y gobaith, felly, oedd manteisio ar y cyfle i ddenu ymwelwyr yn eu miloedd i Gymru. Bu Huw T ynghlwm â'r trefniadau o'r dechrau, ac yr oedd ôl ei law yn y dewis o Clayton Russon yn llywydd. Cyfarfu'r 'Festival of Wales National Organising Committee' dan gadeiryddiaeth Huw T am y tro cyntaf ym mis Chwefror 1956. Ei brif broblem oedd sicrhau cyllid digonol er mwyn cynnal gŵyl ddeniadol ac effeithiol.

Mae ffeil y llywodraeth ar yr ŵyl yn ddadlennol. Nid oedd brwdfrydedd ymhlith gweision sifil Whitehall i'r syniad, yn arbennig felly gan na fyddai ymwelwyr tramor yn '... interested in small local celebrations'.[17] Cyfeiriwyd hefyd at y prinder gwestai addas yng Nghymru. Yn 1956 daeth yn amlwg nad oedd y llywodraeth yn barod i ystyried cyfrannu arian at yr ŵyl, gan ddisgwyl y gellid codi'r arian trwy danysgrifiadau gwirfoddol. Nid oedd Huw T yn barod i dderbyn yr ymateb negyddol hwn ac, fel y tystiodd un gwas sifil: '... it is common form in these negotiations for the people at the Welsh end to disregard any statements they do not like'.[18] Ym mis Mai penderfynwyd bod rhaid hysbysu Huw T fod penderfyniad y llywodraeth i wrthod y cais am grant o £22,700 yn derfynol ar y sail na fyddai'r ŵyl yn denu 'dollar bearing tourists'.[19] Ond nid oedd Huw T am ildio, gan ddefnyddio ei hen dacteg o godi cywilydd ar y llywodraeth yn gyhoeddus. Mynegodd un gwas sifil hynny'n blaen. Yn ei farn ef, roedd ymgais i roi 'ultimatum' i'r llywodraeth ar y sail pe na bai'r grant yn cael ei ganiatáu, y byddai 'serious repercussions' yng Nghymru.[20] Mewn llythyr at yr Ysgrifennydd Cartref, y Cymro Gwilym Lloyd George, haerodd Huw T nad grant fyddai hwn, ond buddsoddiad, ac fe geisiodd Lloyd George ddylanwadu ar Harold Macmillan, Canghellor y Trysorlys ar y pryd.[21] Cyfeiriodd at y 'political implications' o wrthod y cais: 'Rightly or wrongly this matter is now being represented in Wales as a test of the government's good intentions towards Wales.' Nid oedd Macmillan am ildio, gan bwysleisio'r angen am gefnogaeth wirfoddol. Iddo ef, ni fyddai hynny'n llwyddiannus petai'r trefnwyr yn gwybod y gellid '… dip in the purse of the Exchequer'.[22] Roedd hon, felly, yn frwydr a gollwyd gan Huw T, a hynny mewn cyfnod pan oedd y syniad o noddi gweithgareddau yng Nghymru yn uniongyrchol o bwrs y wlad yn un dieithr.

Nid oedd Huw T na'r Bwrdd am i'r diffyg nawdd lesteirio'r trefniadau. Yn rhaglen yr Ŵyl haerodd: '… it is important for us to do all in our power to preserve these differences which mark off one people from another. This is what the Festival will attempt to do'.[23] Lansiwyd Gŵyl Cymru ar 3 Mai 1958 gyda gorymdaith dwy filltir o hyd drwy strydoedd Caerdydd. Arweiniwyd yr orymdaith gan ddraig goch anferth yn bytheirio tân a mwg o'i cheg a'i llygaid yn fflachio. Yn ei dilyn roedd cyfres o *tableaux* a channoedd o gynrychiolwyr ifanc o bob sir yng Nghymru. Cynhaliwyd gweithgareddau ar hyd a lled y wlad dros yr haf, ac uchafbwynt y dathliadau oedd Gêmau'r Gymanwlad a gynhaliwyd yn ystod mis Gorffennaf yng Nghaerdydd. Huw T oedd un o wynebau cyhoeddus y dathliadau ac, o gofio'i amlygrwydd gyda Chyngor Cymru ar y pryd, y flwyddyn 1958 heb amheuaeth oedd pinacl ei yrfa gyhoeddus.

O ystyried y diffyg adnoddau, roedd yr Ŵyl yn gryn lwyddiant. Cafodd ei beirniadu gan rai gyda sylwadau fel: 'What was not second-rate was second-hand' a bod gormod o 'two penny do's', ond cynhaliwyd sawl digwyddiad cofiadwy, fel pasiant sir Benfro, a chafwyd cefnogaeth frwdfrydig gan yr Urdd. Dyfarniad y *Western Mail* oedd: '… the affair has been dizzily uneven, but it has produced a testament of Welsh national awareness'. I Huw T roedd y cyfan yn llwyddiant ysgubol a haerodd i Gymru elwa o chwarter miliwn o bunnau o ganlyniad i'r gweithgareddau.[24]

Rhoddodd cadeiryddiaeth y Bwrdd Croeso gyfle i Huw T deithio i bob ardal yng Nghymru, ond hefyd i ymweld â gwledydd tramor er mwyn dysgu o brofiadau gwledydd eraill ac i hybu twristiaid i ymweld â Chymru. Hyd at ganol yr 1950au, ni fu'n teithio dramor ers ei ddyddiau llai pleserus fel milwr yn Fflandrys yn ystod y Rhyfel Byd Cyntaf, ac ymhlith ei deithiau oedd un yn Ebrill 1960 i ddadorchuddio cofeb yn Ypres i'r Cymry a syrthiodd yn y Rhyfel Mawr.[25] Cyfeiriwyd eisoes at ei daith i'r Unol Daleithiau a Chanada yn 1958, lle y cafodd groeso twymgalon, ond er yr honiad i'r daith hon fod yn llesol o safbwynt denu ymwelwyr i Gymru, anodd yw mesur gwir effaith yr ymweliad.[26] Teithiodd hefyd i Batagonia yn 1965 gyda chriw o bobl i ddathlu canmlwyddiant sefydlu'r Wladfa. Efallai mai ei daith fwyaf dadleuol oedd yr un i'r Undeb Sofietaidd yn 1962.[27] I lawer, roedd y daith yn wastraff amser, ond fe dalod Huw T ei gostau teithio ei hun gyda'r Rwsiaid yn talu am y gwesty ym Moscow. Er bod Huw T yn honni y gallai'r daith arwain at filoedd o 'roubles' yn cyrraedd Cymru ym mhocedi twristiaid o'r Undeb Sofietaidd, nid oedd ei feirniaid yn araf yn cyfeirio at y ffaith nad oedd y Rwsiad cyffredin yn cael gadael ei wlad heb ganiatâd arbennig, cymaint oedd rheolaeth y wladwriaeth haearnaidd honno ar ei phobl. Serch hynny, daeth dirprwyaeth ffurfiol ac oeraidd ei naws o'r Undeb Sofietaidd i Gymru wedi hynny ac yr oedd angen i Huw T ddangos ei allu i dorri trwy'r rhew. Yn ei ddull dihafal ei hun, dywedodd ei fod yn hen draddodiad Cymreig i roi cusan i ymwelwyr a rhoddodd glamp o gusan i'r wraig surbwch a arweiniai'r ddirprwyaeth, er mawr syndod iddi.[28]

Nid oedd cyfnod Huw T fel cadeirydd y Bwrdd Croeso yn fêl i gyd. Beirniadwyd y Bwrdd am beidio â chynnwys digon o gynrychiolwyr o westai a thai bwyta Cymru, tra yn 1960 cyhuddwyd y Bwrdd o eistedd ar y ffens yn achos agor tafarndai ar y Sul.[29] Y mateb nodweddiadol Huw T oedd: '... listening to the Sunday openers may have driven me to abstinence and abstainers may have driven me to drink'.[30] Y flwyddyn ganlynol, pan gafwyd refferendwm ym mhob sir yng Nghymru ar y mater, safbwynt y Bwrdd oedd gwrthwynebu agor tafarndai ar y Sul, ond cytunwyd y dylid caniatáu gweini diod gadarn gyda phrydau bwyd mewn gwestai.[31] Ni phallodd y feirniadaeth, a chan mai gwaith y Bwrdd oedd hyrwyddo twristiaeth nid oedd yn rhwydd i'r Bwrdd gyfiawnhau ei safbwynt i fusnesau a ddibynnai ar ymwelwyr i ddal dau ben llinyn ynghyd.

Roedd sôn y byddai cyfnod Huw T fel cadeirydd y Bwrdd yn dod i ben yn 1961 oherwydd ei fod, ym marn gwas sifil, yn '… lacks perception of some of the most important sides of the problem'.[32] Ond ni ddigwyddodd hynny, a phan godwyd y cwestiwn eto ysgrifennodd Gordon Kerry, cynghorydd o Fae Colwyn ac aelod o'r Bwrdd, at Lyn Howell yn gofyn iddo berswadio Huw T i aros yn y gadair. Gobeithiai na fyddai'n amhosibl perswadio'r 'skipper' i aros am flwyddyn arall: 'We will never improve on our present Chairman. No doubt H.T. would tell me I am raving mad, but I don't think I am.'[33] Yn 1963 ymosodwyd yn hallt ar gadeiryddiaeth Huw T yn Nhŷ'r Cyffredin gan yr Aelod Seneddol Ceidwadol, Donald Box. Haerai fod angen 'spring clean' o'r Bwrdd a chadeirydd newydd gyda mwy o brofiad a syniadau mwy blaengar.[34] Serch hynny, arhosodd Huw T yn y gadair tan 1965 pan ildiodd yr awenau i D J Davies. I nodi'r achlysur penderfynodd y Bwrdd drefnu i arlunydd beintio ei bortread. Roedd yr arlunydd Kyffin Williams yn ddewis ysbrydoledig, ac yn un o gyfrolau'r arlunydd ceir disgrifiad da (er yn gamarweiniol ar adegau) o eisteddiad Huw T yn ei stiwdio:

> … I answered a knock on the door and on opening it I was confronted by a huge man with a cockade on his cap and the obvious appearance of an official chauffeur. There was no sign of anyone else. As I was about to ask if the great man would be arriving, a very small person wrapped in a voluminous coat materialised and pushed past me uttering the two commands, 'I will not be painted side-face and you will put a twinkle in my eye.'… I enjoyed meeting Huw T. Edwards and as I painted him I felt he was a man whose features had to be recorded as part of Welsh history. He looked at his portrait. I had done what he had told me to do. He was full-face and I had given him a twinkle.[35]

Cyflwynwyd y portread i Huw T mewn cinio arbennig ym mis

Rhagfyr 1965, a'i arddangos wedi hynny yn adeilad y *Western Mail,* cyn iddo gael ei drosglwyddo i ofal yr Amgueddfa Genedlaethol.[36]

Arhosodd Huw T yn aelod o'r Bwrdd Croeso am ddwy flynedd arall, ond yn haf 1967 ymddiswyddodd ar fater o egwyddor. Mewn oes newydd o hyrwyddo a marchnata caled, roedd y Bwrdd wedi penderfynu creu swydd newydd, sef Rheolwr Cyffredinol. Cynhaliwyd cyfweliadau ddiwedd Mai, ond ni fodlonwyd rhai aelodau o'r Bwrdd gan yr ymgeiswyr a oedd yn cynnwys o leiaf un Cymro Cymraeg amlwg.[37] Penderfynwyd ailhysbysebu, a chan nad oedd y rhestr fer newydd yn cynnwys person a fedrai'r Gymraeg, mynegodd sawl aelod o'r Bwrdd eu hanfodlonrwydd. Roedd Huw T yn un ohonynt, a phenderfynodd ymddiswyddo o'r Bwrdd yng Ngorffennaf 1967 gan haeru mai 'absolute nonsense' oedd penodi Gwyddel di-Gymraeg i'r swydd.[38] Daeth cyfraniad dygn Huw T i'r byd twristiaeth i ben, felly, dan ychydig o gwmwl.

★   ★   ★

Gweithredu'n wirfoddol a wnâi Huw T ar bwyllgorau fel y Bwrdd Croeso a Chyngor Cymru; er y byddai'n derbyn costau eithaf hael, roedd yn ddibynnol ar ei bensiwn o'r *T&G* i'w gynnal ef a'i deulu ar wahân i incwm a ddeuai i'w boced o gyfeiriadau eraill.[39] Am rai blynyddoedd cawsai daliad o £750 y flwyddyn am wasanaethu ar y Bwrdd Cymorth Gwladol, a cheir awgrym ei fod wedi'i ddewis yn aelod o Fwrdd Nwy Cymru yn 1953 er mwyn iddo dderbyn incwm ychwanegol i'w gynnal wedi'i ymddeoliad.[40] Beth bynnag oedd y gwirionedd yn yr achos hwnnw, o gyfeiriad teledu masnachol y cafodd Huw T y cyfle i ennill incwm sylweddol a roddai iddo ryddid i fod yn hael iawn – yn or-hael, efallai – gyda'i arian.

Fel yn y maes twristiaeth, nid oedd Huw T yn arbenigwr yn y maes teledu. Bu'n ddarlledwr radio cyson ac yn aelod o Gyngor Ymgynghorol y BBC yng Nghymru ac o'i olynydd, Cyngor Darlledu'r BBC, am gyfnod. Mae iddo le pwysig yn hanes datblygiad

teledu yng Nghymru gan ei fod yn un o'r triawd (ynghyd â'r
Athrawon T H Parry-Williams a Henry Lewis) a benderfynodd yn
1953 mai 'teledu' fyddai'r term o hynny allan ar gyfer y cyfrwng
newydd, er bod 'y Tiwniwr' yn y *Western Mail* o'r farn na fyddai'r
gair yn llifo'n rhwydd o wefusau'r bobl ac na châi ei ysgrifennu'n
ddigymell.[41] Digwyddai Huw T fod yn bresennol yn Nhŷ'r
Cyffredin yn 1956 pan ymosodwyd ar y BBC yng Nghymru gan
rai Aelodau Seneddol a honnai fod ffafriaeth i genedlaetholwyr yn
ei ddarllediadau. Arweiniodd hyn at sefydlu ymchwiliad annibynnol
dan gadeiryddiaeth Syr Godfrey Ince. Ysgrifennodd Huw T at
Ince yn cynnig rhoi tystiolaeth gan fynegi ei deimlad i'r BBC yng
Nghymru geisio bob amser bod yn 'scrupulously fair'.[42] Cysylltodd
hefyd â rheolwr y BBC yng Nghymru i fynegi ei gefnogaeth i'r
staff.[43] Er ei gefnogaeth i'r BBC, a'i weithgareddau gyda'r cwmni
hwnnw, roedd ei brif gyfraniad yn y maes teledu ynghlwm â menter
fasnachol newydd.

Roedd Huw T ymhlith y rhai hynny, yn arbennig yn y Blaid
Lafur, a wrthwynebai sefydlu gwasanaeth teledu masnachol ym
Mhrydain, ond wedi i'r ddeddf yn caniatáu hynny gael ei phasio yn
y Senedd yn 1954, cafodd ei wahodd i ymuno ag un o'r cwmnïau
a geisiai am y rhyddfraint ('franchise') i ddarlledu yn ne Cymru a
gorllewin Lloegr. Aneurin Bevan oedd yn gyfrifol am y cysylltiad
rhwng Huw T a TWW Ltd, y cwmni a geisiai am y rhyddfraint. Un
o gyfarwyddwyr y cwmni oedd hen gyfaill i Bevan, yr impresario
Jack Hylton, ac roedd yntau wedi gofyn i Bevan enwi unigolion
a fyddai'n addas i gynrychioli Cymru ar fwrdd y cwmni. Yr enw
a roddodd Bevan i Hylton oedd Huw T, a gwahoddwyd Huw T
i ymuno â'r cwmni yn 1956.[44] Cadeirydd y cwmni newydd oedd
y Ceidwadwr Arglwydd Cilcennin ond y prif gyfranddaliwr, gyda
25 y cant o'r cyfranddaliadau, oedd aelod o un o hen deuluoedd
bonedd mwyaf goludog Lloegr, sef Arglwydd Derby.[45]

Disgrifiwyd y broses o ennill y rhyddfraint i ddarlledu yn
rhanbarthau Prydain fel 'like having your own licence to print

money' gan fod modd gwneud arian mawr o ennill hawliau darlledu.[46] Gyda hysbysebwyr yn barod i wario arian aruthrol i hysbysebu ar y teledu, llwyddodd y cwmnïau cyntaf yn y maes i ennill ffortiwn i'w cyfranddalwyr. Pan werthwyd cyfranddaliadau TWW ar y farchnad stoc yn 1959, adroddwyd bod 'mad scramble' amdanynt, gyda chyfranddaliadau pum swllt yn gwerthu am 39 swllt; erbyn 1961 roedd yr un cyfranddaliadau'n werth 69 swllt.[47] Ni ellir ond rhyfeddu at yr elw anferth a ddaeth i goffrau Arglwydd Derby a'r cyfranddalwyr mawr eraill, y *News of the World* a'r *Liverpool Daily Post*. Derbyniai Huw T £1,000 y flwyddyn a'i gostau fel aelod o fwrdd y cwmni, ond cawsai hefyd gyfranddaliadau a gynyddai yn eu gwerth dros y blynyddoedd, fel y gwelwyd.[48] Er na ddaeth Huw T yn ddyn cyfoethog o ganlyniad i hyn, derbyniodd incwm sylweddol o'r fenter, digon iddo ei wario ar achosion a oedd yn agos at ei galon, fel y gwelir maes o law.

Serch hynny, nid gwneud arian oedd cymhelliad Huw T wrth ymuno â Bwrdd TWW. Gwelai ef a llawer i Gymro arall y bygythiad i'r iaith Gymraeg o ddyfodiad y cyfrwng newydd cwbl Seisnig i gartrefi Cymru.[49] Ychydig o raglenni teledu Cymraeg a ddarlledid gan y BBC, a hynny ar oriau a oedd yn lletchwith i drwch y gwylwyr. Nid oedd yn rhwydd plesio pawb gan fod mastiau teledu Gwenfo (BBC) a St Hilary (ITV), er enghraifft, yn gwasanaethu rhannau o orllewin Lloegr yn ogystal â de Cymru.[50] Dechreuodd TWW ddarlledu yng Nghymru yn Ionawr 1958 ac adeiladwyd stiwdios modern ym Mhontcanna, Caerdydd. Roedd y cyfrwng newydd hwn yn dechrau codi stêm.

Ar ddechrau ei gyfnod fel cyfarwyddwr, ysgrifennodd Huw T at Arglwydd Derby: 'You will I know appreciate the reason that prompted me to join your Board, was to put it briefly – a desire to see that Welsh matters and particularly the Welsh language are given a fair deal by Commercial Television.' Ei ddymuniad oedd gweld rhaglenni Cymraeg yn cael eu darlledu rhwng 6.00 a 7.00 o'r gloch y nos, efallai mewn cydweithrediad â'r BBC. Argymhellodd hefyd y dylai'r bwrdd sefydlu pwyllgor ymgynghorol o Gymry blaenllaw i gynghori ar raglenni Cymraeg.[51] Roedd llawer o synnwyr yn yr awgrym olaf gan fod swyddfeydd canolog TWW yn Sloane Street yn Llundain – yn bell iawn yn ddaearyddol ac yn feddyliol o Gymru. Derbyniwyd yr awgrym, a sefydlwyd pwyllgor Cymreig dan gadeiryddiaeth Syr Grismond Philipps, Arglwydd Raglaw sir Gaerfyrddin, i ystyried anghenion penodol Cymru. Ymdrechai Huw T a Syr Ifan ab Owen Edwards, y ddau aelod Cymreicaf o'r pwyllgor, i bwyso ar TWW i ddarlledu mwy o raglenni Cymraeg a Chymreig, yn arbennig ar yr oriau brig, a chafwyd tipyn o lwyddiant, yn arbennig dan ofal Wyn Roberts, darlledwr ifanc dyfeisgar a recriwtiwyd i'r cwmni yn 1957.[52] Fodd bynnag, cwmni masnachol oedd TWW gyda'r angen i gynyddu i'r eithaf yr elw i'w gyfranddalwyr, ac anodd oedd perswadio hysbysebwyr i dalu am hysbysebion ar gyfer rhaglenni Cymraeg gan fod nifer y gwylwyr yn gymharol isel. Dim ond deugain munud y dydd o raglenni yn yr iaith Gymraeg a ddarlledwyd gan TWW yn ystod ei bedair blynedd gyntaf ond erbyn 1966 roedd y cyfanswm wedi codi i chwe awr yr wythnos, cyfran dda ohonynt ar yr oriau brig rhwng 7.00 a 7.30 yr hwyr.[53]

Ddiwedd Mehefin 1958, mewn anerchiad i Undeb Cymru Fydd ym Mangor, galwodd Huw T am 'briodas' rhwng y BBC a chwmni teledu annibynnol er mwyn rhoi'r 'holl deledu i Gymru ar sianel arbennig'.[54] Dyma ddechrau ar broses a arweiniodd, ymhen hir a hwyr, at sefydlu S4C chwarter canrif yn ddiweddarach. Cynhaliwyd cynhadledd yn 1959 i drafod teledu yng Nghymru a gwelwyd y rhaniadau – a fyddai'n eu hamlygu eu hunain am flynyddoedd wedi hynny – rhwng y rhai a gredai y dylid cael un gwasanaeth Cymraeg, ac eraill a ddadleuai dros wasgaru rhaglenni Cymraeg dros fwy nag un sianel. Dim ond dwy sianel deledu oedd ar gael yn y dyddiau hynny; darlledid rhaglenni Cymraeg ar y sianel fasnachol yn ne Cymru gan TWW tra darlledai cwmni Granada ambell raglen Gymraeg yng ngogledd-ddwyrain Cymru. Nid oedd modd, felly, i drwch poblogaeth gogledd a gorllewin Cymru – ardaloedd Cymreiciaf Cymru – dderbyn rhaglenni Cymraeg a ddarlledid gan y cwmnïau masnachol. Roedd cynlluniau ar droed ar ddechrau'r 1960au i godi gorsafoedd trosglwyddo i wasanaethu'r ardaloedd hyn a phenderfynwyd ffurfio cwmni newydd, *Television Wales West and North*, i gynnig am y rhyddfraint i ddarlledu yno. Ar lafar gwlad gelwid y cwmni hwn yn 'Teledu Cymru' a denwyd i'w fwrdd nifer o Gymry Cymraeg pybyr gan gynnwys Dr Thomas Parry, T I Ellis, Moses Griffiths, Cynan, Tom Jones a Gwynfor Evans. Serch hynny, ac eithrio ambell aelod fel Emrys Roberts a Kenneth Davies, prin oedd y profiad o fusnes ar y bwrdd ac, er ei gefndir praff mewn meysydd eraill, roedd hwn yn faes dieithr i gadeirydd yr egin-gwmni, Dr Haydn Williams.[55]

Nid oedd modd i Huw T ymwneud â'r cwmni gan ei fod yn aelod o fwrdd TWW, ond bu'n ddolen gyswllt rhwng TWW a Haydn Williams. Wrth i gwmni Teledu Cymru gael ei ffurfio, ysgrifennodd at Arglwydd Cilcennin gan ddweud bod y 'prospects' yn 'bright' i'r cwmni newydd ac y byddai'n fuddiol i TWW petai modd dod i 'working arrangement'.[56] Serch hynny, ni fyddai ei gyfeillgarwch â Haydn Williams yn tanseilio ei deyrngarwch i TWW. Mynegodd hyn mewn llythyr at ei gyd-gyfarwyddwr, Syr Ifan ab Owen Edwards: 'Yr wyf wedi bod yn gwbl onest gyda Haydn ar hyd y daith trwy ddweud yn ddi-derbyn wyneb mai yr unig obaith i'w gwmni lwyddo ydyw mewn perffaith gydweithrediad â TWW.'[57]

Yn ariannol, llwyddiant digamsyniol oedd y cwmnïau cyntaf a ddarlledai yn y rhanbarthau, ond wedi ychydig fisoedd o ddarlledu yn unig, aeth yr hwch trwy'r siop yn lled fuan ar Deledu Cymru, gyda cholledion o £250,000 erbyn mis Mai 1963.[58] Rhaid oedd i'r Awdurdod Teledu Annibynnol ymyrryd, a daeth TWW i'r adwy i gymryd cyfrifoldeb dros ddarlledu yn y gogledd a'r gorllewin. Anodd credu nad oedd Huw T yn allweddol yn y penderfyniad hwn. Roedd Teledu Cymru wedi denu nifer o ddarlledwyr talentog i'r cwmni, ond fe'u taflwyd ar y clwt. Er nad oedd ganddo gyfrifoldeb yn y byd am y sefyllfa, unwaith yn rhagor aeth Huw T i'w boced gan anfon siec am £500 i'w rhannu rhwng John Roberts Williams a T Glynne Davies, a oedd ymhlith y rhai a ddiswyddwyd.[59] Ni ddangoswyd yr un caredigrwydd gan aelodau bwrdd Teledu Cymru.

Nid gweithredu y tu ôl i'r llenni yn unig a wnâi Huw T yn y cyfnod hwn, gan ei fod yn ymddangos yn gyson ar raglenni Granada a TWW. Ynghyd â Megan Lloyd George, ymddangosodd ar *Dewch i Mewn*, y rhaglen Gymraeg gyntaf a ddarlledwyd gan Granada ym mis Medi 1957.[60] Ar adegau, arweiniai raglenni fel *Hoff Alawon*, rhaglen lle y byddai'n holi pobl am eu hoff gerddoriaeth.[61] Canmolwyd, er enghraifft, y rhaglen a ddarlledwyd ar 13 Mawrth 1961: 'Mae personoliaeth a phrofiad Huw T Edwards yn rhoi asgwrn cefn i'r rhaglen hon.' [62] Serch hynny, nid oedd yn un i fanteisio ar ei sefyllfa ac, yn gwbl nodweddiadol ohono, cynigiodd ildio sedd *Hoff Alawon* i'r canwr David Lloyd, gan y gwyddai ei fod yntau'n brin o geiniog neu ddwy.[63]

Trwy ei gysylltiadau yn y byd teledu masnachol, bu hefyd yn ddylanwad ar y gwasanaeth Cymraeg a ddarlledwyd am gyfnod gan gwmni Granada o'i bencadlys ym Manceinion. Mae'n debygol mai ef a awgrymodd enw Gwilym R Jones fel un a fyddai'n addas i gynhyrchu rhaglen Gymraeg, a phan wrthododd Gwilym R, llwyddwyd i ddenu cyfaill arall, Rhydwen Williams, i'r gwaith.[64] Fel y gwelwyd, ymddangosodd Huw T ei hun yn eithaf cyson ar y rhaglen gylchgrawn *Dewch i Mewn,* a gynhyrchid gan Rhydwen Williams, a byddai hefyd yn pwyso ar Rhydwen i gynnwys rhai o'i gyfeillion, fel Gwilym R a Mathonwy, ar y rhaglen, yn bennaf er mwyn iddynt dderbyn tâl am eu cyfraniad. Teimlai Rhydwen fod Huw T yn manteisio arno, ond roedd yn anodd iddo wrthod ceisiadau gan un a fu'n gymaint o gymorth iddo mewn sawl ffordd dros y blynyddoedd.[65]

Yn ddiweddarach, trwy ddylanwad Huw T, symudodd Rhydwen Williams i weithio i TWW.[66] Yn anad dim, llenor creadigol oedd

Rhydwen ac nid oedd Huw T yn araf yn chwilio am ddulliau i'w gefnogi yn y maes hwn. Yn 1963, dywedodd Huw T wrth reolwyr TWW yng Nghymru ei fod wedi breuddwydio bod Rhydwen wedi ennill coron Eisteddfod Genedlaethol Abertawe a oedd i'w chynnal yn 1964, a llwyddodd i'w perswadio y dylai Rhydwen gael rhai misoedd yn rhydd o'i waith i lunio pryddest ar gyfer y gystadleuaeth. Yn y dyddiau hynny byddai'r BBC a TWW yn darlledu o'r pafiliwn, a phan gyhoeddwyd ffugenw'r bardd buddugol yn seremoni'r coroni yn Abertawe, roedd camerâu TWW eisoes yn pwyntio at Rhydwen yn y gynulleidfa, tra bod camerâu'r BBC yn parhau i chwilio amdano.[67] Dan bwysau gan Huw T cynyddodd y cysylltiadau rhwng TWW a'r Eisteddfod Genedlaethol. Noddwyd cystadlaethau ac arloeswyd gyda theclynnau gwrando ar adegau pan ddarperid darllediadau Saesneg o ddigwyddiadau'r Ŵyl.[68] Cynhelid digwyddiadau cymdeithasol ar y cyd rhwng TWW a'r Bwrdd Croeso ar adeg eisteddfodau cenedlaethol a Llangollen, a byddai Huw T wrth ei fodd yng nghwmni diddan ei gyfeillion niferus.

Daeth perthynas Huw T â'r byd teledu i ben yn ddisymwth ym mis Mehefin 1967 pan gollodd TWW y rhyddfraint ddarlledu yn gwbl annisgwyl i gonsortiwm newydd dan arweiniad Arglwydd Harlech.[69] TWW oedd yr unig gwmni ym Mhrydain i golli ei ryddfraint yn 1967, a mawr oedd y dyfalu beth oedd y rhesymau. Teimlai Huw T i'r cwmni gyflawni llawer o safbwynt gwasanaethu Cymru, ac yn arbennig felly pan ddaeth i'r adwy wedi methiant Teledu Cymru. Mewn llythyr miniog at y wasg, mynegodd Huw T ei farn yn glir: 'Even if Lord Hill [cadeirydd yr Awdurdod Teledu Annibynnol] in stealing the Licence from T.W.W. admits that he had no complaints against the company other than to say that he thinks the new Company offered greater prospects, but only time will prove whether he is right or wrong, and to deprive the Company of its Licence on the imaginations of a man like Lord Hill is farcical.'[69] Ond prif wendid TWW oedd bod y cwmni wedi'i ganoli yn Llundain a châi ei redeg yn bennaf gan rai a oedd yn ddieithr i'r rhanbarth a wasanaethai. Roedd gweld arian mawr a allai fod wedi cael ei fuddsoddi yng Nghymru yn diflannu i bocedi dwfn dynion fel Arglwydd Derby, yn achos beirniadaeth gyffredinol; credai rhai mai cosmetig oedd y pwyllgor Cymreig ac nad oedd iddo rym yn y byd. Barnai Rhydwen Williams nad oedd y Saeson a redai'r cwmni yn deall Cymru a'u bod yn poeni'n ormodol am gyhoeddusrwydd. Petai TWW wedi '… gwario cymaint o arian ar y rhaglenni â gwarion nhw ar y balŵns bydde nhw wedi llwyddo'.[71] Ar y llaw arall, roedd consortiwm Harlech yn gwbl Gymreig ei ymarweddiad gydag enwau fel Richard Burton, Harry Secombe, Wynford Vaughan Thomas a John Morgan wedi'u recriwtio i'r fenter. I raddau, roedd bugeiliaid newydd yn ymddangos ym mywyd cyhoeddus Cymru a dyddiau dylanwad cewri fel Syr Ifan, Syr Grismond a Huw T yn prysur ddirwyn i ben.

Rhoddai Huw T y bai am fethiant TWW i ennill y rhyddfraint ar ysgwyddau'r unig Gymro ar y panel, sef Syr Ben Bowen Thomas. Roeddent wedi croesi cleddyfau o'r blaen ac er iddynt fod ar delerau da ar adegau, pan gyhoeddwyd y newyddion drwg am TWW yn haf 1967, nid oedd Huw T am wneud dim â Syr Ben. Cofiai Moses Jones wahodd Huw T ar faes Eisteddfod Genedlaethol y Bala 1967 i ymuno ag ef am baned gyda Syr Ben, ond ymateb Huw T oedd: 'Do'i ddim efo'r diawl'.[72]

★   ★   ★

Un o hoff straeon Huw T oedd bod ei dad yn cerdded pedair milltir a mwy yn wythnosol i brynu ei gopi o'r *Faner*. Haerai fod '… yr hen bapur hwn i'm tad yn gyfoeth yng nghanol tlodi teulu'.[73] Defnyddiai'r stori fel cyfiawnhad dros ei ymrwymiad i achub *Y Faner* mewn cyfnod argyfyngus i'r papur yn ystod yr 1950au. Byddai'n pwysleisio'i gariad at hen radicaliaeth y papur, ond roedd ei gymhellion am ymwneud â'r *Faner* yn fwy personol na hynny.

Erbyn yr 1950au, roedd *Y Faner*, a sefydlwyd gan Thomas Gee ganol y bedwaredd ganrif ar bymtheg, yn bapur cenedlaetholgar er yn eithaf ceidwadol ei ymarweddiad a'i gynnwys o'i gymharu â phapur mwy bywiog *Y Cymro* a phapurau poblogaidd a ddeilliai o Stryd y Fflyd. Roedd nifer y darllenwyr yn gostwng, a'r elw o hysbysebion yn disgyn. Golygid y papur gan Gwilym R Jones, gŵr galluog a chanddo'r ddawn i ysgrifennu'n goeth ac yn ddeallus ond, fel y cyfaddefodd yn ei hunangofiant: 'Dichon fod cyfle wedi ei golli i wneud y cyhoeddiad yn fwy atyniadol i'r Cymry ifainc gwlatgar.'[74] Câi gymorth gan brifardd arall, Mathonwy Hughes, a bu'r ddau yn stryffaglu ar gyflogau pitw i gynnal y papur am flynyddoedd maith.

Daeth Huw T ar draws y ddau fel newyddiadurwyr yn ystod yr 1940au, gan ddod yn gyfaill agos iddynt o ganol yr 1950au ymlaen. Yn wir, fel y cyfaddefai Gwilym R, âi Huw T allan o'i ffordd i roi pres ym mhoced y ddau drwy drefnu iddynt ymddangos ar raglenni teledu, fel y soniwyd eisoes. Anfonai Huw T arian yn gyson i ferch Gwilym R, a oedd yn y coleg ar y pryd, gan ei fod yn sylweddoli pa mor fain oedd pethau ar ei gyfaill.[75]

Daeth argyfwng *Y Faner* i'w benllanw yn 1956. Cyfarwyddwyr Gwasg Gee, cyhoeddwr *Y Faner*, oedd Dr Kate Roberts, y golygydd Gwilym R Jones a dau arall. Roedd cylchrediad y papur wedi gostwng i oddeutu 3,000 (o'i gymharu â 16,000 pan oedd yn ei anterth) ac yn gwneud colled ariannol sylweddol. Yn yr argyfwng hwn daeth Emlyn Hooson i'r adwy a ffurfio bwrdd newydd i brynu'r hen gwmni a thalu ei ddyledion niferus. Trefnodd Hooson fod sawl Cymro da yn ymuno yn y fenter, ac yn eu plith roedd Huw T.[76] Cymhelliad Huw T oedd rhoi cymorth i'w gyfeillion Gwilym R a Mathonwy, ac ni fu'n ymwneud rhyw lawer â Gwasg Gee ei hun.

Er ymdrechion rheolwr y cwmni, Charles Charman, i roi trefn ar y busnes, parhâi'r *Faner* i golli arian. Roedd achosion cyson o ffraeo yn y cyfnod hwn hefyd, gyda'r 'prima donna' Kate Roberts, a oedd yn parhau i weithio ar *Y Faner*, yn llawn bygythion a Charman yn ei chael hi'n anodd cydweithio â'r 'bloody bards' drws nesaf, sef Gwilym R a Mathonwy.[77] Penderfynodd cyfarwyddwyr Gwasg Gee lansio papur newydd o'r enw *Welsh Farm News* yn 1957, ac o safbwynt busnes roedd yn anodd cyfiawnhau gwaedu'r cwmni drwy gynnal *Y Faner* ar yr un pryd. Penderfynwyd cau'r *Faner*. Aeth Huw T ('a'i wep yn isel') a Gwilym R ('a'i wep yntau yn is fyth') i weld Charles Charman, ac awgrymodd Huw T y byddai'n barod i brynu'r teitl.[78] Ffoniwyd Emlyn Hooson ac fe gytunodd y bwrdd y gellid gwerthu teitl *Y Faner* am y swm o bunt yn unig, gan ildio'r posibilrwydd o ennill £2,000 drwy ei werthu.[79] Felly y daeth *Y Faner* yn eiddo i Huw T. Adroddodd yn ddiweddarach: 'cydiais ynddi gan wynebu'r golled – â phwt o weddi'.[80]

Cafodd gyngor gan Charman i droi'r papur yn fisolyn llenyddol ond gwylltiodd Huw T: 'Na, fyddai Thomas Gee byth yn gwneud hynny.' Hwn, mae'n debyg, oedd yr achlysur y cyfeiriwyd ato gan Gwilym R yn ei hunangofiant pan gollodd Huw T ei dymer a bygwth y rheolwr cegrwth.[81] Argraffwyd *Y Faner* wedi hynny gan Wasg y Sir, y Bala, ac er i Huw T barhau'n gyfarwyddwr Gwasg Gee, ni fu'n ymwneud â'r cwmni wedi hynny gan mai'r *Faner* oedd ei unig ddiddordeb. Yn ôl Rhydwen Williams, dyma pryd y daeth *Y Faner* yn 'obsesiwn' i Huw T ac nid oes amheuaeth mai ei gymhelliad trwy'r cyfan oedd cadw ei gyfaill Gwilym R mewn gwaith.[82] 'Roedd yn ffôl o garedig,' meddai un o'i gyfeillion. Ceisiai bob amser godi calonnau staff y papur, fel y tystiai Gwilym R ei hun: 'Ni fyn H.T. ildio i amgylchiadau, dim hyd yn oed pan fo'r awyr yn ddu fel blacin. "Trwy ddygn rwyfo down i dir" yw ei arwyddair.'[84]

Ar raglen deledu, dywedodd Huw T 'mai prif ddymuniad ei fywyd oedd gweled *Y Faner* yn myned rhagddi', ond gorweddai'r cyfrifoldeb o gynnal y papur yn drwm iawn ar ei ysgwyddau.[85] Pan brynodd *Y Faner* cafodd gefnogaeth ariannol sylweddol gan un o Gymry Llundain, Jenkin Alban Davies, dyn cyfoethog a chefnogol i achosion Cymreig.[86] Ceisiwyd ffurfio ymddiriedolaeth gyda'r nod o godi £1,000, a rhestrwyd enwau'r cyfranwyr yn y papur, gyda llawer o hen gyfeillion Huw T yn amlwg yn eu plith. Erbyn Chwefror

1958, pan drosglwyddwyd y gwaith argraffu i'r Bala, roedd £630 yn y gronfa ond ni lwyddwyd i greu ymddiriedolaeth am resymau cyfreithiol. Yn hytrach, bodlonwyd ar gadw arian wrth gefn i'r papur mewn cronfa arbennig dan yr enw 'Ymddiriedolaeth y Werin', ac erbyn 1963 roedd swm o dros £1,600 yn y cyfrif.[87]

Barnai Gwilym R i Huw T roi mwy na £2,000 o'i arian personol ei hun i gynnal y papur, ond ni fyddai hynny nac arian y gronfa yn ddigon.[88] Prin y gellid disgwyl cynnydd sylweddol yng ngwerthiant *Y Faner*, er yr ymdrech i'w boblogeiddio, a rhaid oedd dibynnu ar incwm hysbysebion. Roedd y gystadleuaeth am hysbysebion yn ffyrnig, a chyda dyfodiad hysbysebu ar y teledu, collwyd cytundeb gyda chwmni mawr Unilever.[89] Ceisiwyd trwy Gyngor Cymru i bwyso ar y llywodraeth i drefnu bod ei hasiantaethau a'r diwydiannau a wladolwyd yn hysbysebu yn *Y Faner* a'r *Cymro,* fel y gwnaent ym mhapurau newydd Llundain, ond methwyd. Nid oedd y llywodraeth ar y pryd hwnnw'n credu mewn nawdd i gynorthwyo'r iaith Gymraeg; y farchnad oedd yn cyfri; roedd hysbysebion yn ddibynnol ar gylchrediad ac nid oedd y llywodraeth yn barod i roi'r hyn a welai fel nawdd cuddiedig.[90] Serch hynny, llwyddodd Huw T i dderbyn cefnogaeth gan TWW drwy gynnwys erthygl wythnosol ar raglenni TWW y cyfeirid ati fel hysbyseb. Nid oes amheuaeth, felly, mai TWW a gadwodd y blaidd o'r drws am rai blynyddoedd, ac erbyn 1963 roedd *Y Faner* yn ddibynnol ar TWW i'w chynnal. Yn wir, roedd y nawdd o'r cyfeiriad hwnnw yn £3,250 − swm a oedd bron yn cyfateb i'r incwm a gafwyd o'r gwerthiant (£3,325).[91]

Er y pwysau ariannol, roedd ei berchnogaeth o'r *Faner* yn rhoi rhai manteision i Huw T, yn arbennig felly y cyfle i ledaenu ei neges bersonol. Byddai'n pwysleisio, a Gwilym R yn ategu, nad oedd yn ymyrryd yn olygyddol yng nghynnwys y papur − ond go brin y byddai'n peidio â dylanwadu ar ei hen gyfaill.[92] Pan oedd gan Huw T neges i'w datgan, byddai'n aml yn cael gofod ar ddudalen flaen *Y Faner* ac anodd fyddai gwadu ei hawl i wneud hynny. Er hyn oll, caredigrwydd oedd ei gymhelliad wrth ysgwyddo'r baich o gynnal y papur. Fel y tystiai Gwilym R, roedd: 'ffyddlondeb i ffrindiau yn grefydd ganddo fe... yn grefydd, roedd yn hollol driw i chi. Wnâi e ddim bradychu chi am bris yn y byd i neb'.[93]

Daeth cysylltiad uniongyrchol Huw T â'r *Faner* i ben yn Hydref 1965 pan drosglwyddodd ei gyfran ef i Gwilym R, Mathonwy a Gwasg y Sir.[94] Drwy ddyfeisgarwch, ymrwymiad digyfaddawd a'r defnydd o ddylanwad, roedd Huw T wedi llwyddo i gadw'r cwch, a oedd yn suddo'n araf, i hwylio am gyfnod pellach.

$$\star \quad \star \quad \star$$

Cyhoeddwyd llun gwych iawn gan Philip Jones Griffiths, y ffotograffydd o Ruddlan a ddaeth yn fyd-enwog maes o law, yn y cylchgrawn *Wales* yn Ebrill 1959.[95] Dan y pennawd 'Bards bar opened at Denbigh Inn – Pub for Intelligentsia' mae'n dangos Huw T wrth ei fodd yng nghwmni beirdd a chantorion yn nhafarn y Ceffyl Gwyn, Llanfair Dyffryn Clwyd. Er iddo giniawa a chymdeithasu gyda boneddigion y genedl ar hyd y blynyddoedd, yn y gwmnïaeth hon yr oedd Huw T hapusaf. Yno gallai drafod barddoniaeth a dysgu wrth draed prifeirdd fel Gwilym R a Mathonwy, a 'junior member' y cwmni, Rhydwen. Trwy'r cysylltiadau hyn â Gwasg y Sir, daeth cwmni cyhoeddi y March Gwyn i fodolaeth ac un o gyhoeddiadau'r cwmni byrhoedlog hwnnw oedd *Ar y Cyd*, sef casgliad o gerddi gan Huw T, Mathonwy, Gwilym R a Rhydwen a gyhoeddwyd yn 1962. Roedd Huw T eisoes wedi cyhoeddi cyfrol o'i farddoniaeth ei hun, *Tros f'Ysgwydd*, yn 1959, a chyhoeddwyd cerddi eraill o'i waith yn *Y Faner*.

Dechreuodd Huw T ymddiddori mewn barddoniaeth yn ystod y Rhyfel Byd Cyntaf, ac aeth ati i lunio ambell gerdd a rhigwm.[96] Nid tan yr 1950au, fodd bynnag, y ceisiodd ddysgu'r grefft o ddifri, a thystiai Lyn Howell iddo ysgrifennu rhai o'i gerddi yng nghanol gwaith diflas pwyllgorau.[97] Gallai lunio englyn, ac fe fyddai ef a Syr T H Parry-Williams yn anfon anrhegion – megis sigâr neu ddwy –

ynghyd ag englynion smala at ei gilydd yn aml, ond nid oedd Huw T yn gynganeddwr mawr.[98] Tueddai i ffafrio'r mesurau rhyddion, yn fwyaf arbennig y soned neu'r drioled.

Credai Rhydwen Williams nad oedd Huw T yn fawr o fardd. Gallai baratoi sgerbwd cerdd, ond credai Rhydwen fod stamp athrylith Gwilym R ar rai o gerddi gorau Huw T. Tipyn o hen lwynog oedd Gwilym R, ym marn Rhydwen, a chredai y byddai Huw T yn dangos ei gerddi i'r prifardd cyn iddynt weld golau dydd yn 'nosbarth' y dafarn. Serch hynny, rhaid cydnabod bod digon o draddodiad yng Nghymru o feirdd blaenllaw yn dibynnu ar gymorth gan y meistri ar adegau.[99]

Canmolwyd rhai o gerddi Huw T gan neb llai na Saunders Lewis a ffolai W D Williams, y Bermo, ar y llinell o gynghanedd lusg yn yr englyn i Fynydd Tal-y-fan: 'Lle'r oedd sglein ar bob ceiniog'.[100] Un o gerddi enwocaf Huw T oedd 'Dyn Diarth', a osodwyd i gerddoriaeth gan J Morgan Nicholas, dan y teitl newydd 'Y Dieithryn', a'i chanu'n swynol gan David Lloyd.[101] Efallai fod Huw T ar ei orau yn llunio cerddi atgofus am fro ei febyd, er y gallai'r rhain ymddangos yn sentimental a gor-ramantus ar brydiau.

Nid am ei ddoniau barddonol y cofir Huw T ond yn hytrach, yn y maes hwnnw, am ei gefnogaeth i feirdd a llenorion eraill. Cyfeiriwyd eisoes at ei haelioni tuag at Rhydwen Williams ac at T Glynne Davies pan ddaeth Teledu Cymru i ben. Flynyddoedd ynghynt roedd wedi cynorthwyo T Glynne Davies pan oedd yn fardd ifanc tlawd drwy roi arian iddo i gludo cadair Eisteddfod Ddiwydiannol Cymru yn ôl i'w gartref.[102] Dim ond un enghraifft yw hynny o'r cymorth a roddodd i lenorion y genedl. Ef oedd y tu ôl i sawl cais am bensiwn brenhinol neu gronfa dysteb, ac roedd gan lenorion fel T Rowland Hughes ac R Williams Parry, a chantorion fel Leila Megane a David Lloyd, le i ddiolch iddo am ei gefnogaeth. Os oedd Huw T yn 'bendefig' ymhlith gwleidyddion, roedd hefyd yn 'noddwr y beirdd' haelfrydig.

Er ei hoffter o'r gwmnïaeth lenyddol, câi ddiléit hefyd wrth ddilyn ei hen ddiddordebau. Byddai'n chwarae golff, gêm hamddenol lle y gallai ddangos ei ffraethineb yn ogystal â'i sgiliau wrth drin y bêl fach wen. Adroddodd Moses Jones am ei duedd i adrodd llinell neu ddwy o gerdd neu emyn cyn taro'r bêl: 'Mi wyraf weithiau ar y dde, Ac ar yr aswy law'. Hoffai chwarae cardiau a biliards, y campau a ddysgodd yng nghymoedd y de flynyddoedd lawer ynghynt. Ar ôl i'r teulu symud i Sychdyn byddai Huw T yn galw yng nghartref Ceiriog Williams a'i wraig Men bob nos Sadwrn am sgwrs a gêm o gardiau, neu i wylio bocsio ar y teledu. Ac yn gyfaill iddo bob amser oedd ei getyn. [103]

★   ★   ★

Yn ei flynyddoedd olaf, cafodd Huw T y profiad rhwystredig o fod ar gyrion bywyd cyhoeddus Cymru. Roedd y ceffyl blaen wedi ei droi allan i bori. Er bod ganddo o hyd ddiddordeb byw ym materion y dydd, nid oedd bellach yn teithio'r wlad yn cwrdd â phawb a phob un. Nid oedd yn gyrru bellach, a dibynnai ar rai cyfeillion triw i'w gludo o fan i fan. Er iddo dderbyn pob gofal yn ei gartref, wedi blynyddoedd o orweithio ac ysmygu trwm, roedd ei iechyd yn dirywio a'i frest yn swnio fel megin. [104]

Roedd marwolaeth ei wraig ym mis Mehefin 1966 yn ergyd drom i Huw T. Mynegwyd natur eu perthynas mewn llythyr cynnes a anfonodd ati pan oedd hi'n derbyn llawdriniaeth mewn ysbyty yn Lerpwl tua 1950:

> ... mae arnom oll eisiau gweld yr hen Fargiad yn ôl – â neb fwy
> na rhen Huw – er mor gased ganddo gael ei gladdu dan gawod o
> eiriau rŵan ac yn y mân [*sic*]
> Wel-dyna ni – ar dy waethaf i ti yw'r goreu yn y byd. Nid oes
> llawer o glamour o dy gwmpas – ond mae gennyt yr oll o'r pethau
> sydd yn cyfrif, ac mi fuasai yr hen law ar goll hebot.
> Creadur rhyfedd ynte Mag – a'i lond o feiau o bob math

> – ond hwyrach wedi edrych tros y rhai hynny – ddim mor sâl i
> lawr yn isel isel.
>
> Felly 'hwb i'r galon' ar hen Huw yn deheu am iti ddod yn ôl
> – er pan y dôi mi aiff i'r "Stute" yr un peth – ond yn llawer mwy
> hapus am fod ei *Wir Gariad* wedi dod yn ôl i'w chadair.[105]

Am flynyddoedd bu ei ferch Beti'n gweithredu fel ysgrifenyddes, teipyddes, derbynnydd a gweinyddydd i Huw T.[106] Roedd ei chyfraniad diymhongar ac ymroddedig i lwyddiant ei fywyd cyhoeddus yn nodedig, ac wedi marwolaeth ei wraig roedd yn gynyddol ddibynnol arni. Barnai un o'i gyfeillion fod ei ferch 'yn angor iddo' wrth iddi sicrhau bod cartref cysurus i'r teulu yng Nghrud-yr-awel.[107] Ymfalchïai Huw T yn llwyddiannau ei wyresau, Eleri a Sioned. Ar ôl graddio ym mhrifysgol Bangor yn 1968, a phriodi yn 1969, roedd Eleri wedi symud i fyw i Geredigion gyda'i gŵr Gwilym, tra oedd Sioned yn paratoi ar gyfer ei thaith i enwogrwydd fel telynores ddawnus.

Yn haf 1969 daeth ymwelydd annisgwyl i'r tŷ, sef Ysgrifennydd Gwladol Cymru ar y pryd, y sebonllyd George Thomas. Ym mlwyddyn yr Arwisgiad rhoddwyd yr hawl 'unprecedented' i George Thomas greu chwe Chymro yn farchog. Awgrymodd y Prif Weinidog, Harold Wilson, enw Huw T a chynigiodd Thomas yr anrhydedd iddo ar ei ymweliad, ond fe'i gwrthodwyd.[108] Nid dyma oedd y tro cyntaf i Huw T gael cynnig y fath anrhydedd, ond yn ei ddyddiau olaf nid oedd am dorri ar egwyddorion oes.

Pan oedd ar ei wely angau yn 1970, teimlai i'r byw y ffaith fod llawer o'r bobl hynny y bu'n gymaint o gymorth iddynt heb ddod i ymweld ag ef. Parhau, serch hynny, yr oedd ei natur haelionus. Yn ystod ei fisoedd olaf aeth Mathonwy Hughes ag ef ar wibdaith yn ei gar. Mynnodd Huw T y dylent aros am baned o de a chacennau mewn gwesty ar y ffordd. Er nad oedd Huw T ei hun yn ddigon iach i fwyta, roedd yn benderfynol bod ei hen gyfaill yn cael lluniaeth.[109]

Bu farw Huw T o arterio-sclerosis, bronchitis ac emffysema yn

Ysbyty'r Frest, Abergele, ar nos Sul 8 Tachwedd 1970.[110] Cynhaliwyd yr angladd ar 12 Tachwedd yng nghapel Bethesda, Yr Wyddgrug, dan ofal y Parch. J Eirian Davies, ac wedyn yn amlosgfa Pentrebychan, Wrecsam. Yn ogystal â'r angladd, ar 30 Tachwedd 1970 cynhaliwyd gwasanaeth coffa iddo yn y Deml Heddwch yng Nghaerdydd gyda'r Athro Brinley Thomas yn annerch. Gwasgarwyd ei lwch rai misoedd yn ddiweddarach ar ddiwrnod braf, ond gwyntog, ger ei hen gartref ar fynydd Tal-y-fan.[111]

Cyhoeddwyd teyrngedau lu iddo yn y wasg. I'r *Western Mail*, ef oedd y 'rebel with many causes', tra mai disgrifiad rhamantaidd a gafwyd gan Charles Quant yn y *Daily Post*: 'Runaway boy who went from summit to summit'. 'Cawr o Gymro' ydoedd i'r *Faner*: 'O blith plant dynion yng Nghymru yn y ganrif hon, ni welwyd yr un mwy na'r Dr. Edwards.' Lluniodd Mathonwy Hughes a Gwilym R Jones gerddi iddo a'u cyhoeddi yn y papur a oedd mor agos at galon Huw T.[112] Yng ngherdd Gwilym R ceir y pennill hwn:

> *Miniog fel sgyrion meini*
> *ei eiriau wrth eiriol*
> *dros eraill;*
> *tros gymrawd, tros ei Gymru*
> *hwn oedd gry' yn nydd y graith.*

Yn ei deyrnged i Huw T yn yr angladd, cyfeiriodd Lyn Howell at ei nodweddion pennaf, sef 'ei ddynoliaeth a'i deyrngarwch a'i garedigrwydd'. Credai iddo feddu ar 'ryw gynhesrwydd cymeriad a'i gwnâi'n werinwr ymhlith gwerinwyr. Cyd-gerddodd â brenhinoedd a hynny heb anghofio'r graig y naddwyd ef ohoni.' Cyfeiriodd at ei duedd i wneud cymwynasau'n dawel bach, ac at ei oddefgarwch a'i gasineb o snobyddiaeth. Iddo ef roedd snobyddiaeth yn bechod yn erbyn yr Ysbryd Glân ac mai 'dyn oedd dyn ar y pum cyfandir'.[113]

Ar ddiwedd ei deyrnged dywedodd Lyn Howell: 'Fe erys y cof amdano yn hir', ond bellach aeth cenhedlaeth heibio ers ei farwolaeth ac yn ystod y cyfnod hwnnw diflannodd enw Huw T oddi ar wefusau'r genedl cyn gyflymed ag y chwythwyd ei lwch dros fynydd Tal-y-fan. Anodd yw dirnad sut y digwyddodd hyn i un a oedd mor amlwg yn ystod anterth ei yrfa. Pan osodwyd cofeb iddo yn Rowen yn 1992, menter a drefnwyd gan ei deulu ac awdur y cofiant hwn, cafwyd cefnogaeth ariannol ac ymarferol gan ei hen undeb, y chwarel lle y cafodd y sac ac, yn anad neb, gan y Bwrdd Croeso, ond nid oedd hwn yn achlysur plaid. Nid sosialydd na chenedlaetholwr a ddadorchuddiodd y gofeb ond Ceidwadwr, serch un a fu'n gyfaill i Huw T ddeng mlynedd ar hugain ynghynt.[114]

Anodd oedd ei gysylltu â phlaid erbyn hynny; wedi'r cyfan, nid oedd yn gymeradwy gan y ddwy blaid y bu'n aelod ohonynt ac nid oedd yr un ohonynt yn medru'i hawlio yn ei gyfanrwydd. Yn sicr, ni allent gyfeirio ato fel 'role model' i eraill chwaith. Rhydd y Blaid Lafur bwyslais mawr ar deyrngarwch i'r blaid, ac ni fu Huw T yn gwbl deyrngar iddi. Ar yr un pryd, nodweddid hanes Plaid Cymru gan y defnydd aml o'r term 'bradwr' – ac er na ddefnyddid y term hwn am Huw T yn gyhoeddus, hawdd oedd i Bleidwyr gyfeirio at ei anwadalwch a'i ddiffyg cysondeb. Er mai ef oedd yr unig Lafurwr i'w gynnwys yn rhestr y 'seiri' yng nghyfrol Gwynfor Evans, *Seiri Cenedl y Cymry*, a gyhoeddwyd yn 1986, nid oedd yr un parch o fewn y Blaid at 'HT' ag a oedd at 'DJ', 'JE' ac 'OM', ac ni aeth Dafydd Iwan ati i gyfansoddi cân yn ei glodfori.[115]

Rheswm arall am y diffyg sylw a roddwyd i Huw T wedi'i farwolaeth oedd i lawer o'i weithrediadau pwysicaf ddigwydd y tu ôl i lenni pwyllgor neu gyfarfod, ac mae dynion a gwragedd sy'n gweithredu felly yn mynd yn angof yn gyflym. Tra bod darluniau gan artistiaid yn cael eu harddangos a'u gwerthfawrogi am byth, a gwaith beirdd a llenorion da yn cael ei ddarllen a'i astudio, nid oes parhad felly i weithgareddau pwyllgorddyn. Does neb yn gwerthfawrogi cofnodion pwyllgor. Yn achos Huw T hefyd nid oes modd ei gysylltu ag un weithred neu ddigwyddiad o dragwyddol bwys. Tra cofir Bevan am sefydlu'r Gwasanaeth Iechyd, Jim Griffiths am sefydlu'r swydd Ysgrifennydd Gwladol a Gwynfor Evans am orchest isetholiad 1966 a'r ymgyrch dros sianel deledu, cyfraniad cronnol oedd cyfraniad Huw T.

Ar ben hyn oll, mae cyfnod anterth Huw T bellach mor ddieithr i Gymry'r unfed ganrif ar hugain â chynfyd Oes Fictoria. Mae dyddiau 'fixers' Llafur wedi hen ddiflannu, ac anodd gweld sut y gallai'r fath gymeriad fyth eto gyrraedd y brig. Serch hynny, haedda Huw T ei le ymhlith y rhestr ddethol o wir arweinyddion ei genedl. Rhoddodd oes o waith dros bobl Cymru mewn sawl maes ac, er ei feiau, roedd yn ffigur y dylai pob Cymro a Chymraes gwerth eu halen ei gydnabod.

NODIADAU

Dalier sylw:
Mae'r ffynonellau a geir yma i gyd yn y Llyfrgell Genedlaethol oni nodir yn wahanol.
HTE = Papurau Huw T Edwards yn y Llyfrgell Genedlaethol.

Pennod I

1. Cyfweliad yr awdur â Mrs Mary Bielby, Llandudno, 25 Gorffennaf 1988.
2. Huw T Edwards at Wil Ifan [1950au] (Papurau Wil Ifan, 300).
3. *Liverpool Daily Post,* 25 Hydref 1963.
4. Gweler Ivor E Davies, 'A History of the Penmaenmawr Quarries', *Trafodion Cymdeithas Hanes Sir Gaernarfon,* 35 (1974), tt 27–72; a Gwyn Jenkins, 'Yspryd Bolshevik: Streic Chwarelwyr Ithfaen Penmaenmawr, 1920', *Llafur,* V, 3 (1990), tt 34–43.
5. Cyfweliad â William J Hughes (Archifdy Gwynedd, XM/T/77).
6. Cyhoeddwyd yn Huw T Edwards, *Tros F'Ysgwydd* (1959), t 45. Cyhoeddwyd yr englyn yn *Blodeugerdd o Farddoniaeth Gymraeg yr Ugeinfed Ganrif,* gol. Gwynn ap Gwilym ac Alan Llwyd (Llandysul, 1987), t 63, ond o dan y teitl anghywir!
7. Ewyllys John Edwards, profwyd 4 Mai 1896 (Ewyllysiau Bangor 1896/129).
8. Huw T Edwards, *Tros y Tresi* (1956), t 23.
9. Cofnodwyd ym Meibl y teulu.
10. *Tros y Tresi,* tt 16–7.
11. Huw T Edwards at Wil Ifan, [1950au] (Papurau Wil Ifan, 300).
12. 'Llwch i'r Llwch', stori fer, 1950 (HTE E8); Saunders Lewis at Huw T, 9 Medi 1962 (HTE A1/714).
13. Cyhoeddwyd yn *Ar y Cyd: cerddi gan Huw T Edwards, Mathonwy Hughes, Gwilym R Jones a Rhydwen Williams* (1962), t 7.
14. John Bowlby, *Loss, Sadness and Depression* (Penguin, 1985).
15. *Tros y Tresi,* t 20.
16. Tystysgrif Priodas Hugh Edwards a Mary Francis Thomas, 3 Rhagfyr 1901.
17. Robert Bleddyn Davies, 'A Study of the factors which influenced the formation of the Board Schools in Dyffryn Conwy and Llandudno and their

subsequent development' (Traethawd M.Ed. Prifysgol Cymru, 1979), t 61.

18. John James Morgan (1862–1928); gweler y deyrnged iddo yn y *North Wales Weekly News*, Rhagfyr 1928.

19. Llyfr lòg Ysgol Ro-wen, t 137 (Archifdy Gwynedd X/ES/1); ar 8 Rhagfyr 1905 dysgwyd 'a new school song' i'r plant o'r enw 'Hen Wlad fy Nhadau'.

20. *ibid*, 14 Medi 1906.

21. Cyfweliad yr awdur â Mrs Mary Bielby, Llandudno, 25 Gorffennaf 1988.

22. *Tros y Tresi*, t 25; cyfweliad yr awdur â Mrs Mary Bielby, Llandudno, 25 Gorffennaf 1988.

23. Huw T Edwards at Wil Ifan, [1950au] (Papurau Wil Ifan, 300).

24. Sgript darllediad radio, 'Fy nghas beth', darlledwyd ar 1 Gorffennaf 1944 (HTE E4).

25. *Tros y Tresi*, t 29.

26. Bu sosialwyr amlwg fel Arthur Horner, A J Cook ac Idris Cox yn gapelwyr brwd yn eu hieuenctid.

27 Cyfweliad yr awdur â Gwilym R Jones, 14 Mehefin 1988; mewn cyfweliad gyda'r *Manchester Guardian*, 6 Hydref 1949, dywedodd Huw T ei fod yn 'professing Christian and who ardently feels that the solution to all our problems depends upon the people becoming more Christian in their actions one towards another but who has consistently all his life refused to consider that Christianity and the act of formal worship mean the same thing.'

28. Archifau'r Penmaenmawr and Welsh Granite Company (Archifdy Gwynedd X/Pen/290).

29. *Tros y Tresi*, t 32.

30. Gwyn Jenkins, *Llafur* 5, t 35.

31. *Tros y Tresi*, t 32.

32. Gweler David A Pretty, *The Rural Revolt that Failed: Farm Workers' Trade Unions in Wales, 1889–1950*, (1989).

33. *Tros y Tresi*, t 33.

Pennod II

1. *Tros y Tresi*, tt 36–7.

2. Cyfweliad yr awdur â Tom Jones, Shotton, 13 Mai 1988.

3. E D Lewis, *The Rhondda Valleys* (1963), t 242.

4. *Tros y Tresi*, t 42.

5. *ibid*, t 38; ceir sawl cyfeiriad at Hugh Thomas yn y *Rhondda Leader*, 6 a 20 Mawrth, 22 Mai 1909; yn rhifyn 20 Mawrth 1909, disgrifir achos llys yn Nhonpentre o dan y pennawd '*Dangerous character sent to prison*'. Mae'n debyg i Hugh Thomas yn ei feddwdod gicio plisman yn ei stumog ac yr oedd angen pedwar dyn i'w ddal yn sownd. Yn yr orsaf heddlu '*he behaved like a madman*' a chafodd 15 swllt o ddirwy a'i garcharu â llafur caled am chwech wythnos.

6. Dafydd Roberts, *Y Chwarelwr a'r Sowth* (1982), t 14.

7. *Tros y Tresi*, t 37.

8. Dafydd Roberts, *Y Chwarelwr a'r Sowth*, t 15.

9. Gweler yr hysbysebion yn y *Rhondda Leader*, e.e. 5 Mehefin 1908.

10. Cyfweliad yr awdur â Tom Jones, Shotton, 13 Mai 1988.

11. Dai Smith, 'Focal heroes: a Welsh fighting class' yn *Sport and the working class in Modern Britain*, gol. Richard Holt (1989), tt 198–217; *'Welsh boxers, no. 9 : Percy Jones'*, *Western Mail*, 6 Ionawr 1950; Tommy Farr, *Thus Farr* (1989), t 28.

12. *Tros y Tresi*, t 41.

13. *Rhondda Leader*, 9 Hydref 1909; gweler hefyd rifyn 23 Hydref 1909.

14. *ibid*, 3 Ebrill 1909.

15. *Sport in Britain: a social history*, gol. Tony Mason (1989), t 93.

16. Syr Ben Bowen Thomas at Huw T Edwards, 12 Tachwedd 1953 (HTE A1/167).

17. D Alun Lloyd, 'Y brwydrwr na ddioddefodd gymhlethdod y taeog', *Y Cymro*, 4 Mawrth 1965.

18. *Tros y Tresi*, t 40.

19. Stori fer: 'Plato Columbus' (HTE E8).

20. *Rhondda Leader*, 5 Mehefin 1908.

21. Cyfweliad yr awdur â Rhydwen Williams, 27 Mehefin 1989.

22. Goronwy O Roberts, 'Gwelodd wanc y de a thlodi'r gogledd', *Y Cymro*, 14 Mawrth 1952.

23. *Tros y Tresi*, tt 41–2; nid oes tystiolaeth i gadarnhau rhai o'r straeon a geir yma.

24. *ibid*, t 53.

25. *ibid*, tt 42–3.

26. *Rhondda Leader*, 23 Mai 1908.

27. Robert Graves, *Goodbye to all that* (1960), t 64.

28. Gwybodaeth gan Mr Bryn Owen, curadur Amgueddfa'r 'Welch Regiment'.

29. *Tros y Tresi*, t 43.

30. *ibid*; Archifau'r Penmaenmawr and Welsh Granite Company (Archifdy Gwynedd X/Pen/290).

31. Rwy'n ddyledus i Mr W D Tudor, Aber-fan, am lawer o'r wybodaeth sy'n dilyn.

32. *Tros y Tresi*, t 43.

33. Sgript darllediad radio, 'Trioedd y Doethion', darlledwyd 28 Medi 1948 (HTE E4).

34. Cyfweliadau gan yr awdur â Tom Jones, 13 Mai 1988, a Gwilym R Jones, 14 Mehefin 1988.

35. Gwybodaeth gan Mr W D Tudor; gweler hefyd 'discharged men entertained at Aberfan', *Merthyr Express*, 15 Tachwedd 1919.

36. *Merthyr Express*, 8 Rhagfyr 1917.

37. Gwybodaeth gan Mr W D Tudor; roedd chwaer Ceinwen Ashton, Mrs Nesta Flynn, yn dal i fyw yn Aber-fan ac yn aelod ffyddlon o gapel Bethania hyd at ei marwolaeth yn 2004. Roedd yn rhy ifanc i gofio'r cyfnod pan oedd Huw T yn byw yn Aber-fan.

38. *Merthyr Express*, 23 Ebrill 1932.

39. Cyfweliad yr awdur â Gwilym R Jones, 14 Mehefin 1988.

40. Gwybodaeth gan Mrs Nesta Flynn, Aber-fan.

41. Atgofion B M Thomas am gapel Bethania (Ll.G.C. Ffacs 708); gweler hefyd 'Autobiography of Edith Williams', t 3 (llawysgrif yn Llyfrgell Prifysgol Brunel, Llundain).

42. Deian Hopkin, 'Y Werin a'i theyrnas : ymateb sosialaeth i genedlaetholdeb, 1880–1920' yn *Cof Cenedl*, vi, gol. Geraint H Jenkins (Llandysul, 1991), t 165.

43. Paul Davies, *A J Cook* (Manceinion, 1987), t 8; gweler hefyd hunangofiant Idris Cox: *'Sunday school classes in a Welsh chapel were of a character which gave freedom for a frank discussion on social and political problems, even to discuss the need for a socialist system, and there were many interesting debates on this, but all in a friendly (and Christian) mood.'* (Ll.G.C., Papurau Idris Cox, 1.)

44. *Merthyr Express*, 6 Hydref 1917.

45. Huw T Edwards, 'Keir Hardie', *Lleufer*, XII, rhif 1, 1956, t 69.

46. *Tros y Tresi*, tt 43-4.

47. *Y Faner*, 29 Hydref 1966.

48. Am Arthur Machen gweler *The collected Arthur Machen*, gol. Christopher Palmer, (1988).

49. *Tros f'Ysgwydd*, t 11.

50. L B Oatts, *Proud Heritage: the story of the Highland Light Infantry, iii, 1882–1918* (1969), t 150.

51. *Tros y Tresi*, t 46.

52. *Y Faner*, 1 Hydref 1964; llythyr gan Huw T a gyhoeddwyd mewn papur newydd lleol, Awst 1930 (HTE F1); gweler hefyd adroddiad o gyfarfod pryd y dywedodd Huw T fod ei brofiad personol o ryfel wedi ei wneud yn 'heddychwr i'r carn' (*Y Dinesydd*, 28 Tachwedd 1928).

53. I F W Beckett a K Simpson (gol.), *A Nation in Arms* (1985).

54. Cerdyn cofnod y medalau a ddyfarnwyd i Driver Hugh Edwards, 2nd D[ivisional]A[mmunition]C[olumn], R[oyal] F[ield] A[rtillery], sef y medalau 'Victory', 'British' a'r '14 Star', gan gynnwys y 'clasp & roses' (Yr Archifdy Gwladol WO372/6, 205216/35535); gweler hefyd David Ascoli, *The Mons*

Star (1989); honnwyd i'r Kaiser ddisgrifio'r BEF fel 'a contemptible little
army', ond mae'n debyg mai propaganda ydoedd mewn gwirionedd – ymgais
gan Syr Frederick Maurice i ysbrydoli'r fyddin, gweler Paul Fussell, *The Great
War and Modern Memory* (1975), 116.

55. Robert Graves, *Goodbye to all that*, t 97; J C Dunn, *The war the infantry knew,
1914–1919* (1987), t 147.

56. Llyfr toriadau papur newydd, *c.* 1930–1945 (HTE F1).

57. Copi a wnaed gan ei ferch Beti pan oedd hi'n blentyn, tua 1930 (HTE E15).

58. *Tros y Tresi*, t 47.

59. *ibid*, t 96.

60. Cyfweliad yr awdur â Tom Jones, 13 Mai 1988.

61. *Tros y Tresi*, t 52.

Pennod III

1. Dyfynnwyd yn John Davies, *Hanes Cymru* (1990), t 508.

2. *Y Dinesydd,* 5 Mai 1920.

3. *Tros y Tresi*, t 57.

4. *ibid*, t 53.

5. Tystysgrif briodas Hugh Thomas Edwards a Margaret Owen, 9 Mawrth 1920
(HTE E9).

6. *Tros y Tresi*, tt 54, 56; Cofrestri Etholwyr Bwrdeistrefi Caernarfon.

7. Llythyr at yr awdur gan Ceiriog Williams, Mehefin 1990.

8. Beti Williams at Elwyn Roberts, 9 Medi 1959 (Archifau Plaid Cymru C41).

9. Cyfweliadau'r awdur â Tom Jones, 13 Mai 1988, a'r Fonesig White, 1 Medi
1988; gwybodaeth gan y teulu.

10. Kyffin Williams, *Portraits* (1996), t 104; cyfweliad yr awdur â Gwilym R Jones
a Mathonwy Hughes, 14 Mehefin 1988; yn ei hunangofiant, *Going Public*
(1987) t 124, ysgrifennodd prif weithredwr Bwrdd Nwy Cymru, T Mervyn
Jones, fel hyn am Huw T: 'His heart as always overflowing with caring
kindness for the less fortunate, romantically loving and loved by women.'

11. Cyfweliad yr awdur â Rhydwen Williams, 27 Mehefin 1989.

12. *North Wales Weekly News*, 25 Hydref 1928; cyfarchiad goliwiedig a
gyflwynwyd i Huw T Edwards, 1932, yn cyfeirio at ei aelodaeth o glwb golff
Penmaenmawr (HTE D1); gweler hefyd *North Wales Weekly News*, 9 Mehefin
1932, lle yr adroddwyd i Huw T dderbyn llythyr dienw yn ymosod arno ef
a'i gyd-gynghorwyr am ystyried caniatáu chwarae golff ar y Sul: 'Os pasiwch
i chwarae golf ar y Sul, mi fydd yn ben ar eich bywyd cyhoeddus, ac mi
daflwn allan bob un o'ch siortiau. Mae yna ormod o rai di-ras yna yn barod.
"Gwyliwch a gweddiwch, canys daeth yr awr." –arwyddwyd yr Hen Saboth
Cymreig.'

13. *Tros y Tresi*, t 63.

14. Ceir hanes y streic hon yn Gwyn Jenkins, *Llafur* V.
15. *North Wales Observer and Express*, 12 Awst 1920.
16. Cyfweliad â William J Hughes (Archifdy Gwynedd XM/T/77).
17. *It was my Privilege*, t 31.
18. Cyfweliad â William J Hughes (Archifdy Gwynedd XM/T/77).
19. *Tros y Tresi*, tt 54–5.
20. CH Darbishire at Hugh Edwards, 13 Rhagfyr 1920 (HTE A3/39).
21. *Tros y Tresi*, tt 56–64.
22. Yn yr 1920au roedd dros 16,000 o lowyr yn gweithio ym maes glo'r gogledd-ddwyrain ond syrthiodd y nifer i lai na hanner hynny erbyn ugain mlynedd yn ddiweddarach, gweler John Davies, *Hanes Cymru*, t 469.
23. *Tros y Tresi*, tt 59–60.
24. Llyfr Cofnodion Ffederasiwn Llafur Gogledd Cymru (HTE C1).
25. *Report of the Annual Conference of the Labour Party* (London, 1924).
26. Ffeil Ffederasiwn Llafur Gogledd Cymru (Archifdy Gwynedd XM/1693/5).
27. North Wales Labour Conference 1923 (Papurau David Thomas: Llawysgrifau Bangor 19203); Llyfr Cofnodion Ffederasiwn Llafur Gogledd Cymru (HTE C1); cafwyd trafodaeth hir yn Wrecsam cyn y cytunodd y *Trades and Labour Council* i dadogi â'r Ffederasiwn (Cofnodion Wrexham Trades and Labour Council, 1923: LlGC MFL 35, ril 1); gweler hefyd daflenni etholiadol ymgeiswyr Llafur yng ngogledd Cymru, 1923 (Papurau E T John 552).
28. *Y Dinesydd*, 6 Chwefror 1924.
29. Gohebiaeth Silyn Roberts, 1921–25 (Papurau Silyn Roberts, Llawysgrifau Bangor 17219).
30. *ibid*; *North Wales Weekly News*, 23 Hydref 1924.
31. *North Wales Weekly News*, 6 Mawrth 1924.
32. *North Wales Weekly News*, 12 Ebrill 1928.
33. *Tros y Tresi*, t 61; *North Wales Weekly News*, 21 Gorffennaf 1927.
34. Gwybodaeth gan Dennis Roberts, Dwygyfylchi.
35. Enw'r cwmni drama oedd 'Cwmni'r Hen Bentre'; *Y Dinesydd*, 13 Ebrill, 14 Rhagfyr 1927, 8 Chwefror, 14 Mawrth, 28 Tachwedd 1928; perfformiwyd drama arall gan Huw T yn y cyfnod hwn o'r enw *Unioni'r Llwybrau*; adroddwyd i berfformiadau o *'Ai Ceidwad fy Mrawd ydwyf fi?'* godi cyfanswm o £600, *Chester Chronicle*, 25 Gorffennaf 1936.
36. Duncan Tanner, 'The Pattern of Labour Politics, 1918–1939', yn Duncan Tanner, Chris Williams a Deian Hopkin (gol.), *The Labour Party in Wales 1900–2000* (Caerdydd, 2000), t 115.
37. *Y Dinesydd* 7 Mawrth 1928; *North Wales Weekly News*, 8 Mawrth 1928.
38. Llyfr Cofnodion Ffederasiwn Llafur Gogledd Cymru (HTE C1).
39. Huw T Edwards at Silyn Roberts, 25 Tachwedd 1929 (Llawysgrifau Bangor 19205).
40. *ibid*; mantolen cynhadledd Shotton, 1930, ffeil Cynghrair Llafur Gogledd

Cymru, 1923–33 (Papurau David Thomas, Llawysgrifau Bangor 19205).

41. *Y Dinesydd*, 22 Chwefror 1928; *North Wales Weekly News*, 14 Chwefror, 16 Mai 1929.

42. *North Wales Weekly News*, 23 Chwefror 1928.

43. *North Wales Weekly News*, 6 Mehefin 1929.

44. Adroddiad yr Asiant, 1929 (Archifdy Gwynedd XM/1693/6).

45. Mantolen, 1929 (Archifdy Gwynedd XM/1693/7).

46. *North Wales Weekly News*, 20 Mawrth, 9 Hydref 1930, 15 Hydref 1931.

47. *North Wales Weekly News*, 15 Hydref 1931.

48. *The North Wales Labour Searchlight*, Rhagfyr 1931; y canlyniad oedd F Llewellyn-Jones (Rhyddfrydwyr Cenedlaethol) 40,405 (71.4%); Frances Edwards (Llafur) 16,158 (28.6%).

49. *Y Dinesydd*, 6 Ebrill 1927.

50. *Tros y Tresi*, tt 66–7; *North Wales Weekly News*, 7 Ebrill 1927; *North Wales Pioneer*, 7 Ebrill 1927.

51. *North Wales Weekly News*, 9 Chwefror, 8 Mawrth, 19 Ebrill 1928.

52. *Tros y Tresi*, t 66.

53. Gweler er enghraifft adroddiad ar gyfarfod o'r Cyngor ddechrau 1928, *North Wales Weekly News*, 5 Ionawr 1928.

54. *North Wales Weekly News*, 25 Rhagfyr 1930; roedd poblogaeth Penmaenmawr bron ddwywaith yn fwy na phoblogaeth Llanberis.

55. *North Wales Pioneer*, 6 Medi 1928.

56. *North Wales Pioneer*, 4 Hydref 1928.

57. *North Wales Pioneer*, 13 Medi 1928.

58. *North Wales Weekly News*, 3 Rhagfyr 1931.

59. *North Wales Weekly News*, 26 Chwefror 1931.

60. *North Wales Weekly News*, 17 Medi 1931.

61. *Tros y Tresi*, t 83; byddai Huw T wedi derbyn 28 swllt yr wythnos o arian 'dole' (17 swllt a 9 swllt ar ei gyfer ef a'i wraig a 2 swllt am ei blentyn) hyd at 7 Hydref 1931, ond torrwyd hyn i 25 swllt a 3 ceiniog wedi hynny.

62. *North Wales Weekly News*, 4 Chwefror 1932.

63. *North Wales Weekly News*, 21 Ebrill 1932.

64. *Tros y Tresi*, t 85.

65. WRO Williams at Huw T Edwards, 3 Hydref 1932; Huw T Edwards at Mr Hughes, 6 Medi 1932 (rwy'n ddiolchgar i Dennis Roberts, Dwygyfylchi, am ddarparu copïau o'r llythyron hyn).

66. *North Wales Weekly News,* 10 Tachwedd 1932.

67. Llyfr toriadau papur newydd, *c.* 1930–45 (HTE F1).

68. L F Bartle at Huw T Edwards, 22 Medi 1932 (HTE F1).

Pennod IV

Nodiadau

1. *Tros y Tresi*, t 86.
2. Cofnodion y 'Transport and General Workers Union' (Prifysgol Warwick Modern Records Centre, MSS 126/T & G/1/1 V, 1932, 913, 95).
3. Emlyn Williams, *George,* (1961), tt 147–8; yn ôl Cyfrifiad 1931 medrai 72 y cant o drigolion Penmaen-mawr y Gymraeg ond 8 y cant oedd y ffigur cyfatebol yn nalgylch Cei Conna.
4. Gwybodaeth gan y teulu.
5. *Chester Chronicle*, 31 Hydref 1936, 4 a 11 Tachwedd 1944.
6. *Chester Chronicle,* 4 Ionawr 1947.
7. Cofnodion y Transport and General Workers Union (Prifysgol Warwick Modern Records Centre, MSS 126/T & G/1/1/vol XI, 1933, 400); y flwyddyn ganlynol cafodd £50 arall gan yr undeb i brynu car gan fod yr un blaenorol mewn 'parlous condition' (vol XII, 1934, 687).
8. Dyddiadur 1934 (HTE B3); gweler, er enghraifft, *Liverpool Daily Post,* 24 Chwefror 1958.
9. *Chester Chronicle*, 19 Rhagfyr 1936.
10. Cyfweliad yr awdur â Tom Jones, 13 Mai 1988.
11. *ibid.*
12. *ibid;* gweler ei sylw: 'clwyfau rhyfel sydd wedi gadael y marciau mwyaf wrth gwrs', Huw T Edwards at D J Williams, [tua 1961] (Papurau D J Williams P2/8).
13. *Tros y Tresi*, t 5.
14. *Chester Chronicle*, 10 Medi a 17 Rhagfyr 1932; roedd y sefyllfa'n waeth yn 1931 (gyda 7,994 allan o waith yn y sir, gan gynnwys bron i 20 y cant o ddynion yn segur) ond gwelwyd ychydig o adfywiad yn y diwydiant haearn a dur yn Shotton ac yng ngweithfeydd tunplat yr Wyddgrug erbyn 1932.
15. *Tros y Tresi*, t 89; *It was my Privilege*, tt 35–7.
16. Mrs E ap Rhys at Huw T Edwards, [1933] (HTE F1).
17. James Cronin, *Labour and Society in Britain 1918–79,* (1984) t 241.
18. *It was my Privilege*, tt 30–58.
19. V L Allen, *Trade Union Leadership,* (1957) t 224.
20. *Y Faner*, 23 Mawrth 1960.
21. Cyfweliad yr awdur â Tom Jones, 13 Mai 1988; *It was my Privilege,* tt 83–6.
22. Cyfweliad yr awdur â Tom Jones, 13 Mai 1988.
23. Cyfweliad yr awdur â Tom Jones, 13 Mai 1988.
24. Cyfweliad yr awdur â Tom Jones, 13 Mai 1988.
25. Cyfweliad yr awdur â Tom Jones, 13 Mai 1988.
26. *It was my Privilege,* tt 45–6; cyfweliad yr awdur â Tom Jones, 13 Mai 1988.
27. *TGWU Record*, Hydref 1953, t 117; gweler hefyd Brian Redhead & Sheila Goodie, *The Summers of Shotton* (1987).

28. *It was my Privilege,* tt 52–5; am ymdrechion Huw T mewn achosion o anghydfod, gweler *Chester Chronicle* 24 a 31 Awst 1935; gweler hefyd drawsysgrifiad o gyfweliad gyda James A Johnson, rheolwr gyda Courtaulds, 1980 (Llyfrgell yr Wyddgrug, 35.67).

29. Cofnodion y Transport and General Workers Union (Prifysgol Warwick: Modern Records Centre, MSS 126/T & G/1/1/vol XVI, 1938, 637, 852, 922).

30. Cyfweliad yr awdur â Tom Jones, 13 Mai 1988.

31. W J Crosland-Taylor, *Crosville: the Sowing and the Harvest* (1987), tt 71–3.

32. *Tros y Tresi,* t 92.

33. Cyfweliad yr awdur â Tom Jones, 13 Mai 1988.

34. W J Crosland-Taylor, *Crosville: the Sowing and the Harvest,* t 196.

35. *Tros y Tresi,* t 92.

36. W J Crosland-Taylor, *Crosville: the Sowing and the Harvest,* tt 236-8.

37. *Chester Chronicle,* 4 Tachwedd 1939.

38. *ibid,* 23 Mawrth 1940; cofnodion y Transport and General Workers Union (Prifysgol Warwick: Modern Records Centre, MSS 126/T & G/1/1/ vol XVIII, 1940, 75, 506); *TGWU Record,* Gorffennaf 1940, t 20.

39. Conciliation Officer (Wales)'s Weekly Reports, 20 Mehefin 1942 (yr Archifdy Gwladol Lab10/367).

40. *ibid,* 18 Mai 1940 (Yr Archifdy Gwladol Lab 10/366); *It was my Privilege*; *Tros y Tresi,* tt 97–9.

41. *Chester Chronicle,* 26 Medi 1942.

42. *ibid,* 28 Ebrill 1945.

43. *Tros y Tresi,* t 100.

44. Cyfweliad yr awdur â Tom Jones, 13 Mai 1988.

45. *ibid.*

46. Cylchlythyr at aelodau'r undeb Rhanbarth 13, Gorffennaf 1948 (HTE C4).

47. Cyfweliad yr awdur â Hubert Morgan, 25 Hydref 1989.

48. Cofnodion y Transport and General Workers Union (Prifysgol Warwick: Modern Records Centre, MSS 126/T & G/1/1/vol XXVIII 1950, 70).

49. *Chester Chronicle,* 16 Mawrth 1935, 12 Mawrth 1938, 17 Gorffennaf 1937, 16 Rhagfyr 1939.

50. Huw T Edwards at Eirene White, 23 Mawrth 1959 (Papurau Eirene White P1/1).

51. Llythyr at yr awdur gan y Barnwr Ronald Waterhouse, 13 Tachwedd 1990.

52. Huw T Edwards at Thomas Waterhouse, [1950au] (rwy'n ddiolchgar i'r Barnwr Ronald Waterhouse am ddarparu copi o'r llythyr hwn i mi).

53. Thomas Waterhouse at Huw T Edwards, 26 Mawrth 1949 (HTE A1/31).

54. Cyfweliad yr awdur â Charles Quant, 6 Mehefin 1989.

55. Cyfweliad yr awdur â T Haydn Rees, 2 Tachwedd 1990.

56. *What I want for Wales* (HTE E1).

57. *Y Faner,* 13 Hydref 1948.

58. Toriad o'r *Liverpool Daily Post,* 1952 (HTE F8).

59. Cyfweliad yr awdur â Moses Jones, 6 Mehefin 1989.

60. Llythyr at yr awdur gan y Barnwr Ronald Waterhouse, 13 Tachwedd 1990.

61. *Chester Chronicle*, 23 Tachwedd 1935.

62. Huw T Edwards at Eirene White, 23 Mawrth 1959 (Papurau Eirene White P1/1).

63. *Chester Chronicle*, 4 a 25 Gorffennaf 1936.

64. *Chester Chronicle*, 25 Medi 1937.

65. *Chester Chronicle*, 12 Mawrth, 1 a 22 Hydref 1938.

66. *Chester Chronicle*, 4 Mawrth 1939.

67. *Chester Chronicle*, 16 Medi 1944.

68. Cyfweliad yr awdur â'r Fonesig White, 1 Medi 1989; nid Eirene White oedd yr unig wraig i dderbyn cymorth gan Huw T yn ei gyrfa wleidyddol gan iddo weithredu o blaid Megan Lloyd-George ganol yr 1950au wrth iddi adael y Rhyddfrydwyr ac ymuno â'r Blaid Lafur; gweler Mervyn Jones, *A Radical Life* (1991), tt 242–6, a dechreuodd Ann Clwyd ei gyrfa wleidyddol ar ôl sgwrs gyda Huw T yn 1967; gweler cyfweliad ag Ann Clwyd ar y rhaglen deledu *Credaf*, a ddarlledwyd ar 18 Gorffennaf 1988 (Archif Genedlaethol Sgrin a Sain Cymru VHS2182).

69. Am Thomas Jones gweler E L Ellis, *A life of Doctor Thomas Jones, CH* (1992).

70. Huw T Edwards at Thomas Jones, [c. 1954] (Papurau Thomas Jones CH, WW8/34-41).

71. Jim Griffiths at Eirene Lloyd-Jones [White], 24 Hydref 1944 (Papurau Eirene White L3/1).

72. Cyfweliad yr awdur â Tom Jones, 13 Mai 1988.

73. Cyfweliad yr awdur â'r Fonesig White, 1 Medi 1989.

74. *Chester Chronicle*, 1 Ionawr 1949.

75. Cyfweliad yr awdur â Hubert Morgan, 25 Hydref 1989; *Chester Chronicle*, 23 Awst 1947; gweler hefyd Huw Morris Jones ar Huw T Edwards, 15 Ebrill 1946 (HTE A1/9).

76. Cyfweliad yr awdur â'r Fonesig White, 1 Medi 1989.

77. *Chester Chronicle*, 30 Hydref 1948.

78. *Y Cymro*, 17 Rhagfyr 1948.

79. Cyfweliad yr awdur â Moses Jones, 6 Mehefin 1989.

80. Cyfweliad yr awdur â Tom Jones, 13 Mai 1988.

81. Cyfweliad yr awdur â Charles Quant, 6 Mehefin 1989.

82. Thomas Jones at Huw T Edwards, 31 Hydref 1950 (HTE A1/77).

83. Dr R Dalrymple at Huw T Edwards, 13 Hydref 1950 (HTE A1/76).

84. Cyfweliadau yr awdur â'r Fonesig White, 1 Medi 1989, a Tom Jones, 13 Mai 1988; dyfynnwyd ef yn y *Liverpool Daily Post,* 22 Mehefin 1953: 'At sixty I still want to work: I am not the sort who wants to sit by the fire.'

85. *TGWU Record*, Hydref 1953, t 117.

86. *Tros y Tresi*, t 126.

87. Eirene White at Thomas Jones, 19 Mai 1953 (Papurau Eirene White, F1/5); gweler hefyd y rhestr o'r rhai a gyfrannodd at y testimonial, 10 Medi 1953; y cyfanswm oedd £825 (HTE D8).

88. *TGWU Record,* Hydref 1953, t 117.

Pennod V

1. *Tros y Tresi*, t 105.

2. Denis Ricket, 10 Downing Street, at Huw T Edwards, 15 Mai 1950 (HTE A1/67); gwybodaeth gan Arglwydd Tonypandy (gweler pennod X).

3. Ei enw barddol oedd 'Huw Pen-Ffridd'; tystysgrif doethuriaeth er anrhydedd Prifysgol Cymru (HTE D11).

4. *Liverpool Daily Post,* 17 Mai 1951.

5. *Chester Chronicle*, 13 Mawrth 1943.

6. Cofnodion y 'South Wales Regional Council of Labour', 19 Mawrth 1945 (Archifau'r Blaid Lafur (Cymru) 5, t 32).

7. *Tros y Tresi*, rhagair.

8. *Chester Chronicle*, 11 Rhagfyr 1948.

9. *Chester Chronicle*, 6 Ionawr 1945.

10. *Chester Chronicle*, 26 Mehefin 1943.

11. 'Post War Development' report prepared by Alderman G. F. Hamer and Huw T. Edwards for consideration by the North Wales Industrial Development Sub-Committee (HTE C5).

12. *ibid.*

13. Huw T Edwards, 'Dyfodol Diwydiannau Gogledd Cymru', *Transactions of the Honourable Society of Cymmrodorion*, 1945, tt 134–7.

14. *ibid.*

15. Nodiadau ar gyfer araith, 2 Ionawr 1948 (HTE C6).

16. Nodiadau ar gyfer araith yn y Bermo, 16 Chwefror 1946 (HTE C6).

17. Cofnodion y South Wales Regional Council of Labour 16 Ebrill 1945 (Archifau'r Blaid Lafur (Cymru) 5, t 44).

18. *ibid*, t 49.

19. Cliff Prothero, *Recount* (1982), tt 62–4.

20. Adroddiad ar gyfarfod yng ngogledd Cymru, 19 Ebrill 1947 (Archifau'r Blaid Lafur (Cymru) 6, t 24).

21. Stafford Cripps, Board of Trade, at Huw T Edwards, 24 Hydref 1945 (HTE A1/8); E. R. Hergreaves, Private Secretary to the Committee of the Privy Council for Trade, Board of Trade, at Huw T Edwards, 26 Ebrill 1948 (HTE A1/20).

22. Gweler, er enghraifft, lythyr Cyril O Jones at Silyn Roberts, 1 Chwefror 1930, yn cwyno am agwedd negyddol y llywodraeth Lafur at ddatganoli (Llawysgrifau Bangor 19205).

23. *Chester Chronicle,* 23 Chwefror 1939; yn ôl yr adroddiad ei nod oedd sicrhau cyfiawnder i Gymru.

24. Syr Winston Churchill at Arthur Evans AS, 30 Hydref 1943 (gwerthwyd y llythyr gwreiddiol mewn ocsiwn yn Sotheby's, 19 Gorffennaf 1990).

25. *Chester Chronicle,* 12 Gorffennaf 1941.

26. *Chester Chronicle,* 9 Ionawr 1943.

27. *ibid.*

28. *Chester Chronicle,* 20 Mawrth 1943.

29. Huw T Edwards at J E Jones, [1944] (Archifau Plaid Cymru B427/89).

30. *ibid.*

31. *Wales,* Ionawr 1944.

32. *ibid.*

33. *Chester Chronicle,* 17 Chwefror 1945.

34. *The Times,* 15 Hydref 1946.

35. Cofnodion ysgrifennydd y Cabinet, 11 Chwefror 1947 (Yr Archifdy Gwladol CAB195/5).

36. Gweler pennod K O Morgan yn *The Labour Party and Wales 1900–2000* (2000), tt 178–80.

37. 'The Problems of Wales' (HTE A4/1).

38. Morgan Phillips at Miss E M Jones, Bangor, 15 Mehefin 1945 (Archifau'r Blaid Lafur, Manceinion, GS/WAL/ 4 [copi yn LlGC: NLW Facs 585]).

39. *Parliamentary Debates* (Hansard), 428, 28 Hydref 1946, col. 310–317.

40. *Y Cymro,* 27 Rhagfyr 1946.

41. *ibid.*

42. 'Post War Development' report prepared by Alderman G. F. Hamer and Huw T. Edwards for consideration by the North Wales Industrial Development Sub-Committee (HTE C5).

43. Cofnodion y 'Welsh Regional Council of Labour', 16 Mehefin 1947 (Archifau'r Blaid Lafur (Cymru), 6, t 30).

44. 'Suggestions on the Link between Wales and Westminster' (HTE C4).

45. Cofnodion y 'Welsh Regional Council of Labour', 6, 21 Gorffennaf 1947, (Archifau'r Blaid Lafur (Cymru), 6); (Archifau'r Blaid Lafur, Manceinion, GS/ WAL/14 (copi yn LlGC: NLW Facs 585)).

46. 'Llywodraeth Leol – paham mae angen ad-drefnu': darllediad radio 3 Mawrth 1948 (HTE E4); am Syr William Jones (1961), gweler y deyrnged yn *Y Faner,* 15 Mehefin 1961.

47. Darllediad radio, 21 Tachwedd 1947: 'The future of Local Government in Wales' (HTE E4).

48. Jim Griffiths at Goronwy Roberts, 31 Ionawr 1948 (Papurau Goronwy Roberts S3/6).

49. *ibid.*

50. Cofnodion y 'South Wales Regional Council of Labour' 17 Ebrill 1948 a 19 Mehefin 1948 (Archifau'r Blaid Lafur, Cymru 6, tt 80–7).

51. *ibid,* 15 Tachwedd 1948, t 110.

52. Herbert Morrison at Jim Griffiths, 13 Hydref 1948 (Papurau James Griffiths C2/9).

53. Memorandwm 1948 (HTE C5).

54. *ibid.*

55. *Parliamentary Debates (Hansard),* 458, 24 Tachwedd 1948, col. 1262–1373.

56. *ibid,* col. 1319–1321.

57. Cofnodion y 'Welsh Regional Council of Labour', 17 Ionawr 1949 (Archifau'r Blaid Lafur, Cymru, 6, t 115).

58. *Western Mail,* 3 Ionawr 1949.

59. *North Wales Weekly News,* 2 Rhagfyr 1948.

60. *Western Mail,* 19 Ionawr 1949.

61. Cofnodion y Welsh Regional Council of Labour 21 Chwefror 1949 (Archifau'r Blaid Lafur, Cymru 6, t 122).

62. Cyfweliad yr awdur â Cliff Prothero, 16 Mawrth 1989.

63. *Liverpool Daily Post,* 20 Ionawr 1949.

64. *Chester Chronicle,* 2 Ebrill 1949.

65. *Hansard,* 24 Tachwedd 1948, col. 1321.

66. Colofn 'Cymric Causerie' gan Glyn Conwy, *Liverpool Daily Post,* 1 Rhagfyr 1948.

67. *Western Mail,* 19 Awst 1967.

68. Jim Griffiths at John Morris, 17 Medi 1973: 'Herbert Morrison (backed by Nye!) were against [Ysgrifennydd Gwladol] & so we had the Council for Wales. I got Clem A to appoint Huw Edwards as Chairman & this saved it.' (Papurau John Morris).

Pennod VI

1. *What I want for Wales* (HTE E1).

2. *Liverpool Daily Post,* 1 Medi 1949.

3. Huw T Edwards at Keidrych Rhys, 6 Hydref 1949 (HTE A2/41); gweler hefyd Huw T Edwards at y Parch. Ieuan Jones, 22 Medi 1949 (HTE A2/38).

4. *Liverpool Daily Post,* 21 Mai 1949; *Western Mail,* 7 Rhagfyr 1949.

5. E L Gibson, A Study of the Council for Wales and Monmouthshire, 1948–1966 (traethawd MA Prifysgol Cymru 1968), t 3.

6. *Ibid,* pennod 2.

7. 'Constitution and appointment of members of Council', 1951–54 (Yr Archifdy Gwladol BD24/42).

8. Adroddiad ar gyfarfod rhwng y llywodraeth a Chyngor Cymru, 11 Medi 1952 (Yr Archifdy Gwladol BD24/42).

9. Gweler pennod V.

10. Nodyn gan was sifil, 21 Gorffennaf 1951: 'Mr Prothero said constitution of Council had been so arranged as to secure a Labour majority.' (Yr Archifdy Gwladol BD24/42).

11. Memorandwm gan was sifil [Roger Lloyd Thomas], tua Mai 1952: 'it seems to have been tacitly assumed...'(Yr Archifdy Gwladol BD24/42).

12. Cyngor Cymru – Gohebiaeth gyffredinol, 1949: J L Palmer at Huw T Edwards, 23 Mai 1949 (Yr Archifdy Gwladol BD23/1).

13. *Liverpool Daily Post,* 18 Mai 1949.

14. *Western Mail,* 20 Mai 1949.

15. *Y Faner,* 4 Mai 1949.

16. *Liverpool Daily Post,* 5 Rhagfyr 1949; *Annual Register* 1949, tt 69–71

17. Araith Huw T Edwards, 20 Mai 1949 (HTE C6).

18. *ibid.*

19. Huw T Edwards at Herbert Morrison, 23 Mai 1949 (HTE A2/30).

20. *ibid.*

21. Herbert Morrison at Huw T Edwards, 26 Mai 1949 (HTE A1/35).

22. E L Gibson, A Study of the Council for Wales, tt 90–92.

23. *Tros y Tresi,* tt 119–120.

24. Huw T Edwards at Syr David Maxwell Fyfe, 29 Hydref 1951 (HTE A2/56).

25. Syr David Maxwell Fyfe at Huw T Edwards, 31 Hydref 1951 (HTE A1/83).

26. Cyfweliad yr awdur â Tom Jones, 13 Mai 1988.

27. *Liverpool Daily Post,* 10 Mawrth 1952; *Daily Herald,* 13 Gorffennaf 1953.

28. Adroddiad, 1 Medi 1952, ar gyfarfod yn y Swyddfa Gartref (Yr Archifdy Gwladol BD24/42).

29. *ibid.*

30. Huw T Edwards at Syr Austin Strutt, Swyddfa Gartref, 28 Medi 1953 (Yr Archifdy Gwladol BD24/43).

31. E L Gibson, A Study of the Council for Wales, t 89.

32. Huw T Edwards at J L Palmer, 4 Hydref 1950 (Yr Archifdy Gwladol BD23/3).

33. Nodyn ar y cyfarfod rhwng y Gweinidog Materion Cymreig a'r Cyngor, 18 Ionawr 1954 (Yr Archifdy Gwladol BD23/6).

34. *ibid.*

35. *Western Mail,* 16 Medi 1949.

36. Huw T Edwards at Tudor Watkins, Ysgrifennydd y Grŵp Seneddol Cymreig, 17 Medi 1949 (Yr Archifdy Gwladol BD23/1).

37. Nodyn gan Henry Brooke at y Prif Weinidog, 7 Tachwedd 1956 (Yr Archifdy Gwladol PREM11/4597).

38. Nodyn gan Trevor Vaughan ar y Cyngor ac ymddiswyddiad Huw T Edwards (Papurau Trevor Vaughan: NLW misc 537).

39. Huw T Edwards at J L Palmer, 15 Mehefin 1950 (Yr Archifdy Gwladol

BD23/2).

40. Huw T Edwards at Syr Percy Thomas, Welsh Board of Industry, 12 Chwefror 1951 (Yr Archifdy Gwladol BD23/3).

41. Cyfweliad yr awdur â John Clement, 24 Mehefin 1988.

42. Yn 1952 mynegodd Huw T ei farn wrth y Gweinidog Materion Cymreig nad oedd sail i'r ddadl '... that Wales was fully able to stand on her own two feet economically', gweler Huw T Edwards at Syr David Maxwell Fyfe, 6 Tachwedd 1952 (yr Archifdy Gwladol BD23/4).

43. Teipysgrif araith, Tachwedd 1950 (HTE C5).

44. *They went to Llandrindod* (1951); *Y Cymro,* 2 Mawrth 1951.

45. *They went to Llandrindod.*

46. *Y Cymro*, 9 Mawrth 1951.

47. *Western Mail*, 7 Mawrth 1951; *Herald of Wales*, 10 Mawrth 1951; *Caernarfon & Denbigh Herald*, 9 Mawrth 1951.

48. *Welsh Nation*, Ebrill 1951.

49. Cyfweliad yr awdur â Tom Jones, 13 Mai 1988.

50. *Liverpool Daily Post*, 19 Awst 1951.

51. *Liverpool Daily Post,* 24 Awst 1951.

52. *Liverpool Daily Post,* 8 Awst 1953.

53. Gweler Elwyn Roberts, Ymgyrch Senedd i Gymru, yn John Davies (gol.), *Cymru'n Deffro: Hanes y Blaid Genedlaethol, 1925–75* (1981).

54. Huw T Edwards at Eirene White, [postiwyd 22 Chwefror 1954] (Papurau Eirene White P1/1].

55. *ibid.*

56. Clive Ponting, *Breach of Promise* (1989), tt 3–9.

57. Adroddiad gan Huw T Edwards ar ei ymweliad â'r Alban (Yr Archifdy Gwladol BD23/3).

58. *ibid.*

59. Cofnod o'r cyfarfod rhwng y Gweinidog Materion Cymreig a'r Cyngor, 18 Ionawr 1954 (Yr Archifdy Gwladol BD23/6).

60. J R Simpson, y Trysorlys, at J A R Pimlott, 17 Ebrill 1951 (Yr Archifdy Gwladol BD24/13).

61. E L Gibson, A Study of the Council for Wales, t 141.

62. Trydydd Memorandwm Cyngor Cymru, Ionawr 1957, Cmd. 53.

63. Huw T Edwards at Gwilym Lloyd George, [Ebrill 1955] (Yr Archifdy Gwladol BD23/6).

64. *Parliamentary Debates* (Hansard), 542, 16 Mehefin 1955, 'Written answers to questions', col. 26.

65. Trydydd Memorandwm Cyngor Cymru, Ionawr 1957, Cmd. 53.

Pennod VII

1. Huw T Edwards at Mansel Davies, 20 Ebrill 1958 (Papurau CND Cymru A4).

2. Rhys Evans, *Gwynfor: Rhag pob Brad*, t 168.

3. John Davies, Boddi Capel Celyn, *Cylchgrawn Hanes a Chofnodion Sir Feirionnydd*, 1999, t 172.

4. E L Gibson, A Study of the Council for Wales, t 131.

5. Gweler pennod X.

6. 'Tri mis o ysgrifennu gwyllt yn ei oriau hamdden prin' oedd sylw 'Mignedd' [Gwilym R Jones] yn ei golofn 'Ledled Cymru' yn *Y Faner*, 1 Awst 1958.

7. *Tros y Tresi* (Dinbych, 1956); *It was my Privilege* (Dinbych 1957).

8. Urddwyd T H Parry-Williams yn farchog ym Mehefin 1958 ar yr un pryd â chyfaill arall i Huw T, Clayton Russon.

9. Gweler pennod X.

10. Cofnodion y Cabinet, 29 Ionawr 1957 (Yr Archifdy Gwladol CC(57) 4).

11. E L Gibson, A Study of the Council for Wales, t 153.

12. Gwybodaeth gan Alun Sylvester-Evans, cyn-ysgrifennydd i Henry Brooke, 29 Hydref 1990.

13. Dyma enghraifft o hyn: 'Last night as the sun was sinking I stood on a hilltop near here, with distant hills and mountains forming the horizon right round the circle and (except for little Brecon) no township in sight; and, high up above all its problems, I could feel why the land was loved. By those who have the best right to love it, but not only by them.', Henry Brooke at Huw T Edwards, 26 Mai 1958 (Papurau John Clement 8).

14. *Y Faner*, 13 Mehefin 1956.

15. Huw T Edwards at Evelyn Sharpe, 22 Ionawr 1957 (Yr Archifdy Gwladol BD23/8).

16. 'Strictly confidential reaction of the Conservative & Unionist Party in Wales' (Yr Archifdy Gwladol BD24/49).

17. Araith Hailsham a gylchredwyd gan y Central Office of Information, 14 Mehefin 1957; awgrymodd nad oedd y Cyngor 'either as knowledgeable or as representative' â'r WJEC (Papurau John Clement 8); gweler hefyd *Western Mail*, 15 Mehefin 1957 a'r *Liverpool Daily Post*, 15 Mehefin 1957.

18. Cofnodion y Cabinet CC4 (57) (Yr Archifdy Gwladol PREM11/2204).

19. Llythyr at yr awdur gan Roger Lloyd-Thomas, 30 Ionawr 1990.

20. Nodyn gan was sifil dienw, 23 Mehefin 1953 (Yr Archifdy Gwladol BD24/176).

21. Cyfweliad yr awdur â John Clement, 24 Mehefin 1988.

22. Nodiadau Huw T Edwards ar gyfer cyfarfod o'r Cyngor, 19 Gorffennaf 1957 (Yr Archifdy Gwladol BD23/8); gweler hefyd Evelyn Sharpe at Huw T Edwards, 9 Gorffennaf 1957; Huw T Edwards at Henry Brooke, 21 Hydref 1957 ac ateb Brooke, 30 Hydref 1957: mae'n debyg fod Hailsham yn derbyn na ddylai fod wedi gwneud sylw ar y mater ond yn teimlo bellach y byddai'n

well iddo aros yn dawel (Papurau John Clement 8).

23. Henry Brooke at Huw T Edwards, 15 Mehefin 1957 (Yr Archifdy Gwladol BD23/8).

24. Cyfweliad yr awdur â'r Fonesig White, 1 Medi 1989.

25. Memorandwm gan Henry Brooke at y Prif Weinidog, 19 Gorffennaf 1957 (PREM 11/2204).

26. Ffeil Eisteddfod Llangefni (Yr Archifdy Gwladol BD24/7).

27. Copi o lythyr gan Gwynfor Evans at Ernest Roberts, ysgrifennydd Cyngor yr Eisteddfod, 16 Gorffennaf 1957 (Yr Archifdy Gwladol BD24/7).

28. Syr William Jones at John Clement, 12 Gorffennaf 1957 (Yr Archifdy Gwladol BD23/8).

29. *Y Faner*, 8 Rhagfyr 1957.

30. Blaise Gillie at Evelyn Sharpe, 25 Hydref 1957 (Yr Archifdy Gwladol BD24/49).

31. Henry Brooke at y Prif Weinidog, 29 Hydref 1957 (Yr Archifdy Gwladol PREM11/2204).

32. *ibid.*

33. Huw T Edwards at Henry Brooke, 13 Tachwedd 1957 (HTE A2/125); derbyniodd ateb gan Brooke yn dweud nad oedd y penderfyniad wedi'i wneud, Henry Brooke at Huw T Edwards, 15 Tachwedd 1959 (Papurau John Clement 8).

34. Memorandwm gan Henry Brooke at y Prif Weinidog, 25 Tachwedd 1957 (Yr Archifdy Gwladol PREM11/2204).

35. Memorandwm gan Norman Brook at y Prif Weinidog, 26 Tachwedd 1957 (Yr Archifdy Gwladol PREM11/2204).

36. Memorandwm gan F A Bishop, 5 Rhagfyr 1957 (Yr Archifdy Gwladol PREM11/2204).

37. *Troi'r Drol*, t 14.

38. Cyfweliad yr awdur â John Clement, 24 Mehefin 1988.

39. Dyddiadur Macmillan, 1957 (Llyfrgell y Bodleian, papurau Harold Macmillan dp. D 30, tt 74–5). Rwy'n ddyledus i Nia Mai Daniel am y cyfeiriad hwn.

40. Alistair Horne, *Macmillan 1956–1986 – vol II of the official biography* (1989), tt 30, 81.

41. Memorandwm gan yr Ysgrifennydd Cartref at y Prif Weinidog, 6 Rhagfyr 1957 (Yr Archifdy Gwladol PREM 11/2204).

42. Brysneges: Cairncross at Huw T Edwards, 9 Rhagfyr 1957 (Papurau John Clement 8).

43. Y Prif Weinidog at R A Butler a Henry Brooke, 10 Rhagfyr 1957 (Yr Archifdy Gwladol PREM 11/2204).

44. Y Prif Weinidog at Huw T Edwards, 11 Rhagfyr 1957 (Papurau John Clement 8).

45. Memorandwm gan y Prif Weinidog, 17 Rhagfyr 1957 (Yr Archifdy Gwladol PREM 11/2204).

46. Dyfynnwyd yn E L Gibson, A Study of the Council for Wales, t 156.

47. John Clement at Dafydd Williams, 17 Rhagfyr 1957 (Papurau John Clement 8).

48. *Troi'r Drol*, tt 61–79.

49. *ibid*, 80–5; pryderai John Clement am y pwysau ar Huw T o ganlyniad i'r holl deithio a'i gyfrifoldebau gyda'r Cyngor a'r Bwrdd Croeso, gweler John Clement at Syr William Jones, 25 Mawrth 1958 (Yr Archifdy Gwladol BD23/8).

50. Gweler pennod X.

51. Pedwerydd Memorandwm Cyngor Cymru (drafft), 15 Mai 1958 (Cofnodion Cyngor Cymru, 25 Medi 1958; gweler hefyd Papurau John Clement 8); cyhoeddwyd y fersiwn terfynol yn Ionawr 1959, Cmd. 631.

52. Cyfweliad yr awdur â John Clement, 24 Mehefin 1988.

53. Winkler at Cairncross [dau was sifil], 3 Gorffennaf 1958 (Yr Archifdy Gwladol PREM11/4597).

54. Henry Brooke at Huw T Edwards, 16 Mai 1958; gweler hefyd Henry Brooke at Huw T Edwards, 26 Mai 1958 a John Clement at Dafydd Williams, 17 Mehefin 1958 (Papurau John Clement 8).

55. Harold Macmillan at Huw T Edwards, 5 Gorffennaf 1958 (HTE A1/401).

56. Cofnodion Cyngor Cymru, cyfarfod 25 Medi 1958 (Cofnodion Cyngor Cymru).

57. *Western Mail*, 20 Medi 1958.

58. Llythyron gan John Clement at Syr William Jones, 22 Medi 1958, at R Ll Jones, yr Athro Henry Lewis (a rhai aelodau eraill o'r Cyngor), 23 Medi 1958, at Syr William Jones, 10 Hydref 1958 (Papurau John Clement 8).

59. Syr Clayton Russon at John Clement, 19 Medi 1958 (Papurau John Clement 8).

60. Cyfweliad yr awdur â John Clement, 24 Mehefin 1988.

61. Papurau D J Williams P2/8; awgryma un hanesydd fod llawer i Gymro cenedlaetholgar yn dioddef o'r hyn a eilw'n 'Penyberthitis' yn y cyfnod hwn: John Davies, *Boddi Capel Celyn*, t 175.

62. Nodyn gan John Clement ar gyfarfod o'r Cyngor, 24 Hydref 1958 (Yr Archifdy Gwladol BD 23/8).

63. Barn yr Athro R I Aaron oedd: 'I'm not sure that we shouldn't all have resigned with the Chairman, but the shock at the end of that meeting made any thinking impossible', R I Aaron at John Clement, 28 Hydref 1958 (Papurau John Clement 8).

64. Nodyn gan John Clement ar gyfarfod o'r Cyngor, 24 Hydref 1958 (Yr Archifdy Gwladol BD 23/8).

65. *Western Mail*, 25 Hydref 1958.

66. Llythyr at yr awdur gan Syr David Llewelyn, 6 Ebrill 1990.

67. Nodyn gan Henry Brooke at y Prif Weinidog, 7 Tachwedd 1958 (Yr Archifdy Gwladol PREM11/4597).

68. *ibid*; mewn nodyn arall at y Prif Weinidog, 24 Tachwedd 1958, yn yr un ffeil, beirniadodd Brooke Syr William Jones '… whose constant endeavour

it would have been to embarrass the Government.' (Yr Archifdy Gwladol PREM11/4597).

69. *Liverpool Daily Post*, 5 Rhagfyr 1958; pryderai ei wraig am Syr William: 'I have never seen him so grey and disappointed', Nellie Jones at Huw T Edwards, 24 Tachwedd 1958 (HTE A1/495).

70. Nodyn gan Henry Brooke at y Prif Weinidog, 7 Tachwedd 1958 (Yr Archifdy Gwladol PREM11/4597).

71. Nodiadau gan Trevor Vaughan, 1980 (Papurau Trevor Vaughan, NLW Misc Records 537).

72. Brinley Thomas at Huw T Edwards, 24 Hydref 1958 (HTE A1/420); gweler hefyd Brinley Thomas at John Clement, 4 Tachwedd 1958; ymddiswyddodd Dafydd Williams oherwydd penodiad Brooke i'r gadair ond hefyd oherwydd amharodrwydd y llywodraeth i ariannu'r arolwg ar y diwydiant twristiaeth y bu ynghlwm ag ef, gweler *Y Cymro,* 5 Rhagfyr 1958.

73. Syr William Jones at Trevor Vaughan, 2 Rhagfyr 1958 (Papurau Trevor Vaughan: NLW Misc. 537).

74. Nesta C Hext Lewis at Henry Brooke, 14 Tachwedd 1958 (Yr Archifdy Gwladol BD24/58).

75. Ernie Hickery at Huw T Edwards, 2 Rhagfyr 1958 (HTE A1/496).

76. Eirys H Edwards at Huw T Edwards, [Tachwedd 1958] (HTE A1/501).

77. Syr Ifan ab Owen Edwards at Elwyn Roberts, 4 Tachwedd 1958 (Papurau Elwyn Roberts 35).

78. Syr Ifan ab Owen Edwards at Huw T Edwards, 5 Tachwedd 1958 (HTE A1/479); gweler hefyd *Y Cymro,* 4 Rhagfyr 1958, *Y Faner,* 11 Rhagfyr 1958.

79. Llythyr gan Saunders Lewis, 2 Tachwedd 1959 (Yr Archifdy Gwladol BD24/44).

80. *Troi'r Drol,* t 29; ceir llythyr gan Huw T Edwards at Evelyn Sharpe, 2 Mehefin 1958, ar y mater hwn ymhlith papurau John Clement (8); yn y pen draw cafodd John Clement ei ddyrchafu i swydd uwch yn y gwasanaeth sifil.

81. Cyfweliad yr awdur â John Clement, 24 Mehefin 1988.

82. *Wales,* Tachwedd 1958, tt 3–12.

83. *Liverpool Daily Post*, 25 Hydref 1958.

84. *Empire News,* 26 Hydref 1958.

85. *Y Cymro,* 22 Hydref 1958; *Wrexham Leader,* 22 Tachwedd 1958.

86. Gweler pennod IX.

87. Gwynfor Evans (o Ganada) at Huw T Edwards, [Hydref 1958] (HTE A1/606).

88. *Y Ddraig Goch,* Rhagfyr 1958.

89. Gwilym Prys Davies at Goronwy Roberts, 18 Tachwedd 1958 (Papurau Goronwy Roberts C1/5).

90. Rhys Evans, *Gwynfor: Rhag pob Brad,* t 189.

91. Ceir fersiwn Cymraeg o'i lythyr ymddiswyddo yn *Troi'r Drol,* tt 15–28.

92. *Western Mail,* 25 Hydref 1958; gweler hefyd y *Ddraig Goch,* Rhagfyr 1958, a

adroddodd i Huw T ddweud ar y radio: 'Nes cawn ni leihad ar awdurdod y crachach yn Whitehall, nid oes obaith am gyfiawnder i Gymru.'

93. Llythyr gan Roger Lloyd Thomas at yr awdur, 9 Rhagfyr 1989.

94. Peter Hennessy, *Whitehall* (1989), tt 145–7.

95. Cyfweliad gyda Joseph a gyhoeddwyd yn *Contemporary Record*, cyf 1, rhif 1, 9–52; dyfynnwyd Crossman yn Peter Hennessey, *Whitehall*, t 437.

96. Llythyr gan Roger Lloyd Thomas at yr awdur, 9 Rhagfyr 1989.

97. Gweler, er enghraifft, y memoranda gan weision sifil, F A Newsam at yr Arglwydd Mancroft, 21 Tachwedd 1955, yn dadlau nad oedd yn 'administratively possible' i ddatganoli cyfrifoldebau o'r canol i swyddfeydd y llywodraeth yng Nghymru, a G J Otten, 30 Tachwedd 1955: 'The crux is can Departments make any concessions, despite the administrative inconvenience, to stave off political pressure which in the end might have considerable practical repercussions in their work?' (Papurau John Clement 8); gweler hefyd erthygl Ted Rowlands sy'n cyfeirio at frwydr Whitehall yn erbyn datganoli grym i'r Swyddfa Gymreig yn 1964: Whitehall's last stand: the establishment of the Welsh Office, 1964, *Contemporary Wales*, 16 (2003), tt 39–52.

98. Cyfweliad yr awdur â John Clement, 24 Mehefin 1988.

Pennod VIII

1. Rhydwen Williams: 'Hydref 1958' (*Y Faner*, 30 Hydref 1958).

2. Gweler pennod VII.

3. *Y Faner*, 18 Rhagfyr 1958.

4. *Troi'r Drol*, tt 55–7.

5. *Y Faner*, 7 Tachwedd 1957.

6. *Y Faner*, 14 Awst 1958.

7. *Y Faner*, 3 Medi 1958.

8. *Y Faner*, 23 Hydref 1958; gweler hefyd erthygl gan Caradog Prichard yn y *News of the World*, 16 Tachwedd 1958 : 'I want to say this seriously as I can to Liverpool now. This battle is not at an end and it is rather strange and odd that if you want a concession finally from England nothing is ever conceded at the right time. Concessions are made reluctantly, often far too late, and far too often they are made as a result of force.'

9. Syr Geoffrey Summers at Henry Brooke, 14 Hydref 1958 (Yr Archifdy Gwladol BD24/44).

10. *The Observer*, 7 Mehefin 1959.

11. Rhys Evans, *Gwynfor: Rhag pob Brad,* t 196.

12. *Ibid.*

13. Huw T Edwards at Gwynfor Evans [tua 1963] (Papurau Gwynfor

EvansG1/174); Owen Williams at Huw T Edwards, 16 Mai 1963 (HTE A1/378); Siôn Daniel at HTE, 30 Awst 1958 (HTE A1/758); mae'r siec o £500 ar gyfer mechnïaeth Owen Williams a John Albert Jones ymhlith papurau Huw T Edwards (HTE E2).

14. *Troi'r Drol*, t 5; anfonodd Huw T arian at Emyr Llewelyn Jones tra oedd yn y carchar, gweler T Llew Jones at Huw T Edwards, 15 Mai 1963 (HTE A1/737).

15. *Y Faner*, 22 Ionawr 1959.

16. *Y Faner*, 14 Awst 1958.

17. *ibid.*

18. *Manchester Guardian*, 25 Hydref 1958.

19. Huw T Edwards at P J Walters, [Tachwedd 1958] (Archifau Cymdeithas Awdurdodau Lleol Cymru X39).

20. Huw T Edwards at D J Williams, [Tachwedd 1958] (Papurau D J Williams P2/8).

21. *Liverpool Daily Post,* 11 Rhagfyr 1958.

22. *Liverpool Daily Post,* 12 Rhagfyr 1958.

23. Gweler Gwyn Jenkins 'Keeping up with the Macs: the devolution debate of 1957–59', *Planet* 82, tt 84–9.

24. *Empire News*, 1 Chwefror 1959; gweler hefyd *Y Faner,* 19 Chwefror 1959.

25. Huw T Edwards at Eirene White, 11 Mai 1959 (HTE A2/134); *The Observer*, 7 Mehefin 1959.

26. *Troi'r Drol*, t 35.

27. Dyddiadur 1958 (HTE B16).

28. *Y Faner*, 14 Gorffennaf 1960.

29. *Planet 82*, tt 87–89.

30. Yn ei lythyr at Syr William Jones, 11 Mawrth 1958, awgrymodd John Clement nad oedd yn debygol y byddai'r llywodraeth Geidwadol yn newid ei meddwl ar y mater ac mai ei obaith gorau oedd cael y Blaid Lafur i fabwysiadu adroddiad y Cyngor. Ystyriai fod ymateb y Prif Weinidog yn ddefnyddiol gan iddo ddymchwel yn effeithiol bolisi Llafur ar y pryd, sef gweinidog heb Adran na chyfrifoldeb gweithredol. (Papurau John Clement 8).

31. *Y Ddraig Goch*, Ionawr 1953.

32. John Davies, *Broadcasting and the BBC in Wales* (1994), t 243; gweler hefyd *Y Faner*, 18 Medi 1959.

33. Emrys Roberts at Huw T Edwards, 20 Ionawr 1959 (HTE A1/515).

34. Huw T Edwards at Emrys Roberts, [Ionawr 1959] (HTE A2/132).

35. Elwyn Roberts at Gwynfor Evans a J E Jones, 9 Chwefror 1959 (Archifau Plaid Cymru C41).

36. J E Jones at Huw T Edwards, 2 Chwefror 1959 (HTE A1/518).

37. Elwyn Roberts at [anhysbys], 5 Mawrth 1959 (Archifau Plaid Cymru C41).

38. R Tudur Jones at Huw T Edwards, 15 Chwefror 1959 (HTE A1/522).

39. Gwynfor Evans at Huw T Edwards, 15 Chwefror 1959 (HTE A1/521).

40. Elwyn Roberts at [anhysbys], 5 Mawrth 1959 (Archifau Plaid Cymru C41).

41. Huw T Edwards at Gwynfor Evans, [Chwefror 1959] (Papurau Gwynfor Evans G1/174).

42. Syr Wyn Wheldon at Huw T Edwards, 10 Mawrth 1959 (HTE A1/527).

43. J E Jones at Huw T Edwards, 23 Mehefin 1959 (Archifau Plaid Cymru B759).

44. Huw T Edwards at J E Jones, [19 Gorffennaf 1959] (Archifau Plaid Cymru B766).

45. Huw T Edwards at Gwynfor Evans, 19 Gorffennaf 1959 (Archifau Plaid Cymru B766).

46. Gwynfor Evans at Huw T Edwards, 29 Gorffennaf 1959 (HTE A1/539).

47. Gwilym R Jones at J E Jones a Gwynfor Evans, 30 Gorffennaf 1959 (Archifau Plaid Cymru B766).

48. Cyfweliad â Mrs Mary Bielby, 25 Gorffennaf 1988.

49. *Western Mail*, 7 Awst 1959.

50. Cyfweliad yr awdur â John Clement, 24 Mehefin 1988.

51. Cyfweliad yr awdur â Cliff Prothero, 16 Mawrth 1989.

52. *Western Mail*, 8 Awst 1959.

53. *Y Ddraig Goch*, Awst 1961.

54. *Why nationalist?*, taflen a gyhoeddwyd gan Blaid Cymru ddechrau'r 1960au.

55. Cyfweliad yr awdur â Charles Quant, 6 Mehefin 1989.

Pennod IX

1. D Elystan Morgan at Huw T Edwards, [Awst 1959] (HTE A1/607).

2. Gwynfor Evans at Huw T Edwards, 7 Awst 1959 (HTE A1/543).

3. Gwynfor Evans at J E Jones, 7 Awst 1959 (Archifau Plaid Cymru B766).

4. Huw T Edwards at J E Jones, 17 Awst 1959 (Archifau Plaid Cymru B766).

5. J E Jones at Huw T Edwards, 2 Medi 1959 (Archifau Plaid Cymru B766).

6. Steve Wall at Emrys Roberts, Awst 1959 (Archifau Plaid Cymru B764).

7. Mrs Griffith John Williams at Kate Roberts, 11 Awst 1959 (Papurau Kate Roberts 1181).

8. J E Jones at Huw T Edwards, 24 Awst 1959 (Archifau Plaid Cymru B766); J E Jones at J Gwyn Griffiths, 22 Awst 1959 (Archifau Plaid Cymru B766).

9. H W J Edwards at J E Jones, 11 Awst 1959 (B766); 'Y mae gweithred Mr Huw T Edwards wedi bod yn arweiniad i mi wrth ofyn unwaith eto am fod yn aelod.' John Legonna at J E Jones, 5 Medi 1959 (B767).

10. Rhys Evans, *Gwynfor: Rhag pob Brad*, t 203.

11. Rolant o Fôn at Cledwyn Hughes, 15 Medi 1959 (Papurau'r Arglwydd Cledwyn B1).

12. Hubert Morgan at Huw T Edwards, 11 Awst 1959 (HTE A1/570).

13. *Y Faner* 27 Awst, 3 Medi 1959; *Flintshire Leader*, 14 Medi 1959.

14. Cyfweliad yr awdur â Moses Jones, 6 Mehefin 1989; Tom Richards at Bob Owen, 10 Hydref 1959 (Papurau Bob Owen 36).

15. Huw T Edwards at Eirene White, 18 Ebrill [tua 1966] (Papurau Eirene White P1/2).

16. Credai J E Jones fod gan Transport House '… a hand in this': J E Jones at H W J Edwards, 26 Awst 1959 (Archifau Plaid Cymru B1194).

17. Huw T Edwards at Gwynfor Evans, [Medi 1959] (Papurau Gwynfor Evans G1/174).

18. *Y Faner*, 8 Hydref 1959; Frank Price Jones oedd 'Daniel'.

19. Beti Williams at J E Jones, 7 Hydref 1959 (Archifau Plaid Cymru B776).

20. Ffeil etholiad 1959 (Archifau Plaid Cymru C41).

21. *ibid.*

22. *Y Ddraig Goch*, Medi 1959.

23. *Liverpool Daily Post*, 10 Hydref 1959.

24. Syr Wynn P Wheldon at Ben Jones, 13 Hydref 1959 (Papurau Ben Jones 17).

25. *Y Faner*, 12 Mai 1960.

26. *Y Faner*, 12 Mai 1960; JE Jones at Elwyn Roberts, 29 Awst 1960. (Archifau Plaid Cymru.)

27. Huw T Edwards at Gwynfor Evans, [Medi 1959] (Papurau Gwynfor Evans G1/174).

28. *Y Faner*, 8 Hydref 1959.

29. *Liverpool Daily Post*, 9 Awst 1959; *Western Mail*, 9 Awst 1959.

30. *Western Mail*, 22 Ionawr 1960.

31. *Y Ddraig Goch*, Tachwedd 1960.

32. *Y Faner*, 21 Gorffennaf 1960.

33. Gwilym Tudur, *Wyt ti'n Cofio* (1989), tt 15, 22.

34. *Y Faner*, 26 Ionawr 1961.

35. Alun Oldfield-Davies at Huw T Edwards, 30 Ionawr 1961, 20 Chwefror 1961 (HTE A1/652–3).

36. *Y Faner*, 9 Chwefror 1961.

37. *Y Faner*, 13 Ebrill 1961; Ifor Owen at Gwynfor Evans, 2 Mai 1961 (Papurau Gwynfor Evans G1/31).

38. *Liverpool Daily Post*, 19 Ebrill 1961.

39. *Liverpool Daily Post*, 20 Ebrill 1961.

40. J E Jones at Gwilym R Jones, 21 Ebrill 1961 (Archifau Plaid Cymru B831).

41. Rhys Evans, *Gwynfor: Rhag pob Brad*, tt 220–1.

42. Elwyn Roberts at Gwynfor Evans, 20 Ebrill 1961 (Archifau Plaid Cymru B1107).

43. J E Jones at Huw T Edwards, 9 Mai 1961 (HTE A1/659).

44. Cyfweliad yr awdur â Moses Jones, 6 Mehefin 1989.

45. *Y Faner*, 30 Mawrth a 1 Mehefin 1961.

46. Daeth y colofn i ben ddiwedd 1961.

47. Gwynfor Evans at Huw T Edwards, 7 Mehefin 1962 (HTE A1/701).

48. Huw T Edwards at Ray Smith, [postiwyd 15 Mehefin 1962] (HTE A2/144).

49. Saunders Lewis at Huw T Edwards, 9 Medi 1962 (HTE A1/714).

50. Huw T Edwards at Saunders Lewis, 26 Medi 1962 (LlGC 22727E).

51. Gwynfor Evans at Huw T Edwards, 1 Hydref 1962 (HTE A1/718).

52. Huw T Edwards at Gwynfor Evans, 6 Hydref 1962 (Papurau Gwynfor Evans G1/33; ceir copi yn HTE A2/145).

53. Gwynfor Evans at Huw T Edwards; 10 Hydref 1962 (HTE A1/719).

54. Islwyn Ffowc Elis at Gwynfor Evans, 10 Ebrill 1963 (Papurau Gwynfor Evans G2/3; ceir copi yn Archifau Plaid Cymru B1107).

55. Llythyr Gwynfor Evans at aelodau'r Blaid, 3 Mai 1963 (Archifau Plaid Cymru B870).

56. *Y Faner*, 20 Mehefin 1963.

57. Emrys Roberts at Huw T Edwards, 25 Gorffennaf [1963, nid 1962 fel sydd yn y catalog] (HTE A1/704).

58. *Y Ddraig Goch*, Medi 1963.

59. Huw T Edwards at Gwynfor Evans, 8 Tachwedd 1963 (Papurau Gwynfor Evans G1/33).

60. Hazel Thomas at Gwynfor Evans, 5 Mawrth 1963, Elwyn Roberts at Gwynfor Evans, 3 Mai 1963 (Archifau Plaid Cymru B1107).

61. Gwynfor Evans at Emrys Roberts, 2 Mai 1963 (Archifau Plaid Cymru B870).

62. Ffeil Rhanbarth Sir y Fflint (Archifau Plaid Cymru C111).

63. Elwyn Roberts at Gwynfor Evans, 3 Mai 1963 (Archifau Plaid Cymru B1107).

64. Elwyn Roberts at Huw T Edwards, 11 Chwefror 1964 (Archifau Plaid Cymru N28); gweler hefyd y llythyrau yn ffeil Rhanbarth Gorllewin Fflint (Archifau Plaid Cymru C140).

65. Roedd Nefyl Williams mewn dyled bersonol o £150 (Archifau Plaid Cymru B1198); gweler hefyd adroddiadau'r rhanbarthau i'r pwyllgor gwaith, 1965 (Archifau Plaid Cymru A52).

66. *Y Faner*, 9 Ionawr 1964.

67. *Y Faner*, 16 Ionawr 1964.

68. Huw T Edwards at Elwyn Roberts, [ddechrau Ionawr 1964] (Archifau Plaid Cymru N8).

69. Ym marn un ohonynt, yr Athro J Gwyn Griffiths: 'Mae rhamantiaeth y Dr Edwards yn y cyswllt hwn yn blentynaidd' (*sic.*), *Y Faner*, 23 Ionawr 1964.

70. Gwilym R Jones at Gwynfor Evans, 11 Chwefror 1964 (Papurau Gwynfor Evans G2/7).

71. Huw T Edwards at Elwyn Roberts, [Ebrill 1964] (Archifau Plaid Cymru N28).

72. *Y Ddraig Goch,* Tachwedd 1963.
73. Gwilym Prys Davies at Jim Griffiths, 5 Awst 1964 (Papurau James Griffiths D1/16).
74. J E Jones at Huw T Edwards, 23 Awst 1964 (HTE A1/803).
75. *Y Faner,* 3 Rhagfyr 1964.
76. 'Mae'r hen Harold yn gwneud ei waith yn fendigedig ac y mae'n nabod ei bobol', Huw T Edwards at Cledwyn Hughes, 6 Ebrill 1966 (Papurau'r Arglwydd Cledwyn B3).
77. *Oxford Dictionary of Modern Quotations* (*Oxford Reference Online*).
78. *Y Faner,* 28 Ionawr a 4 Chwefror 1964.
79. Cofnodion pwyllgor gwaith Plaid Cymru, 2 Ionawr 1965 (Archifau Plaid Cymru A52).
80. Huw T Edwards at Elwyn Roberts, 23 Ionawr 1965 (Archifau Plaid Cymru C77); ysgrifennodd at Gwynfor Evans hefyd: 'gobeithiaf y deil ein cyfeillgarwch ar waethaf yr anghytuno' (Papurau Gwynfor Evans G1/37); parhaodd Huw T i gyfrannu'n ariannol i'r Blaid, gweler Elwyn Roberts at Nefyl Williams a Meredith Edwards, 4 Mai 1965 (Archifau Plaid Cymru C77).
81. Llythyron gan Cledwyn Hughes, Cliff Prothero a Goronwy Roberts, Ionawr 1965 (HTE A1/835, 836, 838).
82. *Y Faner,* 18 Chwefror 1965.
83. Cyfweliad yr awdur â Cliff Prothero, 16 Mawrth 1989.
84. Jim Griffiths at Huw T Edwards, 15 Chwefror 1965 ac ateb Huw T Edwards, 17 Chwefror 1965 (HTE A1/853, A2/155).
85. Gweler nodyn 73 uchod.
86. Cyfweliad yr awdur â Gwilym R Jones, 14 Mehefin 1989.
87. *Liverpool Daily Post,* 16 Gorffennaf 1966.
88. *Hewn from the Rock,* t 236.

Pennod X

1. Nid oedd pawb yn cytuno, gweler sylw amdano gan Elizabeth Williams [Mrs Griffith John Williams] at Kate Roberts, 23 Tachwedd 1960: 'y mae'n siaradwr difrifol o sâl' (Papurau Kate Roberts 1283; rwy'n ddyledus i Dafydd Ifans am y cyfeiriad hwn).
2. Cyfweliad yr awdur â'r Fonesig White, 1 Medi 1988; cyfweliad yr awdur â Haydn Rees, 2 Tachwedd 1990.
3. Peter Stead: *Coleg Harlech: The First Fifty Years* (1977), t 123; am gyfnod roedd Huw T yn drysorydd y WEA yng ngogledd Cymru ac yn 1949 cafodd y cyfle i apelio am gymorth drwy ddarllediad yng nghyfres radio'r BBC *Week's Good Cause.*

4. Gwybodaeth gan y teulu.

5. Gwybodaeth gan Philip Jones Griffiths, 11 Tachwedd 2006.

6. Ceir hanes y Bwrdd Croeso yn Lyn Howell, *The Wales Tourist Board* (1988).

7. Mabwysiadwyd yr enw Bwrdd Croeso Cymru yn 1969.

8. Cadeiriwyd y Bwrdd am gyfnod byr rhwng teyrnasiad Grenfell a Huw T gan Mrs K Jones-Roberts, Blaenau Ffestiniog.

9. Lyn Howell a gyfieithodd i'r Saesneg gyfrolau hunangofiannol Huw T a gyhoeddwyd yn 1967 mewn un gyfrol yn dwyn y teitl *Hewn from the Rock*.

10. Lyn Howell, *The Wales Tourist Board*, t 5.

11. *Western Mail*, 31 Mawrth 1958.

12. *The Times*, 31 Ionawr 1962.

13. *Tros y Tresi*, t 128.

14. Llyfr toriadau papur newydd (HTE F6); *Y Drych*, 15 Mai 1953.

15. Huw T Edwards at Gwilym Lloyd George, Ysgrifennydd Cartref, 1 Rhagfyr 1954 (HTE A2/108) ac ateb yr Ysgrifennydd Cartref (HTE A1/199).

16. A C Hill at Syr Austin Strutt, 14 Ionawr 1954 (Yr Archifdy Gwladol BD24/221).

17. Ffeil 'Festival of Wales', 1954-8 (Yr Archifdy Gwladol BD24/86).

18. *ibid.*

19. *ibid*; gweler hefyd *Y Faner*, 24 Hydref 1958.

20. Ffeil 'Festival of Wales', 1954–8 (Yr Archifdy Gwladol BD24/86).

21. Huw T Edwards at Gwilym Lloyd George, 18 Gorffennaf 1956 (HTE A2/115); Ffeil 'Festival of Wales', 1954–8 (Yr Archifdy Gwladol BD24/86).

22. Gwilym Lloyd George at Harold Macmillan, 20 Awst 1956 ac ateb Macmillan, 6 Medi 1956 (Yr Archifdy Gwladol BD24/86).

23. Rhaglen Gŵyl Cymru (Papurau Syr Clayton Russon: LlGC ex 1047).

24. *Western Mail*, 2 Hydref 1958; *Y Faner*, 9 Hydref 1958.

25. *Western Mail*, 21 Ebrill 1960; *Troi'r Drol*, tt 97–9.

26. *Troi'r Drol*, tt 61–79.

27. *ibid*, tt 86–96.

28. Teyrnged Lyn Howell (HTE E14).

29. *Y Cymro*, 10 Mai 1959.

30. *Western Mail*, 10 Medi 1960.

31. *Western Mail*, 4 Ionawr 1961.

32. Nodyn gan Blaise Gillie, 3 Ionawr 1961 (Yr Archifdy Gwladol BD24/57).

33. Gordon Kerry at Lyn Howell, 7 Rhagfyr 1960 (HTE A3/19).

34. *Western Mail*, 18 Gorffennaf 1963; gweler hefyd W J ac AM Griffiths at Huw T Edwards (HTE A1/753).

35. Kyffin Williams, *Portraits* (1996), t 104. Mae'n debyg i Huw T gael ei gludo i'r stiwdio yn un o geir moethus TWW. Mae'n werth nodi bod sawl camgymeriad yn atgofion yr arlunydd o eisteddiad Huw T.

36. *Western Mail*, 18 Ebrill 1966.
37. Cofnodion y Bwrdd Croeso, 1966–9 (Papurau'r Wales Tourist Board 1/2).
38. Llyfr toriadau papurau newydd (HTE F11).
39. Eirene White at Thomas Jones, 24 Hydref 1952 (Papurau Eirene White F1/5).
40. Cyfweliad yr awdur â Charles Quant, 6 Mehefin 1989; roedd tad Eirene White, Thomas Jones, yn gyfaill teuluol i Mervyn Jones, Prif Weithredwr y Bwrdd Nwy; penodwyd Huw T i'r bwrdd ym Mehefin 1953 ar yr un pryd â'i ymddeoliad o'r *T&G* (gweler *Liverpool Daily Post,* 25 Mehefin 1953) gan aros ar y bwrdd tan 1963 pan nad oedd modd iddo fod yn aelod mwyach am fod gan y Bwrdd reol ymddeol yn 70 mlwydd oed; gweler hefyd lythyr Huw T Edwards at Elwyn Roberts, [Ionawr 1964] (Archifau Plaid Cymru N28).
41. *Western Mail*, 25 Mai 1953.
42. Huw T Edwards at bwyllgor Godfrey Ince, 8 Mehefin 1956 (HTE A2/113)
43. John Davies, *Broadcasting and the BBC in Wales,* t 250.
44. Gweler yr ohebiaeth rhwng Aneurin Bevan, Jack Hylton, Arglwydd Derby a Huw T Edwards, Medi 1956 (HTE A1/237–41).
45. Yn ei hunangofiant, ceir disgrifiad gan Arglwydd Roberts o Gonwy o Arglwydd Cilcennin: 'a smart man in every sense, who could outwit them all.' *(Right from the Start* (2006), t 63).
46. Roy Thomson: *The Concise Oxford Dictionary of Quotations,* gol. Elizabeth Knowles, Oxford University Press, 2003 (*Oxford Reference Online*).
47. Llyfr toriadau papurau newydd TWW (LlGC ex 1778).
48. Arglwydd Cilcennin at Huw T Edwards, 16 Ionawr 1959 (HTE A1/514); roedd gan Huw T gyfranddaliadau gwerth tua £1,000 erbyn 1961.
49. Ysgrifennodd Huw T at Gwynfor Evans ym Mehefin 1958 gan ddweud bod 'rhaid ceisio cael allan o'r cwmnïau presennol pob owns o adgyfnerthiad i'r iaith'; Huw T Edwards at Gwynfor Evans 1 Mehefin 1958 (Papurau Gwynfor Evans G1/24).
50. *The Times*, 31 Ionawr 1962.
51. Huw T Edwards at Arglwydd Derby, 23 Medi 1956 (HTE A2/117).
52. Yn ei golofn yn *Y Faner*, 11 Gorffennaf 1957, awgryma 'Daniel' mai Huw T a Syr Ifan ab Owen Edwards a ddenodd Wyn Roberts i TWW; mae awgrym hefyd mai'r dewis cyntaf oedd Sam Jones ond methwyd â'i ddenu o'r BBC, gweler Jenkin Alban Davies at Huw T Edwards, 7 Mawrth 1957 (HTE A1/319); mae nifer o lythyron diddorol gan Wyn Roberts ymhlith papurau Huw T Edwards.
53. *The Times*, 31 Ionawr 1962; Ifan Gwynfil Evans: 'Drunk on Hope and Ideals: the failure of Wales Television, 1959–1963', *Llafur* 7, 1997 rhif 2, t 81.
54. *Y Faner*, 10 Gorffennaf 1958; gweler hefyd *Y Ddraig Goch*, Awst 1958 a'r *Faner*, 20 Tachwedd 1958; cyhoeddwyd llythyr i'r un perwyl gan rai arweinwyr cenedlaethol yn *Wales*, Medi 1958, tt 11–12.
55. Pan sefydlwyd y bwrdd yn y lle cyntaf roedd dau ŵr busnes amlwg, David

Vaughan a Miles Thomas, yn aelodau ond penderfynasant ei adael yn lled fuan, gweler John Davies, *Broadcasting and the BBC in Wales*, t 228.

56. Huw T Edwards at Arglwydd Cilcennin, 19 Ionawr 1960 (HTE A2/136).

57. Huw T Edwards at Syr Ifan ab Owen Edwards, 16 Awst 1961 (HTE A2/140); ateb oedd hwn i lythyr gan Syr Ifan (HTE A1/669).

58. Ifan Gwynfil Evans, *Llafur* 7, tt 85–93.

59. Llythyron gan Olwen Caradoc Evans at Huw T Edwards, 21 Mai 1963 a 29 Mai 1963 (HTE A1/739 a 741); T Glyn Davies at Huw T Edwards, 3 Mehefin 1963 (HTE A1/742); gwybodaeth gan John Roberts Williams, 7 Awst 1989.

60. *Y Faner*, 26 Medi 1957.

61. *Liverpool Daily Post*, 31 Rhagfyr 1959.

62. *Y Faner*, 23 Mawrth 1961.

63. Wyn Roberts at Huw T Edwards, 3 Chwefror 1960 (HTE A1/623); cynigiwyd 35 gini y rhaglen i David Lloyd ond gwrthododd, gan ofyn am £50.

64. Gwilym R Jones, *Rhodd Enbyd* (1983), tt 114–20.

65. Cyfweliad yr awdur â Rhydwen Williams, 27 Mehefin 1989.

66. Huw T Edwards at Syr Ifan ab Owen Edwards, 5 Mai 1962 (HTE A2/42); gweler hefyd HTE A2/151.

67. Cyfweliad yr awdur â Rhydwen Williams, 27 Mehefin 1989; dyma oedd yr ail dro i Rhydwen ennill y goron gan iddo ei chipio hefyd yn 1945.

68. Huw T Edwards at John Baxter, TWW Ltd, 24 Awst 1964 (HTE A2/151).

69. Daeth Teledu Harlech yn HTV wedi hynny.

70. Huw T Edwards at olygydd y *Chester Chronicle*, 16 Mehefin 1967 (HTE A2/161a).

71. Cyfweliad yr awdur â Rhydwen Willams, 27 Mehefin 1989.

72. Cyfweliad yr awdur â Moses Jones, 6 Mehefin 1989.

73. *Y Faner*, 21 Hydref 1965.

74. Gwilym R Jones, *Rhodd Enbyd*, tt 114–20.

75. Cyfweliad yr awdur â Gwilym R Jones, 14 Mehefin 1988.

76. Glyn Tegai Hughes, 'Y Gwir am y Faner', *Barn*, Tachwedd 2002, tt 26–9.

77. Mewn llythyr at Huw T yn Ebrill 1957 mynegodd Kate Roberts ei hanfodlonrwydd: 'mae'n well gennyf fynd i'r Wyrcws neu lwgu na gweithio i'r Faner ddim rhagor' (HTE A1/331); Glyn Tegai Hughes, *Barn,* Tachwedd 2002; 'philistiad' oedd Charman ym marn Kate Roberts, gweler Kate Roberts at Huw T Edwards, 4 Gorffennaf 1957 (HTE A1/342).

78. Llythyr gan Charles Charman at yr awdur, 22 Mai 1990.

79. Huw T Edwards at Jenkin Alban Davies, 20 Medi 1957 (HTE A2/123).

80. *Y Faner*, 11 Ionawr 1962; cyfweliad yr awdur â Rhydwen Williams, 27 Mehefin 1989.

81. Gwilym R Jones, *Dynion Dawnus* (1980), t 76; llythyr gan Charles Charman at yr awdur, 22 Mai 1990.

82. Cyfweliad yr awdur â Rhydwen Williams, 27 Mehefin 1989.

83. Llythyr at yr awdur gan Ceiriog Williams, Mehefin 1990.

84. *Y Faner*, 27 Chwefror 1958.

85. *Y Faner*, 16 Hydref 1958.

86. Huw T Edwards at Jenkin Alban Davies, 20 Medi 1957 (HTE A2/123); *Y Faner*, 11 Ionawr 1962.

87. Ceir enwau'r ymddiriedolwyr yn rhifyn 2 Gorffennaf 1959 o'r *Faner* ac yn eu plith mae hen gyfeillion Huw T fel Clayton Russon, Emlyn Williams, J Alban Davies a Syr Daniel Davies.

88. Cyfweliad yr awdur â Gwilym R Jones, 14 Mehefin 1988.

89. Gwilym R Jones at yr Athro R I Aaron, 28 Tachwedd 1961 (Papurau R I Aaron 8).

90. Blaise Gillie at R I Aaron, 10 Awst 1962; Gwilym R Jones at R I Aaron, [Awst 1962] (Papurau R I Aaron 8).

91. Gwilym R Jones at Huw T Edwards (HTE A1/778); Frank Brown, TWW at Huw T Edwards, 2 Rhagfyr 1966 (A1/942); cylchrediad *Y Faner* yn 1963 oedd 2,750.

92. *Y Faner*, 11 Ionawr 1962.

93. Cyfweliad yr awdur â Gwilym R Jones, 14 Mehefin 1988.

94. Trevor Johnson at Huw T Edwards, 19 Hydref 1965 (HTE A1/874); *Y Faner*, 21 Hydref 1965.

95. *Wales*, Ebrill 1959, t 41.

96. Cyhoeddwyd cerdd 'Er Cof' gan Huw T mewn papur lleol tua 1920 (HTE E2); gweler hefyd pennod II.

97. Teyrnged yn angladd Huw T, Tachwedd 1979 (HTE E14).

98. Gweler Llion Elis Jones, 'Gwrthodedigion Llwyd' T H Parry-Williams V: Cywydd ac Englynion Ysgafn: Awen Lawen Tom, *Barddas*, 287, Ebrill/Mai 2006, tt 40–1.

99. Cyfweliad yr awdur â Rhydwen Williams, 27 Mehefin 1989. Hoffai Saunders Lewis y gerdd hon: 'cân ddwys a all fyw', Saunders Lewis at Huw T Edwards, 14 Ionawr 1960 (HTE A1/619).

100. Saunders Lewis at Huw T Edwards, 14 Ionawr 1960 (HTE A1/619); W D Williams at Huw T Edwards (HTE A1/977).

101. Perfformiwyd y gân gan David Lloyd mewn cyngerdd yn Llangollen, Gorffennaf 1960 (*Y Faner*, 21 Gorffennaf 1960); ceir fersiwn mwy diweddar gan Gwyn Hughes-Jones.

102. Ceir yr hanes yn adolygiad T Glynne Davies o *Tros y Tresi* yn y *South Wales Evening Post*, 29 Rhagfyr 1956 (HTE F9). Mae'n debyg i T Glynne Davies ennill y gadair a gwobr ariannol yn Eisteddfod Ddiwydiannol Cymru a gynhaliwyd yng Nghaer ddiwedd Mai 1949. Disgwyliai ddefnyddio'r arian i dalu am ei daith adref i'r canolbarth ar y trên, ond cafodd ei dalu â siec ac ni fyddai modd iddo newid honno gan fod y banciau ar gau. Daeth un o swyddogion yr eisteddfod i'r adwy ac nid yn unig fe newidiodd y siec ond

rhoddodd y siec yn ôl i'r bardd ifanc a chludo'r gadair yng nghefn ei gar i'r orsaf. Huw T oedd y cymwynaswr hwnnw.

103. M J Jones, 'Huw Thomas Edwards', *Barn*, Ionawr 1971, t 67; llythyr at yr awdur gan Ceiriog Williams, Mehefin 1990.

104. Cyfweliad yr awdur â Rhydwen Williams, 27 Mehefin 1989.

105. Llythyr ym meddiant y teulu; y 'Stute' oedd y ganolfan lle yr hoffai Huw T fynd i chwarae cardiau.

106. Gwybodaeth gan y teulu.

107. Llythyr at yr awdur gan Ceiriog Williams, Mehefin 1990.

108. Gwybodaeth gan Arglwydd Tonypandy, 25 Awst 1989; llythyr Harold Wilson at Huw T Edwards, 28 Gorffennaf 1970 (HTE).

109. Cyfweliad yr awdur â Mathonwy Hughes, 14 Mehefin 1988.

110. Tystysgrif marwolaeth Huw T Edwards (HTE E14).

111. Gwybodaeth gan y teulu.

112. *Western Mail*, 10 Tachwedd 1970; *Liverpool Daily Post*, 10 Tachwedd 1970; *Y Faner*, 19 Tachwedd 1970.

113. Teyrnged yn angladd Huw T, Tachwedd 1979 (HTE E14).

114. Syr Wyn Roberts (yr Arglwydd Roberts o Gonwy erbyn hyn) a ddadorchuddiodd y gofeb ar 14 Tachwedd 1992.

115. Gwynfor Evans, *Seiri Cenedl y Cymry* (1986), tt 289–94.

MYNEGAI